新　潮　文　庫

# 水　を　抱　く

石 田 衣 良 著

# 水を抱く

# I

渋谷の桜はすっかり散っていた。

数百万と落ちた淡い花びらはいったいどこに消えたのだろう。重さのない花びらは魔法のように水や空気に溶けてしまうのだろうか。街のあちこちで目につくのは、塗りたての水彩画のように光る新緑の木々と春の新作を誇らしげに着こなす女たちばかりだった。街はいつも新しいものできらきらとにぎやかだけれど、それがいったいなんになるのか。

伊藤俊也《いとうとしや》は先日のニュースを思いだした。この国の人口はあと数十年で、四千万人も減ってしまうという。どこかに消えた桜の花びらのように、人が溶け失《う》せてしまうのだ。

交差点のむかいに立ちつくす人間が半分になるところを想像した。そうなれば、この横断歩道もだいぶわたりやすくなるかもしれない。少子化も悪いことばかりではない。二十九歳独身で、当分子どもをつくるどころか結婚の予定もない自分には縮んでいく国を嘆く権利などそもそもなかった。

信号が青になった。春の淡い空に緑のLEDがにじみだしている。俊也は巨大な生物の息のような春風に背を押され、公園通りの坂道をのぼっていった。スーツは明るめのネイビーで、白いシャツに紺地に白の水玉のタイを締めている。いつもの外まわりの営業用スーツだ。背中には黒いバッグがあった。手でもつことも、肩にかけることも、背負うこともできるスリーウェイのナイロン素材で、なかには会社から支給されたノートパソコンと製品のカタログやら資料やらがつめこまれている。

坂道をのぼりきったあたりで立ちどまり、周囲を見まわした。約束のカフェはおおきなビルの地下にあるという。赤いタイル張りの階段をおりていった。街のざわめきが遠くなり、涼しげな水音がきこえてくる。日ざしがななめに落ちる地下のテラスの中央には、噴水が勢いよくふきあがっていた。

屋外用の白いテーブルと椅子《いす》が点々と散らばっている。ランチタイムがすぎてだいぶたっているので、客はまばらだった。待ちあわせの目印は白い花だ。女性のひとり客を捜して、ぐるりとテラスを一周する。太い柱のかげにその人を見つけた。

この人が凪《なぎ》なのか。

変わったハンドルネームだけれど、別にかまわなかった。どこかの星のプリンセスとか、魔法つかいを名のる多くのネット住民よりはまだましだ。

ナギは黒のワンピースに、黒いレザージャケットを重ねていた。足は黒の網タイツに黒いパンプスだ。棒のように手にもっているのは、黄色い軸を白い花びらが丸く包む飾り気のない花が一輪。あれはカラーという花だろうか。俊也はその人の姿を見て、なぜか葬式を連想した。淡い色の春服ばかり見てきたせいかもしれない。穏やかな春の光をのむような黒の重ね着が強烈だ。

テーブルに近づき、なるべく爽《さわ》やかな声をつくってみる。

「はじめまして。ナギさん、ですか」

険しかった表情がぱっと明るくなった。五歳ほど年上だときいていたが、笑顔になると同じくらいの年に見えた。もともと童顔なうえに、化粧が薄いせいかもしれない。

「あなたが俊也くんなんだ。座って、座って」

白い花をテーブルに放り投げた。ネットの人生相談サイトで出会ってから、もう四週間になる。セミロングの髪をかきあげ、ナギは俊也の全身をすばやくチェックした。

今どきめずらしいストレートの黒髪だ。

「案外、元気そうだね」

「ええ、まあ」

二年近くつきあって、そろそろ結婚を考えていたガールフレンドに、すこし離れておたがいに自分自身を見つめ直してみようといわれたのは、つい先日のことだった。それ以降、宮崎梨香《みやざきりか》とは一度も会っていないし、電話もしていない。メールの送信は可能だったが、返事はもどってこなかった。

別れるまえの一カ月、梨香は週末も俊也の部屋には泊まらなくなった。なにかと用事を口にしてデートを避けるようにもなっていた。人生相談サイトなど馬鹿《ばか》にしていたけれど、俊也はほかに話す相手もなくて投稿したのである。

回答者は何人かいたが、ナギはユーモアあふれる冷静な文章でひときわ目立っていた。俊也は落ちこみそうになったとき何度か助けられたのである。自分を責める必要はないこと。誰かと別れたパートナーが、別な誰かの最善の相手になること。恋は観覧車のようなもので、乗る気になるまで眺めていればいいのだ。俊也は別れてから体重をはかっていないけれど、二、三キロはやせているはずだ。いきなりちぎるように誰かに振られるのは、たいへんなストレスだった。食欲などかけらもなくなる。

若いウエイターがやってきて、冷水のコップとメニューをおいた。

「ホットのカフェオレをください」

ウエイターの視線が、なぜか俊也ではなくテーブルのむこうに張りついている。どうしてなのかすぐに気づいた。ナギのドレスの胸元は深くえぐれていた。静脈が透けて見えるほど白い肌が、なだらかに盛りあがり、黒い布に消えていく。ウエイターがいってしまうと、さばさばといった。

「やらしい男」

ナギが身体《からだ》をまえに乗りだすと、胸元の空きが広くなった。

「だけど、ちょっと興奮するよね。ネットでやりとりしただけの相手と初めて会うときって」

俊也も同じだった。出会い系サイトを利用したこともなければ、ネットでしりあった相手とリアルで会うのも初めての経験だ。

「ナギさんは今まで、こんなふうに誰かとお茶したことはあるんですか」

デートという言葉は危険だった。年上の女はじっと俊也の目を見てから、急ににっと前歯を見せて笑った。

「あるよ、何度かね。男の人ばかりだったけど。でも、おかしいな」

「なにがですか」

「俊也くんは、そんなにつまらなそうな人には見えない」

「やめてくださいよ」

笑って返事をしたけれど、冷たい刃で胸をえぐられたようだった。別れ話のまえから、梨香は俊也のことをつまらない男だと口癖のようにいっていた。スリルもときめきもない、安全で人並みで普通の男。理由はわからない。その言葉でひどく傷つく自分がいる。

「いや、ぼくは実際につまらない人間だと思いますよ。趣味もないし、仕事もそこそこだし、別にイケメンでもないし。夢とか希望とかもない。今の会社で定年まで働いて、きっとおしまい。女性にもてたことだってない」

「ないないづくしだ。卑屈なんだね。ちゃんと働いているじゃない。年収も平均的なサラリーマンよりはいいっていってたよね」

俊也は医療機器メーカーで営業職に就いている。一般的な知名度はさしてないけれど、画像診断装置の業界では、日本でトップスリーにはいる会社だ。

「まあね。でも、普通の会社員だし、女の人にはつまらない男かもしれない」

「弱気なんだなあ。営業って、なにを売ってるの」

俊也は自分の仕事を考えた。この世界にはおかしな仕事が多い。それは実社会にでてみるまでは想像もつかないことだった。

「人間関係を売ってるんです。病院の医長とか事務長と顔つなぎしておくのが仕事なんだ。クライアントがゴルフ好きならゴルフにいくし、釣り好きなら釣りにいく。奥さんが韓流好きなら、チケットを買うために何時間もならぶ。このまえはヴァイオリンの稽古《けいこ》にいく子どもの送り迎えもしました。それが仕事の八割くらいかな」

さして関心もなさそうにナギはうなずいた。

「ふーん、たいへんなんだね」

「別にたいへんでもないですよ。うちの業界は競争がたいしてないんで。不景気でもちゃんともうけている病院は多いし、韓国とか中国からの輸出攻勢もぜんぜんない。周辺機器とか、データの保存形式なんかのせいで、別な会社の製品には乗り換えにくい。人間関係でしくじらなければ、減価償却がすむと自然にリプレースの話がまわってくる。営業は別にぼくじゃなくてもいいんです。うまく病院にとりいれる人間ならね」

最高性能の超音波画像診断装置やＣＴを製造しているのは、世界でも三カ国だけだ。アメリカと日本とドイツ。国内市場で強いのはアメリカと日本だった。それぞれ特色はあるけれど、性能的にはオリジナルの特許をたくさんもつアメリカがやや上だろう。その代わり日本のメーカーには、価格優位性ときめ細かな営業力がある。韓国、中国はこの分野で闘えるほどの技術力はまだもっていない。二十年後はわからないが、つぎの十年はまず安泰だろう。俊也の会社では海外生産さえ計画されていなかった。

そういえば、自分がなぜ採用されたのか人事部の担当者に質問したことがあった。笑顔の感じがいい、年上の人間への対応がうまい、あとは素直で従順そうだというのが、そのこたえだった。どれも個人としての俊也を積極的に評価したわけではなさそうだ。

「時間が自由になる仕事でよかったね。こうして昼間からカフェで待ちあわせできるし。彼女ともランチデートとかしたんでしょう」

鋭いところを突いてくる。

「うん、つきあい始めたころは」

うわ目づかいで俊也を見て、ナギがいった。

「ラブホいった？」

こたえに困った。なぜだろうか、ナギと話していると、すぐに主導権をにぎられてしまう。

「うん、いった」

黒ずくめの女はわざとらしくため息をついて見せた。

「あーあ、昼間のラブホっていいよね。みんなが働いてるときに、あんなことやこんなことするのって、最高じゃない」

女の目が光をはじいていた。人の目が光るのは表面が濡《ぬ》れているからだと思った。ナギの目はどこかの泉で洗ったばかりのようによく濡れていた。こんなに目の力が強い女性には会ったことがない。俊也はあいまいにうなずくことしかできなかった。

胸元の白さに吸い寄せられそうになる視線を無理やり引きはがし、届いたばかりのカフェオレをのむ。なぜか、味がよくわからなかった。

2

「そっちはなにをしてるの」

心を落ちつかせるには、先に質問をするほうがよかった。すくなくとも返事を考える必要はなくなる。

「仕事はしてないかな。結婚もしてない」

「実家で暮らしているの」

ナギには普通の質問は退屈そうだった。投げやりにいう。

「ひとり暮らし。これ、コンカツなの?」

働かないで暮らせるのなら、親が裕福なのかもしれない。俊也は仕事を始めてから、ただぶらぶらしているだけの病院オーナーの子どもを何人も見ている。医者の子どもだからといって、誰もが医大を卒業できるほど優秀なわけではない。

そのあと自然におたがい過去につきあった相手の話になった。俊也があげたのは、学生時代や社会人になってから出会った普通の女性たちだった。けれど、ナギは違っていた。

「わたし、この一年間で完全にブレーキが壊れちゃった」

夢でも見ているように遠くを見て、ナギは笑った。

「男といっしょじゃないとつまんないんだよね。生きてる感じがしないというか。明日会う相手がいないと不安になる」

会う? ここは踏みこんだ質問をしてもいいのだろうか。俊也は慎重にきいてみる。

「会うって、デートするって意味?」

ふんと鼻で笑って、横目でナギはこちらをにらんだ。

「俊也くんは上品だよね。大人が会うっていったら、寝ることでしょう」

この女性には遠慮はいらないようだ。ストレートに話したほうがいい。

「誰か特定のボーイフレンドとかじゃなく、いろんな人と、そういうことになるんだ」

「そう」

「相手は選ばないの」

口元をきっと引き締めて、ナギが怖いほど真剣な顔になった。

「選ばない」

童顔だが細身のグラマーで、街をいくたいていの女たちより魅力的なナギが相手を選ばずに誰とでも寝る。これまでそんな女性には会ったことがなかった。いや、すくなくともそう正直に口にした人は初めてだ。俊也は気後れすると同時に、ナギのむきだしの強さに敬意を覚えた。自分は一生そんなふうに自己を開くことはできないだろう。にこやかで親切な営業マンとして生きていく。

「どうして、選ばないの」

白い胸元を押さえて、ナギがいった。

「わたしみたいな最低の女に声をかけてくれて、寝たがってくれるんだよ。選べるはずないじゃない。わたしを欲しがってくれるなら、誰とだってよろこんで寝る。わたしはそういう女なんだよ」

午後の日ざしが地下のテラスに深くさしこんでいた。ナギの幼い顔に光があたる。まぶしげに目を細めて、ゆっくりと自分の意思で笑顔をつくった。

「ねえ、ほんと最低でしょう」

そのときもう俊也は魅せられ始めていたのかもしれない。なぜか妙におかしく、同時に爽やかな気分だった。思わず笑いながらいった。

「ほんと、最低だ」

ナギも声をあげて笑っていう。

「最低のヤリマンだ」

ふたつ離れたテーブルに座る中年の主婦ふたり組が、こちらをじっとにらんできた。ナギは気にする素振りも見せない。

「わたし、一杯のんでもいいかな」

ウエイターを呼ぶと、グラスの赤ワインを注文した。渋くて、重くて、舌にドーンとくるのが好みだという。

俊也は腕時計を確かめた。その動きに気づいたナギがいった。

「このあとの予定はどうなってるの」

「一件だけだよ。目黒の病院にいって、また週末のゴルフの予定をうかがってくる」

「ふーん、会社にはもどるの」

「いいや、別にだいじょうぶ。うちの会社は在宅ワークをすすめていて、週に三日のコアタイム以外は出社しなくていいんだ」

「ふーん、そうなんだ」

俊也はスマートフォンを確認した。メールが三通。ひとつは同期からの飲み会の誘いで、もうひとつは上司から。最後の一通はこの二週間ほど音沙汰《おとさた》のなかった振られた恋人からのものだった。心臓が立て続けに二度打ったようだ。

「そろそろ、仕事にいかなくちゃ」

ナギは血のように濁ったワインを一気にのみ干した。

「じゃあ、わたしもいくよ。今夜、また会えるよね。ごはんいっしょにたべよう」

こういう人を肉食系というのだろうか。ナギは誘いかたもストレートだった。のどがからからに渇いていたが、俊也は平気な振りをした。

「うん、了解。仕事が終わったら、メールする」

「わたしはずっとこのへんでぶらぶらしてる」

ウエイターを呼び、テーブルで支払いをすませた。ナギといっしょにタイル張りの階段をのぼった。途中のステップで立ちどまると、ナギがいった。

「ちょっと待って」

赤い唇が寄ってくる。ナギは背伸びすると、舌をだしてべろりと俊也の頬をなめあげた。濡れた舌の感触が電気でも走ったようだった。俊也は腹の奥が瞬時に熱くなったが、あわてて周囲を見わたした。誰かに見られていないだろうか。頬をさわると、唾液《だえき》で冷たかった。

「いったい、急にどうしたの」

数段駆けあがって振りむいたナギは笑っていった。

「なんか、肌がすべすべでおいしそうだなと思って。わたし、さよならいうの苦手だから、このままいくね。じゃあ、夜に、待ってる」

黒服の魔女は、階段をのぼりきって渋谷の街に消えてしまった。俊也は呆然《ぼうぜん》としたまま、しばらく階段の途中で動けずにいた。



## 3

ナギの舌の感触は強烈だった。

キスなら経験はあるけれど、俊也は女性に顔をなめられたことはなかった。それも初対面の相手に、街中でいきなり。乾いた頰には焼印でも押したように、濡れた熱い舌の感触が残っている。俊也は電車のなかで、何度も頰をなでた。

営業でまわった目黒の産院では、夢のなかで仕事をしている気分だった。この仕事が終われば、またナギに会える。スマートフォンには、いれたばかりの電話番号とアドレスが記録されていた。新しい超音波装置のパンフレットを手わたし、院長に型どおりの説明をしたが、俊也の心の半分は渋谷にあった。ナギは今ごろ、あのにぎやかな街でなにをしているのだろう。

「今度の超音波は分解能があがって、画像がさらに鮮明になっています」

応接室のソファは、患者用の待合室とは違って革張りだった。飾ってあるのは、ネットオークションで入手したという西海岸のバンドのゴールドディスクだ。院長はパンフレットも見ずにいった。

「きみはそういうけど、今の機械でも、もう十分細かいところまで見えるからねえ。ほかになにか新機能はないの」

日本製のあらゆる先端機器と同じだった。機能はすでにいきつくところまでいっている。あとはユーザーやカスタマーにフレンドリーな枝葉のサービスが増えるだけだ。

「そうそう、忘れてました。胎児の写真から自動的にアルバムをつくるソフトが付属していますアルバムの台紙は別売りになるんですが、若いママには評判がいいんですよ。いろいろとかわいいキャラクターが選べるんです」

医療機器とキャラクターグッズになんの関係があるのかわからないが、俊也は機械が一台でも売れるなら気にしなかった。なんなら、本体に耳をつけてピンク色にしてもいい。

「あっ、そう」

さして反応はよくなかった。頭のなかの手帳をめくってみる。クライアントの年齢、出身大学、住所、趣味、家族構成、わかる場合は妻以外の女性の好みまで記録されている。この院長の趣味は懐《なつ》かしの洋楽バンドのライブだった。ロックは好きだが、自分でチケットをとるのは面倒だといっていた。

「つぎは誰のコンサート観《み》にいかれますか」

とたんに五十代の院長の顔が崩れた。

「そうだな、プログレッシブ・ロックがいいな。学生時代はイエスとかキング・クリムゾンとか好きだったんだよ。伊藤くんは若いから、ロックがほんものだった時代をしらないだろう。産業ロックが生まれる、はるか以前の話だ」

八〇年代に生まれた産業ロックは、世界中でロックスターを何百人も億万長者にした。世紀が替わると、ネットに押されて音楽業界は一気に斜陽化する。最盛期の半分以下にパッケージメディアの市場は縮小している。音楽が再び手づくりの時代にもどっても、ロックが再生したという話はきかなかった。俊也もポップ音楽についてその程度は理解していたが、素直にうなずき返しておく。年上の力をもった人間に反発を覚えないのが、俊也の世代の性格だ。

「生まれるまえの話ですから、さすがにわかりません。きいておいたほうがいいプログレッシブ・ロックのリストを、今度教えてください。先生は音楽のセンスがいいですから」

「やっぱり伊藤くんはまじめで、勉強熱心だね。七〇年代プログレの必聴盤リスト、つぎまでにつくっておくよ。なんならアナログレコードを貸してもいい」

院長はまんざらでもなさそうだった。こんなふうに相手を気もちよくさせて、仕事のつなぎをつけておく。営業とはおかしな仕事だった。リストをもらったら、ネットで無料で落として代表曲だけきいておこう。とくにプログレが好きなわけでもないが、それも仕事の一部だ。音楽は好きだけれど、アナログプレーヤーは高価すぎて手がだせない。

「光栄です。すごくお忙しいのに、わたしのために時間を割いていただけるなんて。

つぎのコンサートもたのしみにしていてください。チケットはこちらのほうで手配しますから」

この病院の売上規模なら、営業促進の経費で年に四回のコンサート招待が可能だった。つぎもきっと超音波の新製品を買ってくれることだろう。ネズミやネコのキャラクターアルバムがつくれる最上位機種だ。ノックの音に続いて、ドア越しに看護師の声がきこえた。

「院長先生、五時から予約の患者さんがいらっしゃいました」

院長と同じタイミングで、俊也は革張りのソファから腰を浮かせた。同じタイミングで同じ動作をすると親愛感が演出できると、どこかの自己啓発本で読んだ覚えがある。頭をさげて、なるべく爽やかな営業用の笑顔をつくる。

「先生、ここで失礼させていただきます。今日はどうもありがとうございました」

俊也の父親と同年輩の院長が、スーツの肩をたたいていった。

「いや、きみは仕事もきちんとしているし、気もちのいい若者だ。わたしの友人のお嬢さんが相手を捜しているんだが、今度会ってみる気はないか」

ガールフレンドと別れたばかりの俊也は、とっさに嘘《うそ》をついた。この院長に一生ナツメロをきかされるのはたまらない。

「すみません。わたしには結婚を考えている人がいるんです」

そのとき、なぜか元彼女《カノ》の梨香ではなく、今日の午後会ったばかりのナギの顔が浮かんだ。あの黒髪と青い静脈が浮かんだ胸元の白い肌。俊也は笑顔を固定したまま、応接室を離れた。

## 4

待ちあわせは道玄坂の途中にあるカフェバーで、午後七時に決まった。俊也は一時間早く店に着くと、すぐノートパソコンを開いた。在宅ワークが基本でも、メールでの報告は欠かせなかった。上司に一通、同僚に二通、別々の得意先に同じ内容を宛名《あてな》と細部を変えて三通。病院関係者は忙しいので、用件はメールですませることが多かった。考えてみると自分の仕事の半分近くは、パソコンのキーボードをたたくことですぎていく。

時間のすこしまえに仕事を終えて、パソコンを閉じた。道玄坂のビルの上空は、澄んだ春の夜空だった。ケヤキの若葉のあいだに星は見えない。あれはクラブにいくのだろうか。ヒップホップ系のファッションに身を包んだ若者たちが、にぎやかに坂道をのぼっていく。このあたりは、ラブホテルとクラブがごちゃまぜに散らばった欲望とビートの街だ。

約束の時間をすぎても、ナギはあらわれなかった。電話をかけてもつながらないし、メールにも返事がない。窓際《まどぎわ》の奥のボックスソファで、俊也はアイスオレの氷が溶けるのを落ち着かない気分で眺めていた。

グラスのしたにちいさな湖ができたころ、ナギがひどく険しい顔つきで店のまえをとおりすぎた。俊也が手を振っても気づかない。ドアを抜け、フロアを見わたした。昼と同じ黒ずくめの格好だ。俊也を見つけると、ふらつくような足どりでやってくる。

どこかがおかしかった。顔つきは別人のように荒《すさ》んでいるし、なにより網タイツが、濃いグレイのタイツに代わっていた。髪も乱れている。どさりと音を立てて、半円形のソファのむこうに腰を落とす。

「タイツが代わったんだ。あれ、伝線しちゃったの」

眉《まゆ》を寄せたまま、厳しい顔でナギはいった。

「裂けちゃった」

「そうなんだ」

それ以上つっこんだ質問はできない雰囲気だった。嵐《あらし》のまえの黒雲がナギの頭上だけ広がっている。よく見ると、がばりと開いたワンピースの胸元をよぎるように赤いみみずばれの線が引かれていた。自分と別れてから三時間ほどにしかならない。そのあいだに、ナギはいったいなにをしていたのだろう。俊也はメニューを開き、黒ずくめの女にむけてわたした。

「お腹空《なかす》いたよね。なんにする」

迷うことなくメニューを指さして、ナギはいった。

「スコッチ、バランタインの十二年でいいや、ダブルのオンザロックで」

童顔で黒髪のナギには似あわない選択だった。気おされて、俊也はいった。

「じゃあ、ぼくもつきあうよ。同じのをソーダ割で」

ナギは勢いよくメニューを閉じると、俊也に投げるようにもどした。

「お腹は空いてないから、好きなの頼んで。わたしはなにもいらない」

昼とはまるで別人だ。高額な医療機器など絶対に買わないと決心した客のようだ。とりつくしまがなかった。俊也はあきらめて、ウエイターに酒とサラダ、パスタとメインの肉料理を注文した。

高校球児が水分を補給するように、ナギはオンザロックのウイスキーをのどに送りこんだ。アルコールには強いようで、のむほどにだんだん肌の白さが際立ってくる。

サラダからセロリやルッコラをつまむくらいで、ほとんどなにもたべなかった。

昼とは違って、会話ははずまなかった。なにか自分は間違いを犯したのだろうか。俊也は振りかえってみたが、バツがつけられるような言動は思いあたらない。チーズを混ぜたパン粉であげた薄いビーフカツをたべていると、ナギはいった。

「男の人の食欲って、見ていて気もちいいね」

目の表情が変わっていた。先ほどまでの黒い雲が割れて、かすかな日がさしたようだ。目におかしな光が揺れている。

「ナギさんはいつもあんまりたべないの」

「そうだね、わたしはたべない。何日かに一度、ゴミ収集車みたいにまとめて栄養を補給するけど、あとはこれかな」

空になったロックグラスを顔の高さにあげた。この店では、球体に削った透明な氷をつかっている。ナギが手首を振ると、グラスのなかで氷がからからと澄んだ音を立てて回転した。

「今のわたしに残ってるのは、性欲くらいだよ」

いきなりとがった言葉を投げられた。胸をまっすぐに貫かれた気がする。

「……そうなんだ」

「俊也くんは今どきの草食男子なの」

自分ではよくわからなかった。確かにがつがつと女性を求めることもないし、あまりものを買わないのは事実だ。俊也の趣味のひとつは貯金である。新卒で今の会社にはいったときから、毎月積み立ててきた。けれど、それは男女を問わず同世代のほとんどと同じだろう。

「わからないなあ。草食男子って、どういう人なんだろう」

ナギがにっと前歯をのぞかせて笑った。いたずらを思いついた少女のようだ。なぜか俊也は『魔女の宅急便』のヒロイン・キキを思いだした。

「かんたんに草食かどうかわかる試験があるよ」

半円形のソファのむこうで、ナギが身体を沈めた。パンプスを脱いだつま先が俊也の両脚を割って伸びてくる。身体のなかで血が逆流した。顔が赤くなったのがわかる。くるぶしからふくらはぎをのぼってきたナギのつま先から、なぜかボディソープの匂《にお》いがした。

「ちょっと待って」

俊也はあわてて周囲を見まわした。奥のボックス席なので、店のなかの人からは見えないようだ。だが、左手のガラスの壁をとおして道玄坂をいく通行人には丸見えだった。ヒョウ柄のマイクロミニの女性と目があった。

「だいじょうぶ、ほかの客は気がつかないよ」

ナギの細身のつま先が太ももをこじ開けて伸びてきた。俊也のペニスが電気でも流れたように急膨張を開始する。

「ダメだ。外から見えてる」

「いいじゃん。これくらい見せてやれば」

ナギのつま先が俊也のパンツのまえを、ゆっくりと円を描くようになでた。見おろすと薄く伸びたタイツの生地のした、ペディキュアの爪《つめ》が煙るように赤かった。ナギは足の親指と人さし指を開いて、俊也のペニスをつかんだ。

「ほら、ぜんぜん草食じゃないじゃない」

ぐりぐりと足の裏で俊也の下半身を踏みつける。テーブルのうえでは涼しい顔をして笑っていた。腰をずらして逃げることも、ナギのつま先をはねのけることもできるはずなのに、俊也は身動きがとれなかった。今日初めて会ったばかりの相手に、いきなり硬直したペニスを踏まれる。渋谷のカフェバーで、通行人から見える窓際の席で。頭のなかにあるヒューズが興奮で焼き切れそうだった。俊也はわずかに残っていたウイスキーのソーダ割をのんで、体勢を立て直した。

「草食かどうかわかったなら、テストは終わりでいいよね。ナギさん、もうやめよう」

自分の脚のあいだにあるつま先に手を伸ばそうとしたときだった。黒ずくめの女が右手をあげて、陽気に叫んだ。

「すみません、ウエイターさん。同じのお代わりください」

丸い氷のはいったグラスをからからと振る。細身の腰を黒いエプロンで締めあげたウエイターがすぐにやってきた。ナギは足の親指で強くペニスの先を押した。俊也は腰を引いて刺激に耐えた。ウエイターが俊也のほうをむいて口を開いた。心臓が不規則に打って、胸の奥が痛いほどだった。

「お客さまはつぎ、どうなさいますか」

どこかおかしなところはないだろうか。俊也は自分がどんなふうに若いウエイターに見られているのか、不安でたまらなかった。それでも平静を装《よそお》っていった。

「じゃあ、ぼくも同じのをください」

ウエイターが去っていくのを見送ると、ナギがつま先を引いた。俊也も座り直し、窮屈だったペニスの位置をパンツのうえからただしてやった。

「なあんだ、つまんない。もっととり乱すかと思ったのに。俊也くんはまじめすぎだね」

酔っているのかいないのかわからない顔で、ナギが笑っていた。この人はいつでも誰にでもこういうことをしているのだろうか。だんだんと腹が立ってきた。俊也は一年か二年に一度しか本気で腹を立てることはない。

「ナギさんはおかしいよ。どうかしてる。昼に会ったときとはぜんぜん様子が違うし」

目の光が消えて、その場に座ったままナギが遠くにいってしまうようだった。虚《うつ》ろな顔でナギはなげやりにいった。

「わたしは頭も身体もおかしいんだよ。俊也くんはわたしみたいな女にはかかわらないほうがいい。いっしょにいたら、あなたも溺《おぼ》れ死ぬことになる」

頭上からウエイターの声とグラスがふってきた。オンザロックのグラスを空中で奪うと、ナギはひと息にのみほした。ウエイターは目を丸くしている。

「今夜はこれで解散にしよう。わたしも疲れちゃったし、おたのしみはまた次回。まあ、次回があればだけど。期待してたら、ごめんね」

黒革のショルダーバッグから黒い財布をとりだして札を一枚抜くと、ナギはふらつく脚で立ちあがった。

「ちょっと待って」

俊也が声をかけたが、振りむくこともなく店をでていく。いったいこの人は、どういう女性で、どういう人間なのか。黒ずくめの魔女のようでも、都市伝説でしかきいたことのない色情狂のようでもある。俊也はひとりきりのテーブルに残された料理の残骸《ざんがい》を眺めた。ウエイターは見てはいけないものでも目撃したように、カウンターの奥に消えていく。

店のまえの歩道で、ナギがタクシーをとめていた。夜のサングラスをかけようとしたナギの目が真っ赤に濡れている。ガラスの壁一枚が深い渓谷のようだった。

「さよなら、また」

口のなかでつぶやくとナギののったタクシーを見送り、俊也はソーダ割の酸《す》っぱいスコッチをひと口のんだ。

5

「すごい話だな」

同期の益田《ますだ》誠司《せいじ》が目を細めていた。同じ大学の出身で、学生時代には交友がなかったけれど、新人研修でいっしょになってから急速に仲が深まった。会社での、ただひとりの友人である。

「そうだよな。なんだか変な人だった」

ナギについて誰かに話さずにはいられなくなり、俊也は誠司を呼びだしていた。ふたりの周囲をガラスの塔がとりまいている。高層ビルの谷底にあるオープンカフェは、会社からすこし離れた西新宿のはずれにあった。同僚や先輩と顔をあわせたくないときに、よくつかう店である。ビルに切り取られた空が遥《はる》か頭上高く、ちいさな窓のようにのぞいている。窓はその日、薄曇りだった。俊也はいった。

「ネットで約束して、実際に会ったのは初めてだった。ああいう人がほんとうにいるんだな。あんなにかんたんに会えたのが、まずびっくりだけど」

誠司は俊也と違って、背が低く体幹の太いずんぐりとした身体つきである。同じ年だが妙に落ち着きと説得力があり、なぜかいつもうまく丸めこまれてしまう。営業成績は東京本社でもトップクラスだ。

「ネットでなら、普通かんたんに釣れるだろ」

誠司とはあまり女の話をしたことがなかった。俊也は驚いていった。

「おまえ、出会い系とか、やってたんだ」

軽く手を振って、同期は苦笑した。

「いやいや、出会い系とか今どきやらないだろ。あんなのサクラばかりだよ。メール一通いくらで金をどぶに捨てるようなもんだ」

「じゃあ、なんだよ」

「普通の交流サイトで十分。フェイスブックとかは基本的に本名をさらしてるから、釣りにはむかないよな。トラブルになると、あとが面倒だし。同じ趣味の人間が書きこむファンサイトとかで、そっと近づくっていうのが一番の手なんだよ。ぼくも誰々さんが大好きですって調子で」

「へえ。そうなんだ」

意外だった。誠司はいつも女が切れないと同期のあいだでは噂《うわさ》になっていたが、裏にそういうからくりがあったのか。

「おれは俊也と違って、女たちがよろこぶようなイケメンじゃないから、これでも努力してるんだ。けっこうたいへんなんだぞ」

真剣な顔をした同期がおかしかった。同世代では数すくない肉食系かもしれない。

俊也は笑って返した。

「なにがたいへんなんだよ」

「営業と同じさ。アニメとか、ヴィジュアル系のバンドとか、大河ファンタジーとかをちゃんと下調べして、女の子とのメールのやりとりに生かす。最初に会うまでに何週間もかかるし、そのあいだマメにメールをしなけりゃいけない。ネットで女を釣るのは、仕事とまったくいっしょなんだ。こつこつ資料を用意して、連絡を欠かさず、きちんと餌《えさ》をまき、約束はなにがあっても厳守する」

「そうすると、ちゃんと寝れるわけだ」

やはりもてる男というのは、それなりに努力家なのだろう。俊也には誠司の真似《まね》はとてもできなかった。仕事であれほどメール漬けなのに、さらに女たちに毎日何通もメールを送るのだ。素直に感心してしまう。

「おまえ、すごいな。成約にこぎつけるまでは、やっぱり地道な営業努力が必要なんだ。それだけがんばってるなら、超音波もCTも売れるはずだよ。ついでに女の子もさ」

仕事でも恋愛でもセックスでも、ひとりの人間が使用するエネルギーの素《もと》は同じなのだろう。誠司がバブルのころの日本人のように肉食系なのは、もって生まれた活力が並ではないのだ。自分とは基本設計が違うのかもしれない。俊也はそこまで女性にも恋愛にもセックスにも熱心になれなかった。誠司は昼さがりのビールをひと口のむと、身体を乗りだしてきた。俊也はアルコールが顔にでやすいので、コーヒーをのんでいる。

「そんなことより、その彼女、最近流行のAVみたいだな。俊也もしってるだろ。攻撃的なタイプの痴女。頬を舌でなめられて、パンツのうえから足で踏まれるなんて、最高じゃないか」

俊也はしかたなくうなずいた。誠司は妙に興奮していた。この友人は肉食系ではあるが受け身で、積極的な女性がタイプなのかもしれない。ナギに攻められる誠司を想像して、あわてて頭に浮かんだイメージを打ち消した。この男の尻《しり》にナギのハイヒールが刺さる場面だ。

「そんないい女なら、おれも会ってみたいなあ。それで、その後どうなったんだ」

俊也自身どうしたいのか、わからなかった。ナギがあの日急に帰らなければ、寝ていたのだろうか。

「どうもこうもないよ。なんというか、つかみどころのない人なんだ。何度かメールはしてみたけど、返事がなかなかもどってこない。そうかと思うと、一方的に何通も連続で送ってくることもある。たいていは意味不明なんだけど」

誠司が腕組みして、うなり声をあげた。ビル街の谷底を吹く風は乾いているが、どこか枯葉のような排気ガスの臭《にお》いがする。

「支離滅裂で、つかみどころがない黒髪のロリータ系痴女か。ますますいいな。これからどうなるにしても、ちゃんとこっちにも報告してくれよ」

俊也はしぶしぶうなずいた。自分の恋愛ならともかく、なぜ人の恋愛にみな興味津々《しんしん》になるのだろう。考えてみれば、週刊誌の記事の半分は芸能人のゴシップである。死ぬまで誰かの色恋の噂をたのしむのが、人という生きものなのかもしれない。

「これから先があるのかわからないけど、なにかあったら報告くらいはするよ」

俊也はため息をつきそうだった。嵐のまえの空のように表情が急変するナギを思いだす。まだ一度、正確には一日のあいだに二度、会っただけなのに、これほど印象が強烈なのはなぜだろうか。好みといえば、別れたガールフレンドのほうが、ずっとタイプだった。梨香は育ちのよさげなお嬢さまタイプで、背が高くスタイルがよかった。ナギのようにいきなり顔をなめたり、誰とでも寝たりは決してしない。

「そうだ、このまえ原宿の交差点で、梨香ちゃんとばったり会ったよ」

元彼女《カノ》の名前をいきなりだされて、椅子《いす》に座ったまま俊也は跳びあがりそうになった。ちょうど梨香のことを考えていたので、心を読まれた気がした。なぜか、裸にされた気分になる。

「梨香はどうだった?」

「あい変らずかわいかったよ。ただすこし元気がないような感じだったな。なにかあったのかもしれない」

嫌いになって別れたわけではなかった。梨香には一方的に振られたのだ。今さら心残りを感じる自分に腹が立ったが、質問はとめられなかった。口調が不機嫌になってしまう。

「どうして、おまえにそんなことがわかるんだよ」

にやりと笑って、誠司がいった。

「まだ引きずってんだな、俊也。梨香ちゃんはこれからデートだといっていた。それなのに暗い顔をしてたから、なにかあったのかなと、おれが勝手に思っただけだ」

そういうことか。いくら心配になっても、もう別れた相手だった。これ以上きいて、なんになるのだろう。

二杯目のコーヒーを頼むために、ウエイターを呼ぼうとしたところ、テーブルのスマートフォンがメールの着信を告げた。高層ビル群に似あう軽快な電子のチャイムだ。ナギからだった。

「おいおい、その痴女からなんだろ。おまえ、すごくうれしそうな顔したぞ。彼女、なんだって」

一行半のメールだった。俊也はそのまま引用する。

「今夜、渋谷で会えないかってさ。なんだかもやもやするんだって」

誠司が舌打ちしていった。

「なんだよ、うらやましいな。ここはおまえのおごりだからな」

普段なら割り勘の俊也も、そのときは大人しく伝票をとった。ナギとこれからどうしたいのか、自分でもわからないのに、誘われただけで胸が躍っている。それが自分の欲望のせいか、妙に生ぬるい風が吹く春という季節のせいか、俊也にはよくわからなかった。

*6*

約束の場所は、渋谷の待ちあわせ激戦区109のまえだった。男を待つ女、女を待つ男が、夜の水族館の魚群のように集まって、ほのかに発光している。待ち人がやってくると、その場にいる者は全員平静を装ったまま全身をチェックし、いじわるに採点するのだ。俊也は太い柱にもたれて、カップルがおたがいに比較しあうのを眺めていた。

「待った？」

肩をたたかれて横をむくと、ナギが中腰で笑っていた。柱のうしろからまわり、姿勢を低くして、こちらに接近してきたのだろう。白いTシャツのうえには黒のベスト、スカートはバレエの踊り子のような黒いシフォンを重ねたミニだった。そのしたは生脚だ。もの欲しげな男たちの視線が集中して、俊也はすこし誇らしい気分になった。ナギはすごく美しいというわけではないが、男好きのするやわらかでゆるい雰囲気の美人である。

「いや、ぜんぜん待ってないよ」

ナギは顔の全部を崩して笑った。こんなふうに笑う子は、すくなくとも会社にはいないと俊也は思う。

「さっきから、わたし、俊也くんのこと見てたんだよね。もう二十分近く待ってるでしょう。俊也くんてさ、一時間でも二時間でもちゃんとご主人さまを待ってて、それでもきかれたら待っていないっていうタイプだよね。忠犬ハチ公みたい」

なぜ今回はこれほど上機嫌なのだろうか。ナギは会ってみるまで、その日の心の空模様が読めなかった。目がほんのりと赤い。

「ナギさん、もうのんでるの」

手を打って、年上の人がいった。

「よくわかったね。今日は夕焼けが妙にきれいで怖かったから、ちょっとのんでしまいました」

ふざけて敬礼をする。ナギが俊也の手をとった。

「このまえは俊也くんにひどいことしたから、今日はわたしがおごるよ。さあ、いこう」

祭りのようなにぎわいの交差点をわたって、センター街にむかった。誰がここをバスケ通りと名づけたのかしらないが、新しいネーミングはまったく浸透していないようだ。チラシをもった男女の客引きと外国人の観光客、学生の姿が目立った。俊也はここを歩くたびに、なぜか海辺のリゾートにでもやってきたような気がする。ABCマートの手前の雑居ビルで立ちどまると、ナギは通りに面したエレベーターのボタンを押した。

「ここ、ちょっと高いから学生の団体はいないし、全部個室なんだよね」

ガラス張りのエレベーターの扉が開いた。油と煙草《たばこ》の臭いがする。店は創作和食の居酒屋だった。靴を脱いであがり、作務衣《さむえ》風の制服を着た若い男について細い通路を何度か折れると、二畳ほどの天井の低い個室に通された。ちいさな床の間の内側全面に金箔《きんぱく》が張ってある。まばゆいほどの空間には白い不思議な形の香炉がひとつ。俊也はネズミかウサギのような小動物の頭蓋骨《ずがいこつ》を連想した。

「ここは焼酎《しょうちゅう》と泡盛が充実してるんだよ」

そういうと、ナギは通路にひざをついた店の男に鹿児島の芋焼酎のオンザロックを頼んだ。

「じゃあ、ぼくも同じの水割で」

やはりナギには主導権をにぎられてしまう。若い男がいってしまうと、ナギはメニューを開いていった。

「今の、このまえと同じだね。わたしがロックで、俊也くんは割ってのんで。わたしののみかたはひどいから、無理してつきあわなくていいよ」

俊也はあぐらをかいたまま、ジャケットを脱いだ。ナギはさっと立ちあがると、上着をハンガーにかけてくれる。もしかしたら、この人は結婚していたことがあるのではないか。一瞬そんな思いが頭の隅をよぎった。

「ナギさんはアルコール好きなんだ」

ナギは苦笑している。

「好きっていうわけじゃないけど。忘れたいからのむっていうか。自分でいるのが嫌っていうか」

しばらくおかしな間が空いた。ナギはひどくオープンなようでいて、あるところから先は決して相手を近づけない空気を漂わせている。酒がやってくると、ナギが料理を注文した。俊也は初めての店なので、料理はすべてまかせてしまった。デートで料理を相手まかせにできるのはこれほど楽なのだと、いつも相手に気をつかってきた俊也には、それが新鮮だった。

「乾杯しよう」

俊也がそういうと、ナギが笑顔でいった。

「なんに乾杯するの」

「また会えたことに。あんな別れかただったから、もう二度とナギさんには会えないかと思った」

こつんとグラスをあわせると、ナギが舌の先をぺろりとだした。このとがった舌で俊也は頬をなめられたのだ。

「このまえはごめんね。あの日は最低でさ、俊也くんの仕事が終わるまでひま潰《つぶ》ししようと思って、出会い系のカフェにいったら、おかしな男に引っかかっちゃって」

目が点になった。夜のデートまでの空き時間に、出会い系カフェ？　まったく意味がわからない。

「……へー、そうなんだ」

ナギは平然と話し続けた。

「最初はいい感じだったんだよ。やさしそうだったし、がつがつもしてなくて。四十代なかばくらいの紳士って雰囲気かな。わたしも悪くないなと思って、ちょっと渋谷の街にでて、散歩してお茶でもしようってことになった」

ほかの男とのことを平気で話せるのは、年下の自分を異性として見ていないからではないか。俊也は内心傷つく部分もあったが、話の内容に引きこまれた。あの夜、名前とは正反対にひどくナギは荒れていた。

「それで、どうしたの」

「公園通りをのぼって、カフェにいったよ。それで東急ハンズのほうへ坂をおりていった。そのときには手をつないでいたかな」

驚きだった。俊也はまるで気にしてなどいないような顔でいう。

「初対面の四十代のおじさんと手をつなぐんだ」

上目づかいで俊也を見ると、ナギはいたずらを見つかった子どものような顔で舌をだした。

「いけないの？　あなたとは初対面で顔をなめて、つま先でパンツぐりぐりしたけど」

そのとおりだった。ナギはそういう女なのだ。それが嫌なら、もうかかわりをもたないほうがいい。ナギの個性は強烈で、俊也にはとても手に負えそうになかった。

「わかった。だけど、あのときタイツ替えてたよね」

「そういうとこだけ気がつくの早いよね。俊也くんて、案外悪い男かも」

ナギのような遊び人にそんなことをいわれたくない。けれど、微笑しながらこちらの目の奥をのぞきこむナギから、俊也は目が離せなかった。

「だんだんあたりが暗くなってくるでしょう。渋谷は確かに繁華街だけど、道玄坂の裏のほうにいくと、人どおりがなくて、両側がラブホテルばっかりなんて路地がいくらでもあるじゃない」

うなずいておいた。そのうちのいくつかを、俊也も別れた梨香とつかったことがある。

「そしたら、あのおっさん、さっとまわりを見て人がいないのを確認すると、襲いかかってきたんだ。無理やり、ラブホに連れこもうとするの。胸をつかんだり、スカートに手をいれてきたり。街なかだよ。ほんとにたいへんだった。タイツも伝線しちゃうしね」

それで胸にみみずばれが残っていたのか。見しらぬ男に襲われるナギを想像すると、胸がひどく苦しくなった。俊也は冷たい水割で、頭を冷やすといった。

「気をつけたほうがいいんじゃないかな。出会い系なんて、どんな男が潜んでるかわからない」

「そうだね。急に飛びかかってくるんだもんなあ。うまく誘ってくれたら、別にこっちはかまわなかったんだけどさ」

ナギは無邪気な顔で笑っていた。この人にとって、セックスは隠すべきことではないのだろうか。

## 7

俊也はこれまでごく普通の女性とつきあってきた。出世しているにしろ、いないにしろ、父親は会社員で、自分も給与生活者という堅気の若い女たちだ。自分の給料できちんと生活し、おしゃれやもちものにも気を配り、毎月いくらかの貯金をする。俊也自身と同じように不景気を生き抜く堅実な女たちだ。異性とのつきあいかたや酒のみかたは、ナギとはまったく違う。

「ねえ、俊也くんはどういう人が好みなの」

ナギはアルコールに強く、焼酎のオンザロックを何杯お代わりしても、顔色も口調も変わらなかった。白目がほんのりと桜色に染まったくらいである。

「どんなっていわれても……」

俊也が考えていたのは別れたばかりの梨香のことだが、彼女について話すのは、この場では不適切な気がした。

「……清楚《せいそ》な感じの人かな」

「いないね」

ナギはばっさりと切り捨てた。

「いや、だって清純派の女優みたいな子だっているよね」

「だから、いないって。そんなの地球上に存在しないよ」

またしても意味不明だった。ナギと話していると、強烈にひきつけられるのだが、ときどき同じ言語を話しているのかと疑うことがある。手首の返しだけでグラスを空けると、ナギはいった。

「美人ていうのは、自分がきれいだってわかってるってことでしょう。こうすれば魅力的に見える、ああすれば男の人に気にいられる。いつも得するように計算してる女を、清純とか清楚なんていわないよ。俊也くんは男だからわからないんだ。女はね、生理とか性欲とかがくるまえから、ずっと女なんだよ。で、美人ほどいつも計算してる。黙っていても得する方法をね。女がしめしめってほくそ笑んでるところを、バカな男たちが見て、清楚だ、清純だって間抜けなことをいってるだけ」

「……そう……なんだ」

気おされて、うなずいてしまった。自分は女のことを、ほんとうにしらないのかもしれない。考えてみれば、人が振りむくほどの美人や超絶的なスタイルの女性とつきあったことなどなかった。ナギはそのどちらでもないが、１０９で待ちあわせをすれば、男たちから強烈な嫉妬《しっと》の視線を浴びるくらいの奇妙な色気がある。ナギの肌がひどく白いせいか、開き切った百合《ゆり》を俊也は思い浮かべた。純白の花びらはだらしなく外側に反って、花の奥をのぞかせている。黄色い花粉をのせた花芯《かしん》の先には、じくじくと透明な滴《しずく》がたまっている。あの蜜《みつ》のような液体は、どんな味がするのだろう。

「俊也くん、お代わりなんにする？　顔赤いね、お水もらおうか」

「ああ、ありがとう」

ナギはテーブルにおかれたボタンを押すと、店員を呼んだ。すでにかなりの皿を空にしているが、デザートを頼んでいる。俊也はもう十分だったが、ナギにつきあって甘味を注文した。自家製のゴマのアイスクリームに抹茶味のわらび餅《もち》だ。このところ、どの店にいってもデザートはそれとなく凝っているものだ。

「今日はわたしがおごるから、どんどんたべていいよ」

俊也は基本的に割り勘派で、会社の上司はともかく、女性からおごられた経験がなかった。スマートフォンの計算アプリをつかい、女性分を千円だけ安くした頭割りの計算が得意である。

「ナギさんて、働いてないんだよね。どこから生活費とか家賃とか稼いでいるの」

ナギの目にシャッターがおりたようだった。表情が読めなくなる。心を開いたときと閉じたとき。ナギのようにわかりやすい相手は初めてで、幼い子どものようだった。ふれてはいけない秘密だろうか。

「人のお金だよ。自分でがんばったわけでもない、人の命金」

俊也は意味不明なものいいに慣れてきた。これ以上つっこんで、また突然のんでいる途中で帰られたらたまらない。笑って、明るくこたえた。

「ははは、いいね。人の命金を、どんどん無駄づかいするのって」

「ほんとだねー」

なにがそれほどおかしいのかわからないが、ナギは涙がでるほど笑っている。俊也もいい気分だった。その夜はそれからずっと「イノチガネ」という言葉が、ふたりの冗談の種になった。

## 8

甘味をたべ終えて、腕時計を見た。真夜中まであと十五分。終電で帰るなら、そろそろ店をでなければいけない。

気にいれば誰とでも寝てしまうナギのことだ。今夜、この続きがあるのかもしれない。それともそれは俊也の思いすごしで、最後まで相手をする気がないから、ナギはこれほどあけすけに語ったのだろうか。長くつきあう男、結婚対象の男には、さすがに自分の性についてこれほど開示はしないだろう。

「明日も仕事があるし、そろそろこの店はお開きにしない？」

俊也の疑問形は、どこか甘えたふくみを残していた。これまで年下か同い年としかつきあってこなかった俊也自身にも、新鮮な感覚である。異性に甘えて、だらしないところを見せてもかまわないのだ。男だからと突っ張ることもない。ナギと話して心地いいのは、自分を飾らずにすむせいもある。

「そうだね。じゃあ、わたしが会計をすませるよ」

テーブルのボタンを押して店員がくるまでの短い時間に、唇をなめてナギはいった。

「わたしとエッチしたい？　今夜、これから」

女性にも性欲があるのだとわかった。ナギの声は興奮でざらざらにかすれている。

「したい……けど、もったいない気もする」

正直な気もちだった。俊也は大学一年生のときに初体験をすませてから、六人の女性と寝ている。そのうちきちんとつきあったのは三人だが、セックスにはあまりいい思い出がなかった。ポルノ小説やアダルトビデオは、客を扇情するためにおおげさな表現をしているのではないか。実際のセックスは意外なほど、型どおりで味気ないものだ。ナギとそういう関係になって、がっかりされたり、あきられたりするのが怖かった。

「そうなんだ。はっきりいってくれて、うれしいよ。わたしもね、どっちかというとどうでもいい男のときのほうが、すぐしちゃうんだ。ほら、すればあとはさっと忘れられるじゃない」

へへっと笑って、年上の女は頬杖《ほおづえ》をついたままウインクをしてみせた。俊也の胸は締めつけられた。こんなことなら、すぐに捨てられてもいいから、今夜お願いしておくべきだったのかもしれない。

「すぐにセックスしない代わりに、すごいことしてあげる。期待してね」

店員が伝票をもってやってきた。ナギがバッグからだしたのは、黒いエナメルの財布で、職業不詳の女は金のカードを抜いて支払いをすませた。


のれんをくぐり、狭いエレベーターホールにでた。先に乗りこんでいたカップルの男が、開のボタンを押して待っていてくれる。ナギは感じのいい笑顔でいった。

「あっ、だいじょうぶです。お先にどうぞ」

エレベーターがいってしまうと、ナギがつぶやいた。

「こんな狭い箱なんだから、ふたりきりで乗りたいに決まってるじゃんね」

横浜弁だろうか。俊也はまだナギの出身地をしらなかった。どこから収入を得ているのか。どの地方で生まれたのか。結婚したことがあるのか、ないのか。肝心の情報をまったく得ていない。ナギも話さなかったし、俊也もナギが好まない質問はしなかった。

やってきた箱が開くと、ナギが俊也の背中を押した。

「はい、さっさと乗る」

定員八名ほどのさして広くはないガラス張りのエレベーターである。夜景が見える奥の窓にむかって立たされた。ナギは俊也の背後から尻をなでてくる。耳に舌の先をいれながらささやいた。

「地面につくまでに立てておいて。それから上着を脱ぐこと」

ナギはうしろから手をまわして、パンツのファスナーを開けた。手をいれて、ボクサーパンツのうえから俊也のペニスをやわらかにつかんでくる。

ここは地上八階だった。見おろすとセンター街のネオンの底を、終電間近の渋谷駅にむかって人波が流れていく。のんびりとしたエレベーターだが、それでもぐんぐん地上が迫ってきた。夜空を透かすガラスの壁に、目を光らせたナギの笑顔と、困惑した自分の情けない顔が映りこんでいる。

ナギの手がパンツのなかに侵入してきた。もう残りは三階分しかない。半分硬直したペニスは、火がついたように熱い指に探られ、完全に充実した。俊也は切羽つまっていった。

「もうすぐ着いちゃうよ。ナギさん、やめてくれ」

「これからがいいところじゃない」

ナギはそういって、ボクサーパンツの薄い布の隙間《すきま》から、俊也のペニスを外にだした。

「早く上着脱いで」

「それよりしまわなくちゃ」

「いいから上着脱いで、腕にかけて」

ぽーんと澄んだ電子のチャイムが鳴って、エレベーターの扉が開いた。真夜中のセンター街のノイズと生あたたかな風が吹きこんでくる。俊也はあわてて脱いだ上着をまえに抱え、露出したペニスを隠した。ナギは俊也の腰に腕をまわしている。

「このまま散歩しよう。ほら、ちゃんと隠してないと、公然わいせつで捕まっちゃうよ」

エレベーターから夜の街に一歩踏みだした。むきだしのペニスが渋谷の夜風を冷たく感じている。大学生のコンパの集団がいる。訳あり風の年の離れたカップルがいる。中学生にしか見えない制服の子どもたちがいる。これみよがしにタトゥを見せびらかして、タンクトップの酔っぱらいが奇声をあげている。誰もがゆっくりと駅にむかって押し流されていく。汚れた夜の河口のようだ。

俊也の心臓はばらばらになった。頭の奥、上着を抱えた右腕、腰骨の中央、ナギの腕がまわった腰、そしてごろりと金属の棒のように突きだしたペニス。ちいさな心臓があちこちで勝手に分裂して、別々のリズムで脈打っている。

俊也は恐ろしくてたまらなかった。ここで露出狂として逮捕されれば、日本有数の医療用画像診断装置のメーカーに勤める会社員としての地位を失うかもしれない。安定した職と安定した生活が崩壊するのだ。

駅にむかう流れのなかで、露出したペニスを上着で隠しながら、それでも俊也が感じていたのは、恐怖を圧倒する解放感だった。自分は今自由で、充実し切った時間を生きている。昼間の自分はこの瞬間に比べれば、半分も生きていなかったのではないか。

ナギが耳元でいった。

「俊也くん、大胆だね。まわりがこういう状態でも、がっちがちになるんだ。普通立たないよ」

酔った振りをして腰にまわした手をはずし、上着のしたにいれてきた。声が漏れそうになって、俊也はなんとかこらえた。

「うわっ、裏側がべたべた。女の子みたいに濡《ぬ》らしてる」

それからの数分間は、俊也が生涯でもっとも興奮した時間になった。

真夜中の散歩は終点に近づいた。センター街のゲートを抜けると、駅まえのスクランブル交差点になる。

「どうする、このまま電車で帰る？」

俊也は言葉ではなにもいえなかった。首を横に振るだけだ。

「じゃあ、ちょっとここで休んでいこうか」

メトロにおりる階段のガラス張り屋根のしたで壁面にもたれた。昼の熱気を残しているようで、腰にあたるコンクリートはほのかにあたたかい。ナギは上着のしたで俊也のペニスをつかんだままだった。手を動かしてはいない。頭は俊也の肩にもたせかけていた。ナギの汗の匂いがした。ゆで卵と海水とシャンプーの香料が混ざりあった大人の女性の匂いだ。

「なんだか、きれいだね」

自分のペニスのことをいわれたのかと思った。

「なにが」

目のまえには世界で最多の通行人数を記録する広大なスクランブル交差点が横たわっている。人と車の波が白黒のゼブラゾーンを洗っていた。

「どんな善人も、どんな聖人も、どんな金もちも、どんなスケベも、みんなあと百年もしたら誰ひとり生きてはいない。明日生きてるかさえわからない。それでもみんな必死になって、横断歩道わたったり、終電にすべりこんだり、ラブホテルに駆けこんだりしてるんだ。人間って、なんてかわいくて、バカらしくて、切ないんだろう」

ナギはそういいながら、俊也のペニスの裏側を親指の腹でこすっていた。俊也は感覚をなくしていた。誰かがペニスをさわっているが、それが誰の指か、誰のペニスかさえよくわからなかった。この夜にむきだしになっているのは、自分のものではなく、すべての男たちのペニスなのかもしれない。それをなでる指も、ナギではなく、すべての女たちの指なのだ。

歩行者用の信号が赤に変わって、クラクションを鳴らし自動車が進入してきた。頭上の巨大な電光掲示板にはヨーロッパサッカーの魔法のようなゴールシーンが映しだされていた。夜空を低く流れる雲は、地上のネオンサインを反射して、生きものの内臓のように赤黒くふくらんでいる。

身体《からだ》は電流でも流れ続けているように興奮しているのに、俊也の頭はひどく醒《さ》めていた。ナギは歌うようにいった。

「みんな、みんな、いつか死んじゃう。ちょっと早いか、遅いかの違いだけ。人が死んじゃうと、ちんちんも死んじゃうんだよね。生きてるうちは、やれるときにやっとけばいいんだ」

「ナギさん、泣いてるの？」

低い声でそっときいてみた。ナギの目が異様に光っているように見えたからだ。ナギは笑って、首を横に振った。

「ううん、だいじょうぶ。ここまでがんばったごほうびに、ちょっといいことしてあげる。こっちにきて」

JRの高架のわきにある路地にはいっていった。ナギはさっと周囲に視線を走らせると、明かりの消えた雑居ビルの非常階段にむかった。

「ここなら誰もこないよ」

ひざの高さにわたされた、立ち入り禁止の札がさがる鎖を越えて、金属の階段を足音を殺しあがっていく。俊也もあとに続いた。最初の踊り場でナギは目をぎらつかせて待っていた。

俊也は押しつけられるように壁際《かべぎわ》に立たされた。ペニスは露出したままだ。荒い息でひざまずくと、ナギは舌をだして裏側の全長をなめあげた。

「きれいにしてあげる」

何度か往復して、ためらうことなくすべてを口に収めてしまった。ゆっくりと頭を振り始める。やわらかな肉質の暗闇《くらやみ》にたべられたようだ。俊也はナギがペニスをくわえるのを無感動に眺めていた。その夜のすべての出来事が刺激的すぎて、自分の感受性の限界を越えてしまったのかもしれない。それに自分が求めているのは、こういうことではきっとないのだ。ナギの髪をなでて、俊也はいった。

「ありがとう。もういいよ」

ナギは口のまわりを濡らしたままいった。

「わたしのやりかた、気もちよくない？」

「違うんだ。ちょっとこっちに」

俊也はナギの肩を引いて、立ちあがらせた。きょとんと驚いた表情のナギの顔が目のまえにある。顔を寄せながらささやいた。

「まだしてないことがある」

ふれるだけのやさしいキスをした。何度か浅いキスを繰り返し、力をいれすぎないように、そっとナギの身体を抱いた。ペニスは下着にもどし、パンツのファスナーを閉める。唇が離れるとナギはいった。

「ふう、いいキスだった。俊也くん、やるね。でも、せっかくだしたんだから、しまうことないのに」

俊也は笑ってこたえなかった。それからふたりは手をとりあって、こっそり非常階段をおり、スクランブル交差点にもどった。終電には間にあわない時間だったが、それぞれ別のタクシーに同時に乗りこんで手を振った。清純な若い恋人たちのような別れだった。後部座席に身を沈めると、俊也はひどく切なく、爽《さわ》やかな気分で、学生時代にきいてから、ずっと忘れていた曲をハミングし始めた。

## 9

それが恋なのか、ただの欲望なのか、俊也にはわからなかった。ただ渋谷で別れたあの夜から、ナギのことが頭から離れない。悪い病気か色情霊にでもとりつかれてしまったようだった。ナギの白い肌と黒髪、手の冷たさ、どこかいじわるな笑い声、それにアルコールで桜色に染まった白目に浮かぶ底がしれないほど澄んだ瞳《ひとみ》。そのうちのひとつでも思い起こすと、俊也のペニスは高校生のように硬直した。ぶつける先のないこわばりを、何度自分で処理したかわからない。

厳しい寸どめをくらい続けているせいで、正常な欲望の流れが阻害されてしまったのだろうか。ナギにはペニスを直接つかまれ、口での愛撫《あいぶ》まで受けている。だが俊也はナギの裸を見たこともなければ、肌のなめらかさも、身体の重さもしらなかった。ぱっとしなかったこれまでの恋愛がそうだったように、一度身体を重ねてしまえば、深海にでも引きずりこまれたようなこの苦しみから解放されるのだろうか。俊也の悩みとは無関係に、春は熟し深まっていく。

その日は夏日で、強烈な日ざしが西新宿の高層ビル街を照らしていた。見あげるとハーフミラーの壁面に反射した空が何層にも青く折り重なっている。梅雨まえの乾いた風にはガラスの粉でも舞っているようだった。さらりと肌をすべった風は、白いシャツのなかを冷ましていく。オフィスにむかう俊也の気分は沈んでいた。こんな日は営業の外回りでもいいから、外気にふれていたいものだ。エアコンの効いた窓の開かない部屋に終日閉じこめられるのは、まっぴらだ。あいにくの出勤日には、残念なことに三件のミーティングが組まれていた。

メディカルイメージ機器営業部の二課が担当するのは、東京の南西部だった。俊也のデスクは三十四階の西日のあたる窓際である。ノートパソコンを開いて、メールをチェックし始めると、課長の小宮山義彦《こみやまよしひこ》が声をかけてきた。

「学芸大学の島波《しまなみ》クリニックはどうなってる？」

眼鏡のしたの目が爬虫《はちゅう》類のようだった。このやせた課長は話をする相手に照準でもさだめるように、じっと見つめる癖がある。俊也の苦手な上司である。

「そちらのほうは、重点的に営業をかけていますが、ZEメディカル派なので切り崩しはかなり困難です」

サンフランシスコに本社をおくその会社が俊也の会社の最大のライバルだった。X線管球やデータ収集装置といった主要なハードでも、画像解析・ノイズ除去などソフトウエアでも、半歩先をすすんでいる。3Dイメージングを実用化したのはZEだが、全身を十分足らずで撮影する螺旋《らせん》CTの高速スキャンを開発したのは俊也の会社だ。

「だからねらい目なんだろう。先代は確かにZE派だったが、若い院長にしがらみはない。去年、うちの担当地区でいくつターンオーバーされたかわかってるよな」

敵の得意先をこちらに一気に寝返らせる。ターンオーバーはオセロと同じだった。

俊也の声はちいさくなった。

「三件です」

そのうちひとつは、俊也の直接の担当だった。新規開拓よりもライバル会社の得意先を奪うほうが何倍も高い評価を得られるのは当然である。

「わかってるな、伊藤くん。やられたらやりかえさなきゃならない。島波クリニック、どんな手をつかってもいいから落とすんだ。数字はこっちでなんとか帳尻をあわせるから、思い切り戦ってこい」

また値引き合戦か。長期で利益を見こめればいいというが、俊也の会社はライバルよりも明らかに利益率が低かった。四十代なかばの若い院長の顔を思いだす。島波修二郎《しゅうじろう》はアンチエイジングに熱心なゴルフ焼けした男で、二千万円を超える最上級のポルシェを乗りまわしている。あの男が経営する病院に値引きなど必要なのだろうか。

「わかりました。なんとかねばってみます」

口ではそういったが、俊也の気分は沈んでいた。ターンオーバーなどそう簡単にできるものではない。仕事には徒労が必ずついてくる。ため息を殺してメールのチェックにもどったときだった。パソコンのわきにおいてあるスマートフォンが一度だけ激しく身震いした。メールの着信だ。開くとナギからだった。

＞今日は会社なんだよね。

＞めんどくさい仕事お疲れさま。

＞わたしのほうは退屈で退屈で！
＞これから俊也くんに
＞エールを送るね❤
＞ただし、ひとりでこっそり
＞見ること。ではでは、また。

ナギからメールをもらったのはうれしかったが、エールとはいったいなんのことだろう。俊也が不思議に思っていると、手のなかでもう一度スマートフォンが震えた。さりげなく席を立って、中央のエレベーターホールのとなりにある男性用トイレにむかった。四つ並んだ個室はすべて空いていた。一番奥にはいると、静かに鍵《かぎ》をかけた。スーツのまま便座に腰かけ、新たに届いたメールを開いてみる。今回のものには文章はなかった。画像が一枚てのひらサイズの液晶画面で輝いている。俊也は息をのんだ。

背景はここと同じで、どこかのトイレの個室のようだった。ナギは黒いブラウスのまえをすべて開いている。首筋と胸元と腹の白さが目をひいた。ブラジャーは薄手のレースだ。乳房のあいだにははっきりとわかる谷があった。照明のせいか、胸のあいだは冷たい霧でもかかったように薄暗い。

俊也は会社で見るナギの写メに興奮して、たちまちペニスを硬くした。気づかぬうちにスマートフォンをなめるように顔に近づけていた。タッチパネルをなめたら、ナギの汗の匂《にお》いがしないだろうか。いくら技術がすすんでも、スマホなどたかがしれたものだった。このままでは仕事にさしつかえる。ここで抜いておいたほうがいいかもしれない。俊也はベルトをはずし、パンツとボクサーパンツをひざまでさげた。

そのとき、スマートフォンが三度目の身震いを起こした。あわてた俊也は便器のなかにとり落としそうになった。またメールだ。今回は文字だけである。

＜どう？
＜気にいってくれた？
＜今日はだんだんと過激な
＜写真を送ってあげる。
＜期待してね❤

ここからさらに過激になるのか。それなら今ひとりで済ましてしまうのはもったいない。俊也は深呼吸をして学芸大学の島波クリニックを思いだし、なんとか硬直を鎮《しず》めた。

つぎの画像が送られてきたのは、三十分ほどしてからだった。午前中の会議が始まる直前で、俊也は資料のなかにスマートフォンを隠して、オフィスから廊下にでた。非常階段の扉を開くと、踊り場におりた。人の足音がしないのを確かめてから、胸を高鳴らせメールを開く。

また画像が一枚。先ほどと背景が同じなので、続きだろう。衝撃は片方のカップからのぞく丸い乳房だった。それほどおおきくはないが形がきれいだ。下側の半分は完全な丸さである。ナギの指先はサクランボウでも収穫するように、立ちあがった乳首をつまんでいる。暗いのでよくわからないが、乳首の色は淡いようだ。

いったいこの画像はどこまでいくのだろう。俊也はくいいるように液晶をのぞきこみながら、残念にも感じていた。実際にナギの乳房を見るまえに、こんなふうに電波で送られてきた画像で大切なところを見せられてしまったのだ。いつか見るときの驚きと新鮮さは半減してしまう。

「えーっ、遠藤《えんどう》代理はダメよ。あの人は自分から誘ってきても必ず割り勘なんだから」

頭上から女性社員の声が響いてきた。俊也はすっとパンツのポケットにスマートフォンを落とした。俊也に気づいた一般職のＯＬがいった。

「あっ、伊藤さん、さっき小宮山課長が捜してましたよ」

自分の頬は赤くないだろうか。ペニスが硬くなっていることに気づかれていないか。俊也は一瞬のうちにあれこれと思いをめぐらせたが、快活にこたえていた。

「足りない資料をそろえていたんだ。すぐにいく」

金属の階段を足早に駆けあがり、定刻から始まった営業二課の会議に滑りこんだ。議題は定例の報告とライバル会社の顧客の切り崩しについてだった。先ほど小宮山課長が釘《くぎ》を刺してきたのは、会議でもっと熱意をあらわすようにという念押しだったのかもしれない。日本の企業では成果はともかく、熱烈にやる気を表現しておくのも大切な評価基準だった。淡々と進行した会議も終わりに近づいたころ、パンツのポケットでスマートフォンがうなった。不意打ちのバイブに俊也は内心うろたえたが、なんとか顔には驚きをださずにすんだ。二度目の写真には、ナギの乳房と乳首が映っていた。つぎはいったいなんになるのだろうか。会議中だが、すぐにでもスマートフォンを開きたくてたまらなくなる。

「伊藤くん、島波クリニックの件はどうなってるかな」

小宮山課長だった。じっとこちらを見つめる爬虫類の視線は変わらないが、俊也には共犯者の雰囲気が濃厚に感じられた。いわなければならない台詞《せりふ》はさっききかされたばかりだ。

「なんとかZEメディカルからターンオーバーさせるために営業攻勢をかけています。小宮山課長からは赤字覚悟でいいから、数字では絶対に引くなと指示をいただいています」

営業部長が満足そうにうなずいた。小宮山は自分の点数を稼ぐためにあんなことをいったに違いない。実際にはいくら値引きをしたところで、製品力でまさるライバルから客を奪うのは至難の業だ。そのとき小宮山が信じられないことをいった。

「堀井《ほりい》部長、今年度のあいだになんとか島波クリニックを切り崩してみせますから。ご期待ください」

俊也は顔色を変えなかったが、天を仰ぎそうになった。課長は現場のことはほとんどしらないのに、なぜ安請けあいをしてしまったのだろうか。これでは島波クリニックのターンオーバーが努力目標から、必須《ひっす》の達成目標に格あげされてしまう。小宮山のトカゲのような視線が、俊也に集中していた。この課長が部下のミスやノルマ未達をかばったところなど見たことがなかった。ターンオーバーに失敗すれば、ただ自分を切り捨てればいいと考えているのだろう。上にへつらい、下に厳しい人間は日本だけでなく、きっと世界中の企業にあたりまえのように存在する。頭ではそう理解していても、俊也のはらわたは煮えくり返るようだった。この役職のまま定年を迎えることが決定している堀井部長が上機嫌にいった。

「伊藤くん、がんばってください。全社できみをバックアップするからな」

俊也はパンツのポケットのうえから、スマートフォンを強くにぎり締めた。この金属の小箱のなかにナギと自分だけの秘密がある。そう思うだけで、理不尽な上司の仕打ちに耐える力が湧《わ》いてくる。

「はい、精いっぱい努力します」

これまでの自分ならうつむいてしまう状況なのに、元気のいい返事が勝手に口から飛びだしてきた。

ナギの色っぽい応援は、確かに俊也のメンタルに効くようだった。

三枚目の写真を見たのは、ランチにでかけた先のカフェだった。同僚からいっしょにいかないかと誘われたが、午後の会議の用意があるといって断っていた。俊也は早くひとりになりたかった。ナギの写真をじっくりと眺めたかったたし、メールを送りたかったのである。

以前、誠司といっしょにきたビルの谷底のオープンカフェに見慣れた社員の顔は見あたらなかった。ランチメニューは生バジルとアサリのパスタである。さっさと注文を済ませると、さっそくスマートフォンでメール画面を呼びだした。
三枚目の画像はブラジャーから両方の乳房があらわにされていた。右手を伸ばしてスマートフォンのカメラをかまえ自画撮りしているようだ。残る左腕で両方の胸を寄せているせいで、両方の乳房が潰れて、さっきよりももっと深い谷間ができていた。きっとナギの胸はやわらかいのだろう。乳房の崩れかたで、肌の薄さやぬるま湯でもいれたような乳房のやわらかさまで想像できるような気がした。
俊也はすぐにメールを打った。
＞今日の会議はひどく退屈で、
＞しかも営業の責任を現場に
＞押しつけるひどい内容だった。
＞ナギさんのHな写メに
＞おおいに助けられたよ。
＞こちらは会社の近くでランチの

＞最中だけど、そっちは今、
＞どこにいるの？

ナギからの返事は、パスタが届くまえにやってきた。日ざしが強いせいで、ひどく暗く感じられる液晶画面に、俊也は釘づけになった。

＞わたしも新宿だよ。
＞さっきからデパートのなかを
＞うろうろしてるんだ。
＞みんながばりばり働いてるのに
＞なにもやることがなくて、
＞自分を憎んでる。
＞わたしはトイレでオナニーする
＞くらいしかできない最低の
＞バカ女なんだ。
＞ねえ、俊也くんも写真送って。

なぜ、ナギはあれほど魅力的で、生活費を稼ぐために働かなくてもいいくらい豊かなのに、いつも自分を蔑《さげす》んでいるのだろうか。ネットの世界では見慣れたメンタルヘルスに問題を抱えた女性のひとりなのか。俊也はナギのメールに違和感を覚えたが、デッキチェアに座る自分を撮影して、ナギに送ってやった。返事は即座にもどってくる。

＞へえ、爽やかな好青年って感じ。
＞今日はネクタイしてないんだね。
＞どうせなら、あとでこのまえ
＞渋谷で外にだしてた
＞俊也くんの硬いの
＞撮って送ってよ。
＞永久保存版にするから。

これほどストレートに性欲を表現する女性は初めてだった。バジルの香りとともにパスタの皿が目のまえにあらわれたが、俊也はいてもたってもいられずにカフェの洗面所にむかった。妙に歩きにくいのは、ペニスが半分硬直しているからだ。ランチタイムなので個室は空いていなかった。しばらく並んでいると扉が開いた。ベルトを締め直しながら、楊枝《ようじ》をくわえた中年の男がでてくる。排泄物《はいせつぶつ》の臭《にお》いがしたが口で息をして、中年男が用を済ませたばかりの個室にはいった。

便座に座るつもりはない。パンツと下着をおろして、左手でペニスをつかんだ。どの角度からがより長く写るだろうか。俊也は画面を確認しながら、角度とズームを決定した。青い蛍光灯のしたのペニスは浅黒い泥を固めた棒のようだ。ナギに送信してから、すぐに画像を消去する。

俊也は洗面所をでると、席にもどった。パスタは冷めていたが、味は悪くなかった。返信がやってきた。

＞おいしそう！
＞すぐにたべたくなっちゃった。
＞わたしのほうもつぎの送るね。
＞なんかこういうのたのしい。

＞ほかの人間なんて、
＞みんないなくなっちゃえば
＞いいのに。

添付された画像は、黒いレースのショーツの三角形だった。繊細な花柄はブラジャーと同じもののようだ。半透明のレースを透かして、黒々とアンダーヘアが煙っていた。

俊也の心臓は身体の奥の暗がりから飛びだしていきたそうだった。のどがからからに渇いて、食欲はまったくなくなった。会社も仕事も放りだして、今この瞬間に同じ街にいるナギに会いにいきたい。俊也はかすかにレモンの香りがする氷水をのんで、副都心の空を見あげた。雲はあれほど自由なのに、なぜ人は社会に縛りつけられているのだろうか。好きなときに好きな人と会うこともできない。ペニスを出して街を歩くこともできない。

生きているのは不自由だった。

俊也は大人を信じなかった。

職場の先輩は誰もが三十歳を超えるまで貯金などまったくなかったという。若いうちは借金してでも遊んでおけ。趣味や恋愛にかける金をケチってはいけない。遊びが人を磨くのだ。わかりました、ぼくもがんばって遊び倒します。笑顔でそう返事をしても、心は正反対をむいていた。

人なみに仕事を続ければ、終身雇用制と年齢給に守られて、それなりに収入はあがっていく。自分の会社と日本経済の未来は明るい。ここでがんばって働いていれば、生活は安泰だ。無条件にそう信じられたのは、遥《はる》か昔の話だった。もの心ついてから、好景気を見たことのない俊也は倹約家だった。自分ではもちろん特別に堅実だとも、ケチだとも思わない。現在の経済情勢を冷静に見たうえで、ただ合理的なだけである。

初任給から始めた貯金は一千万円の大台を超え、年内にも千五百万円に届こうとしていた。俊也の夢は、可能なら二十三区内で、無理ならば東京都下で土地つきの一戸建てをキャッシュで購入することだった。そのためには無駄を極力排除しなければならない。

俊也はこれまで何人かの女性とつきあってきたが、プレゼントの上限は三万円に決めていた。誕生日でも、クリスマスでも、ふたりだけの記念日でも、それは変わらない。相手にも同じように無駄をはぶくことを求めた。

つきあっていた頃、梨香が俊也の誕生日に腕時計をプレゼントしてくれたことがあった。俊也は価格を確かめて怒った。十万円近くもする高額な贈りものは受けとれない。海外のブランドなど、自分たちのような若い会社員には不相応だ。梨香は泣くなく腕時計を返品しにいったのだ。

その俊也が、営業で街を歩いているとぼんやりとデパートのショーウインドウを眺めるようになった。ナギにはどんなアクセサリーが似あうのだろうか。おかしなハンドルネームのとおり、海や潮の香りを感じさせる人だから、真珠がいいかもしれない。プラチナのチェーンに大粒の真珠をひとつさげたネックレスは、俊也の上限を遥かに超えた価格だった。それでもナギの深い谷間のうえにかかる銀の鎖と白銀の珠《たま》を想像すると、切ないような気分になるのだった。細い金属の鎖で、どこに飛んでいってしまうかわからない奔放なナギを自分につなぎとめておけないだろうか。それが可能なら安心して、ナギを自分のものにできるのに。

つぎの給料日、預金通帳を確認してから、俊也は表参道の宝石店を訪れた。

## 10

「いらっしゃいませ」

ハンサムな外国人のドアマンが重たげなガラス扉をにこやかに開いてくれた。俊也は緊張していた。ジュエリーショップなど自分からはめったに足を運ぶことはない。店内は鏡と大理石と黄金の装飾にあふれていた。ひどく場違いな気がする。俊也はガラスケースのあいだをゆっくりと足音を殺して歩いた。高額なアクセサリーがおいてある奥のほうにはなるべく近づかないようにする。

「プレゼントをお探しですか」

今度は黒いパンツスーツの女性店員だった。髪をあげた耳元には、このブランドのピアスが光っている。俊也は狙《ねら》いをつけられた草食動物になった気がした。

「は、はい。ネックレスを」

店員はガラスケース越しに営業用の笑顔を送ってよこす。

「お相手はどのようなかたでしょうか」

ナギをひと言でいうなど、とても不可能だった。欲望に正直である、傷ついている、でたらめに素直だ、道徳や常識を超えている。恐ろしくセクシーで、予測不能だ。黙りこんだ俊也に困ったように店員がいった。

「おいくつくらいのかたでしょうか」

年齢さえ正確にはわからなかった。たぶん俊也よりはいくつか年上だろうと思うだけだ。

「三十代前半くらいかな」

「さようでございますか」

背の高い店員は手術でもするように白手袋をさっとはめた。腰のチェーンについた鍵で、ガラスケースを開ける。黒いビロードのトレイにいくつか、ネックレスをのせて俊也のまえにおいた。緑、赤、青、どれも金やプラチナの先に色石をつけたものだ。俊也は緑の石のネックレスを手にとった。金の鎖は髪の毛ほどの細さだが、石は意外なほどおおきい。さりげなく値札を確かめていると、店員がいった。

「これはとてもいいエメラルドをつかっております。金の相場は昨年来ずいぶん上がりましたが、それ以前に仕いれたもので価格は据えおきのままです」

「……はあ」

数十万円という値段ではとても手がだせなかった。

「もうちょっと、なんていうか現実的なやつがほしいんだけど。そっちにある真珠のやつを見せてもらえませんか」

ガラスケースの一番手まえにある真珠のネックレスを指さした。みっつ並んでいるが、その一番右手のものは価格も確かめていた。確か七万八千円だ。俊也にすれば三十四階のオフィスから飛びおりるような高価なプレゼントである。

「はい、かしこまりました」

手慣れた様子で、トレイにおいてくれる。真珠は完全な球形で、揺らすと銀色の鎖はクモの巣のように白く光をはじいた。ほかの商品をすすめられるのが面倒で、俊也はすぐにネックレスをトレイにもどすといった。

「これ、ください。プレゼントなのでリボンをかけてもらえますか」

高級店に慣れていない若い男など飽きるほど見ているのだろう。にこりと笑って店員が頭をさげた。

「どうもありがとうございます。お相手のかたもきっとよろこばれますよ」

俊也はトレイの横にめったにつかわないクレジットカードをおいた。ゴールドでもプラチナでもない普通のカードである。店員がネックレスとカードをのせたトレイを胸の高さにかかげ店の奥に消えてしまうと、ようやくひと息ついて、俊也は店内を見わたせるようになった。

乳白色の大理石に靴音を響かせて、高額品があいだをおいて飾られたケースのわきを歩いた。手をうしろにまわしているのは、ついケースに手を触れて指紋が残らないようにするためだった。子どもの小指の先ほどのおおきさのダイヤモンドがついたネックレスは百数十万円もする。虫の卵のようにダイヤをごてごてと丸く集めたリングは四百万円だった。俊也が苦労してためた二年分の貯金が、こんなものと交換できるだけなのだ。金というのは、なんと不思議なものだろう。

俊也は嫌悪感《けんおかん》と同時にひどく魅せられて、手が届かないほど高級なアクセサリーを見つめていた。それは遠くからひどく美しい人を眺めているのと同じ感覚で、一枚のガラスのむこう側にはまったく別な世界が広がっているようだった。

## 11

「今回は渋谷じゃなくて、原宿なんだね」

待ちあわせにやってきたナギは、また黒い服だった。ミニのドレスは身体の線をあらわにするタイトなシルエットだ。腹の部分だけジョーゼットで、へそのくぼみが浅い影になっている。新しいファッションプラザがオープンしたばかりで、交差点の角を巻いて長い行列ができていた。これから始まる夜にむかって、街は浮き立つような雰囲気だ。

「ナギさんを連れていきたい店があったんだ。テラス席のむこうはジャングルみたいなんだ」

表参道に面したビルの三階にあるギリシャ料理のレストランだった。この季節にはケヤキの緑がテラスのむかい一面に青々としげって、密林のなかで食事をしているようだ。

「へえ、そうなんだ。俊也くん、おしゃれな店をしってるね」

ナギはすっと俊也の手をとった。ぶらさがるようにして、上目づかいでのぞきこんでくる。

「坂道の上、それとも下？」

ナギはジュエリーショップに飾られたアクセサリーのようだった。まぶしくてつい目をそらしてしまう。

「下だよ」

視線が胸元に落ちて、俊也はどきりとした。ナギの首筋にはプラチナのネックレスがかかっていた。ひと粒さがった白い石は、たぶんダイヤモンドなのだろう。先ほどの店で見た七桁《けた》の価格の石と同じくらいのおおきさだった。ビジネス用のバッグに押しこんだ一世一代のプレゼントが急にみすぼらしく思えてきた。突然の贈りもので驚かせようというもくろみが、音を立てて崩れていく。

「この季節って気もちいいね。もうすぐ終わっちゃうけど、わたしは五月が一番好きだな」

俊也の気分もしらずにナギは浮かれていた。

「そのネックレス、すごく豪華な感じだね」

ナギは中指の先で宝石にふれた。つまらなそうにいう。

「ああ、これね。よくわからないけど、高いのかもしれない。そんなことより、このまえのメール、よかったでしょう」

会社にいるときにいきなり送られてきた写メのことだった。あの日は退社時間までに、さらに数枚の写真がナギから届けられた。胸のあとは、太ももと尻《しり》である。どれもひどく白く滑らかで、内側から光を放つようだった。ナギの肌は夜光塗料を塗ったガラスのようだ。

「すごかった。おかげでやる気がなかった仕事が、ばりばりはかどったよ」

ふふふと笑って、いたずらっぽく見あげてきた。

「スマホの画面にキスしなかった？」

表参道の夕風に吹かれながら、俊也は顔を赤くした。なぜ、この人にはそんなことまでわかるのだろう。

「したよ。会社でも、うちに帰ってからも」

ナギは耳元でささやいた。声は耳の奥に風になって届く。

「わたしの写メ見ながら、ひとりでしてくれた？」

俊也の顔はますます赤くなった。

「したよ」

ちいさくガッツポーズをつくって、ナギはぴょんと跳ねた。

「やった！」

その夜とつぎの朝、一度ずつしたとはいわなかった。悔しくなってきいてみる。

「どうして、ナギさんは……」

「ちょっと待って。いつまでもさんづけはないよね。ナギって呼び捨てにしてくれない。なんかいつまでも他人みたいで、おかしな感じだよ。得意先でもないんだしさ」

相手を呼び捨てにするのは、俊也にとってかなり高いハードルだった。同じ年なら女性のほうが優秀なのがあたりまえの世代だ。どうしても女性全般に遠慮がちになってしまう。

「わかった、がんばってみる。だけど、どうしてぼくが画面をなめたってわかるんだ」

ナギがさっと頬を赤らめた。周囲をちらりと見まわしてからいった。

「それはわかるよ。わたしも俊也くんの写メをべろべろしたもん」

「ぼくが送った写メ？　あのトイレで撮ったやつ？」

すぐに消去してしまったので、どんな映像だったのか忘れてしまったけれど、ペニスが限界まで硬くなっていたのは確かだった。俊也がしらないどこかで、ナギがあの写メをなめていた。自分のペニスの写真に興奮してくれた。想像するだけで歩きにくくなってしまう。

「あんなにおいしそうなのが送られてきたら、普通がまんできないでしょ。わたしは脳内で補正して、渋谷のときの匂いを足したけど」

我慢も限界だった。ギリシャ料理など飛ばして、このままタクシーに飛び乗り、渋谷の道玄坂をのぼり、一番最初に目についたラブホに拉致《らち》しようか。俊也ははやる気もちを抑えて、すぐ先にある建物を指さした。

た。

「店はそこだよ」

そのときナギのショルダーバッグのなかで、耳ざわりな電子のチャイムが鳴りだし

スマートフォンをとりだすと、着信相手を確かめ、ナギは顔を曇らせた。俊也から離れて街路樹の陰にはいる。なにかを必死に謝っているようだ。相手が男なのは話声でわかった。ごめん……すぐに……わかってるから……そっちだって。参道の騒音にかき消されて、とぎれとぎれに女の声が流れてくる。もどってきたナギは、両手をあわせて深々と頭をさげた。

「ごめんね、俊也くん」

嫌な予感がした。呆然《ぼうぜん》としていると、ナギはさして悪びれずにいった。

「わたしってほんとにいいかげんだから。今夜はスケジュールがバッティングしてたみたい」

えっと声をあげてしまった。

「それって、ほかの男と会う約束してたってこと？」

驚くしかなかった。デート中にそんなことをいう女性は初めてだ。

「そうなの。むこうのほうが先約だったんだよね。ほんとに、ごめん」

表参道の広い歩道で俊也は声を張りあげた。通行人が驚いて、ふたりを避けていく。プレゼントをいれたバッグの重さが手にこたえた。

「こっちはレストランも予約してるし、ナギにあげたいものだって用意してあるんだ。なんなんだよ、それ」

両手をあわせたまま、ナギは淋《さび》しそうに笑った。

「だからさ、わたしみたいな女は真剣につきあうような相手じゃないんだよ。ちょいちょいって遊べばいいの。俊也くんはちゃんとした普通の男子でしょう。わたしなんかと、かかわらないほうがいい。こっちの相手はみんな屑《くず》みたいなやつばっかりなんだから」

そんなことをいわれても、勢いのついた心をとめることはできなかった。心にブレーキはない。すくなくとも知性や道徳で制御できるような安全装置は、男心にはついていなかった。

「そうだ、もしよかったら、夜中の十二時まで待ってくれない。そのあとなら、デートの続きができるんだけど」

誰かに抱かれたあとのナギともう一度会うことなど考えられなかった。俊也は憤然としていった。

「いいや、今夜はもういい」

乱暴な手つきで、バッグのなかを探った。怒りで指先が震えている。ジュエリーショップのロゴがはいった化粧箱をとりだした。ナギの胸元にナイフのように突きつける。

「はい。これはこのまえの写メのお礼だから。今夜は帰る。つぎについてはすこし考えさせて」

さしだされたネックレスの小箱を受けとると、ナギは夕闇《ゆうやみ》の落ちてきた路上で開いた。真珠のちいさな粒がひとつ、黒いビロードのうえに濡《ぬ》れたように光っている。

「すごくきれいだね。海の涙みたい」

ぱたんと音を立ててケースを閉めると、ナギは自分のネックレスをはずし始めた。うつむいたままいう。

「こんなのより、俊也くんのほうがずっといいや。ちょっと待って」

ナギはむこうからやってきたミニスカートの女子高生に声をかけた。塾の帰りだろうか、参考書を小脇《こわき》に抱えている。

「ねえ、これいらなくなったから、あなたにあげる」

驚いた顔をした相手にダイヤモンドのネックレスを押しつけると、ナギは女子高生に笑いかけた。

「それね、すっごい高級品らしいけど、好きでもないおやじにもらったんだよね。わたしはこっちの人から、もっといいのプレゼントされたから、あなたにあげるよ。気もち悪かったら捨てちゃってもいいからね。もうあなたのものだから」

てのひらのネックレスとナギを交互に見つめながら、女子高生が遠ざかっていった。ナギは輝くように笑った。胸を張り、うしろ髪をかきあげて、俊也に背中をむけた。すっきりと伸びたうなじは、青く見えるほど白い。

「せいせいした。ねえ、その真珠のネックレス、俊也くんの手でかけてくれない？」

急流のなかに突きでた岩が水を分かつように、ナギと俊也は人の流れを割っていた。ふたりの周囲だけ時の流れが停止してしまったようだ。ナギの肩越しに口を開けたケースがのぞいていた。俊也は息をのんで、真珠のネックレスをつまみ、きゃしゃな首にまわした。この首を絞めたら、どれくらいの時間でナギを殺せるのだろう。一瞬だけそう思った。首を絞める代わりに俊也は髪の毛のように細いネックレスを首にまわしてやった。

「ありがとう。大切にするよ」

ナギは踊り子のようにさっと振りむくと、背伸びして俊也の頬にキスをした。溶けた金属を押しあてられたようだ。そのまま手を振って、黒い服の女はタクシーに飛び乗ってしまう。俊也は坂道の途中で頬に手をあてながら立ち尽くしていた。もうあんな女とは二度と会わないほうがいい。俊也はレストランの予約をキャンセルするために、のろのろとポケットからスマートフォンを抜いた。

## *12*

その夜、俊也はひとり荒れた。理由がなにより許せなかった。あちこちで適当にデートの約束を乱発し、自分でもすっかり忘れてしまう。そんな女がこの世界に存在すること自体、俊也には考えられなかった。ナギというのは、いったいどういう女なのか。いや、女というよりどういう人間なのか。理解不能の怪物のように思えてくる。

俊也は確かに怒っていたが、湧きあがる熱は自分の内側に収めておくだけで、爆発しないようにていねいに処理した。世代的な特徴なのか、俊也個人の性格かはわからない。なにか理不尽なことが自分の身に起きたとき、それを誰かのせいにすることが俊也にはできなかった。社会が悪い。今までの日本を支えてきた仕組みが腐っている。そうわかっていても、既存のシステムを変革するのではなく、その内側にはいり従順に決まりに従う。逆らって損をするより、自分を曲げて得を選ぶ。そうした生きかたがデフォルトになっているのだ。うまく内部にとりこまれてしまえば、日本はまだ余力をたっぷりと残した豊かな国で、いくらでも自分の幸福だけを追求することが可能だった。

表参道のレストランの予約をキャンセルした俊也は、住まいの近くの定食屋でわびしく夕食を済ませ、自宅に帰った。ぬるい風呂《ふろ》のなかで浴室用のワンセグテレビを眺め、バラエティ番組に声をあげて笑いながら、発泡酒をふた缶空けた。そのころには、ナギへの怒りはすっかり気の抜けたものになっていた。

電話があったのは、ぼんやりと酔ったままベッドに横になったときだった。電子のチャイムで真っ先に思いだしたのは、ナギのことだった。あの人はまだ自分がプレゼントしたネックレスをしているのだろうか。白い首筋にかかるクモの糸のような銀の鎖を思った。

ロックを解除して、最初に液晶画面に浮かんだ顔を見て、俊也は固まってしまった。宮崎梨香の笑顔がいっぱいに輝いていた。背景は東京ディズニーランドのシンデレラ城だった。ふたりでデートにいったときに、俊也が撮影したものだ。

俊也は一度深呼吸してから、通話のアイコンのうえにそっと人さし指の腹をふれた。

「あっ、もしもし、俊也」

別れたガールフレンドのほぼひと月ぶりの声だった。梨香の声はこんなに大人びて落ち着いた様子だっただろうか。ナギのどこか甘えをふくんだコケティッシュな声に慣れてしまったのかもしれない。俊也は慎重に返事をした。

「めずらしいね、そっちからかけてくるなんて」

「うん、ちょっと懐《なつ》かしくなって。このまえ益田さんと偶然会って、俊也の話をきいたから」

西新宿のカフェでの誠司の話を思いだした。梨香と会ったが、これからデートだというのに暗い顔をしていた。新しい彼とうまくいっていないのかもしれない。同期は思わせぶりにそんなことをいっていた。

「元気にしてた？　新しい彼とはうまくいってるの」

ものほしげにきこえないように、さりげなく口にしたつもりだった。梨香はすこしだけためらっていった。

「うん、まあまあかな。そっちのほうこそ、つぎの人は見つかったの。益田さんは最近、俊也の様子が変わったっていってた。なにかいいことがあったのかもしれないって」

誠司は別れたばかりの自分たちをおもしろがって、からかっているのだろうか。困ったやつだ。

「へえ、心配してるの」

「いや、そういうわけじゃないけど」

梨香の口調は歯切れが悪かった。いつもの彼女らしくない。女性らしいところもあるが、快活でさばさばとしているのが梨香の魅力だ。俊也は思い切っていった。

「ぼくも誠司からきいてる。デートの直前なのに、梨香は暗い顔をしていたって。あわない相手なら、無理してつきあうことないんじゃないか」

ナギという新しい相手に心を奪われているのに、別れたガールフレンドにそんなことを口走っている。自分は酔っているのだろうか。それともダブルブッキングしたナギへの腹いせなのか。俊也はベッドから立ちあがり、部屋の明かりを消した。話が長くなりそうな気がしたのだ。

「そうかもしれない。ほんとに無理してつきあうことないもんね。俊也とのときは、こんなことで悩んだりしなかったなあ」

俊也はベッドに横になって、足を壁にかけた。夜になって蒸し暑くなってきたようだ。遠くから自動車のクラクションが響いてくる。真っ暗になった部屋できく電話の声は、直接耳元で話しかけられているようだ。

「こんなことって、どういうこと？」

「彼がだらしないってこと。肉食もいいかなって思ってつきあい始めたんだけど、やっぱり真剣になるような相手じゃなかったのかもしれない」

俊也は男の浅ましさを思った。別れた女にでも、すこしだけ自分の影響力を残しておきたい。すっぱりと切れたくない。未練が多いのが男だった。

「ふーん、よそに彼女がいるんだ」

「まだ確かめたわけじゃないけど、そんな感じがする」

例によって、まずはずれない女の直感だった。ごそごそと衣《きぬ》ずれの音がした。タオルケットでも身体《からだ》にかけ直しているのかもしれない。俊也は梨香のベッドの足元にたたんであったワッフル地のタオルケットの柄と柔軟剤の匂《にお》いを思いだした。

「じゃあ、間違いなくいるな。梨香は勘が鋭いから」

「やっぱりそうだよね。俊也とつきあってるときは、こんなことで悩んだことなかった」

安全な草食男子だとでもいいたいのだろうか。俊也は草食系だと自覚していたが、それを女性からいわれるのは好きではなかった。つい口にしてしまう。

「こっちもなにもないわけじゃないよ」

「へえ、どういうこと」

梨香が前のめりになったのがわかった。別れた相手の新しい恋愛話というのは、なぜおもしろいのだろう。自分がよくしっている身体と心が、誰かほかの人間に抱かれる。そう思うだけで、男は嫉妬《しっと》と興奮を同時に感じるようにできているのかもしれない。

「いや、まだちゃんとつきあってるわけじゃないけど、いいなと思う人がいるんだ」

「そうなんだ」

なぜか梨香はたのしそうだった。おたがいに今好きな相手について情報交換をしていると、秘密の共犯者にでもなった気がする。梨香があっさりといった。

「その人ともうしたの」

渋谷の夜を思いだした。センター街でペニスを外気にさらして散歩し、のんべい横丁の非常階段で口でされた。初めてのキスはそのあとだった。あの夜を思いだすと、下腹部が熱く渦巻くようだ。

「まだ半分しかやってない。そっちは、どう」

「それはいろいろあったけど」

俊也は別れるまえの一カ月を考えた。梨香はデートの誘いをなにかと理由をつけては断り、泊りがけの週末でもセックスを面倒がるようになっていた。そのころには、新しい男が出現していたのだろう。女はつぎの保険ができなければ、男と別れることはめったにない。

「彼とのエッチはどんな感じ？　ぼくとは違うのかな」

「えーっ、ちょっとびっくりした。俊也、そういうことあんまり人にきかなかったよね。なんだか変わったみたい」

ナギとはあけすけに性体験について話していた。相手が隠さないため、俊也もいつの間にか自分のことを率直に語ってしまうようになったのだろうか。ナギには相手の心を裸にしてしまう不思議な力があった。北風と太陽の童話のように、ナギにはおおらかな性の直射日光で心の鎧《よろい》を脱がされてしまう。

「いいじゃない、彼がどんなセックスするのか教えてよ」

「もう、なんだか俊也らしくなった」

梨香の声が甘く跳ねた。照れながら、よろこんでいる。

「がつがつしてるかな。俊也よりすこし乱暴な感じ。相性は悪くないと思うけど、まだ始まったばかりだから。でもね、ひとつだけ好きになれないところがある」

きっぱりとそういった。梨香も変わったのだろう。おたがいもうすぐ三十歳になる。恋をしても相手のすべてを簡単には許せなくなる年だった。

「気になるところがあるんだ。教えてよ」

「なぜかしらないけど、やたらと自慢するんだよね。すごいだろ、うまいだろ、いいだろうって。ときどきバカじゃないかと思うときがある」

自分も気をつけなければと、俊也は思った。仕事でも、遊びでも、ベッドでも、気がつかないうちに自慢話をしている男は多いものだ。女たちのほとんどはたいしたことのない男たちの自慢をきくような耳はもっていない。

「そうなんだ。ずっと、いいだろって、うるさいんだ」

俊也は思わず笑ってしまった。梨香も同時に短い含み笑いをする。つきあっているころのように、電話越しに息がぴたりとあった。

「そっちこそ、よく半分だけでとまったね。さすが、草食系」

不思議な女に振り回されているとはいえなかった。俊也は見栄《みえ》を張っていう。

「うん、こっちも始まったばかりだから」

梨香の声のトーンが変わった。

「その人ときちんとつきあうつもりなの」

ナギの吸い寄せられるような魅力と自由奔放さを考えた。白い肌と舌の感触、それに予期せぬときにやってくる爆発的なセクシーさ。危険すぎる相手だ。

「いや、きちんとつきあうのは無理だと思う。年上だし、なんとなくだけどバツイチくさいし」

「へえ、俊也にしては思い切った相手を選んだんだね。バツイチなんて意外。でも、そういうタイプなら遊びにはいいかもしれない」

金曜日の夜だった。真夜中を回っている。俊也はナギではなく、梨香の唇を思いだした。女性の唇のやわらかさは、ひとりひとり違う。梨香は張りがあってしっかりしていて、ナギはでたらめにやわらかだった記憶がある。

「ねえ、土日のどっちか空いてない」

別れた相手をスムーズに誘っている自分が、予想外だった。ためらうことなく梨香の返事がもどってきた。

「日曜日はダメだけど、明日の夜ならだいじょうぶかな」

「だったら、七時に中野でどう？」

中野は以前よくデートしていた街だ。ブロードウェイの商店街を散歩して、マンガやCDを探し、アーケードの焼き鳥屋やイタリアンで晩飯がてら一杯やる。安上がりだが、気のおけないリラックスしたデートコースだ。梨香がくすくすと笑った。

「昔みたいね」

「ほんとに昔みたいだ」

約束を交わしたあとで、さらに三十分ほどどうでもいい話をして電話を切った。なぜかその夜は、身体が火照《ほて》って俊也は明けがたまで寝つけなかった。きっと梨香も千駄ヶ谷のワンルームマンションで、自分と同じようにマットレスの冷たいところを探し、寝返りを繰り返していることだろう。そう思うだけで、俊也は満足だった。

## 13

JR中央線の中野駅を降りると、駅前ロータリーは夕暮れの雑踏だった。細かな埃《ほこり》が舞いあがり、夕日を浴びて黄金色に染まっている。俊也は休日のラフな格好で、アーケード街のゲートをくぐった。約束の時間より二十分は早い。梨香はナギと違って几帳面《きちょうめん》で、いつも定刻にやってくる。それまでのあいだ久しぶりの街を、ひとりで散策するつもりだった。

総菜屋の店先には大量の鶏《とり》のから揚げが積んであった。行列ができているので、人気店なのだろう。つけ麵《めん》の店でも、ベーカリーでも行列ができていた。安くてうまいたべものを、行列に並ぶことで、さらに付加価値をつけておいしく味わう。デフレ時代のささやかな贅沢《ぜいたく》だ。この街には青山や銀座のような高級店はない。

いきつけの本屋にはいろうとしたときだった。俊也のスマートフォンが、一度だけ身震いした。ナギからのメールだ。添付された写真もある。メッセージを開くと一行だけだった。

∨今、ちょっと電話していい？

写メは胸元のアップだ。黒いブラジャーの谷間に、俊也がプレゼントした真珠のネックレスが吊《つ》り橋のようにゆったりとさがっている。ふれた指先がどこまでも沈んでいきそうな白くやわらかな肌だった。俊也は書店のわきの路地にはいって、ナギに電話をかけた。

「おはよう、俊也くん」

眠たげなナギの声だった。すこしハスキーなのは酒でものんでいたのだろうか。

「どうしたんだ、急に」

「へへへ、理由なんかないけど、昨日の罪滅ぼしをしようと思って」

買い物袋をさげた主婦が狭い路地を抜けていく。俊也は腕時計を見た。梨香との約束まであと五分と少々。オウムのようになにも考えずに繰り返した。

「昨日の罪滅ぼし？」

「そう、今から会えないかなと思って。わたし、新宿にいるんだよね。さっきまで軽くのんでたんだ。ねえ、今からこれない？」

このいきなりの誘いはなんなのだろう。ナギは人の都合というものを考えないのか。腹が立ってきたが、俊也はすぐに断れなかった。

「急にいわれても、ちょっと。考えさせてくれないか」

アーケードのかなり奥まできていた。そろそろ梨香との待ちあわせの場所にもどったほうがいいだろう。

「えー、いいじゃない。このまえ渋谷でやった続きをやろうよ。わたし、俊也くんをぎたぎたにいじめるの大好きなんだよね」

酔っ払ったナギは粘るように甘えた声をだした。舌を動かしたのだろう。スマートフォンからぴちゃぴちゃと水音がきこえる。夕方の商店街できくナギの舌の音は強烈だった。ペニスに芯《しん》がとおる。俊也は通話を続けながら、駅にむかった。

「ねえ、いいじゃない。なんかさ、酔ったらもやもやしてきちゃったんだよね。あー、男ほしいって」

ナギはきっと男なら誰でもいいのだろう。昨日の夜会った男とも寝ているはずだ。夕日がななめにさす人波のむこうに、梨香の背中が見えた。白いバギーパンツに、見覚えのない花柄のチュニックを着ている。

「ねえ、いいじゃない。すぐにきてよ」

俊也はアーケードの真ん中で立ちどまった。周囲の通行人がスローモーションで動いていく。

「ちょっと待ってくれ」

断ればいいのだ。ナギは昨夜自分を捨てて、別な男のところに走ったではないか。すぐそこに好きだったガールフレンドが待っている。梨香のほうがナギよりずっと好みだし、すくなくともダブルブッキングはしない。

どうしたらいいのだろう。俊也は迷った。

「明日じゃダメなのか」

鼻で笑って、壊れた女がいった。

「絶対にダメ。今、俊也くんがきてくれなきゃ、最初に声をかけてきた男と、すぐにホテルにいく。ここは歌舞伎町《かぶきちょう》だから、どんなやつにあたるかわからないよ。最低の変態とバッティングするかも」

「ちょっと待てよ」

俊也の声は悲鳴のようだった。

「待たないよ。わたしは自分がいったことは、絶対にやるから」

梨香が腕時計を見ていた。背伸びをするように、駅の改札をのぞきこんでいる。かわいらしい背中だった。

「わかった。これからそっちにいく。早まって、おかしなことはしないでくれ」

「やったー、マッコリのんで、待ってるね」

俊也は梨香に背をむけると、アーケードの奥にむかって歩き始めた。会社から急に呼びだしがかかった。今夜は真夜中までかかるかもしれない。すまない、埋めあわせはつぎに必ずする。メールでそう打ちこむと梨香に送信し、大通りにでてタクシーを探し始めた。

新宿にむかうタクシーのなかで、俊也の心は罪悪感でいっぱいだった。昨日ナギにやられて傷ついたのと同じ仕打ちを、自分も梨香にやってしまった。デートを直前になってキャンセルするなど、初めてだった。相手のことをまったくかえりみないわがままな裏切りだ。自分もナギのように壊れてしまったのだろうか。

けれど、渋谷の夜の続きをしてあげるというナギの誘いは強烈だった。あの女のことだから、自分がいかなければほんとうに最初に声をかけてきた見しらぬ男とセックスしてしまうだろう。ナギのためにも、それだけは避けたい。なぜ、これほど謎《なぞ》めいた女に惹《ひ》かれるのか、俊也自身にもわからなかった。

着信音が鳴った。受信メールをスマートフォンの画面に呼びだす。

＞今日は残念。
＞でも、急なお仕事なら
＞しかたないね。
＞このまま中野で
＞ひとりで食事して帰るね。
＞でも、また時間をつくって。
＞話したいことがあるんだ。
＞そのときはしっかり

∨おごらせてあげる。

絵文字もハートマークもないメールだった。別れてからしばらく時間があいたので、どんなメールを打てばいいか迷ったのかもしれない。俊也は素早く返信した。

了解、つぎは梨香の好きなものをごちそうするよ、今回はほんとうにごめん。メールを送っていると、新たに着信のしらせがあった。今度はナギからだ。

∨歌舞伎町のいり口にある

∨ドンキのまえで待ってるね❤

こちらの気もしらないで、無邪気なものだ。わかったとだけ返して、俊也は後部座席に深々と座り直し、長いため息をついた。

夕闇がゆっくりと空から落ちてくる。節電をしていても新宿の街は極彩色の明るさだった。薄暗くなっていく空を圧して、ネオンサインがぎらぎらとこれから始まる夜を祝っている。

ディスカウントショップのまえは、若者たちでごった返していた。のみ会やデートの待ちあわせ場所の定番なのだろう。タクシーをおりると、目のまえにぴょんとナギが跳ねながらあらわれた。黒いウサギみたいだ。

スカートは太もものほとんどを露出させた黒のマイクロミニで、濃いグレイのタンクトップのうえに透ける素材の黒のシャツを重ねている。俊也がプレゼントした真珠のネックレスがかかる胸元は、上気して汗ばんでいるようだ。

「早かったね。どっかにでかける準備でもしてたの」

デートにいく途中だったとはいえなかった。俊也は口ごもった。

「まあ、近くに晩飯でもくいにいこうかと思って」

ナギは俊也の全身をさっと掃くようにチェックした。

「その割にはちゃんとジャケットなんか着ちゃって、怪しいんだ。はい、これ、プレゼント」

ドンキの黄色いレジ袋をわたされる。受けとってなかを確かめた。

「なんだ、これ」

顔の上半分だけ隠す黒い仮面だった。古いヨーロッパの映画で見たことがある。あれは『怪傑ゾロ』だっただろうか。こちらのほうがいくら怪しいかわからなかった。

「あとでいくお店でつかうかもしれないから、俊也くんにあげておくよ。ねえ、夜ごはんたべた？」

俊也は首を横に振った。

「じゃあさ、この先に汚いけど、おいしい中華があるから、そこにいかない。担担麵《たんたんめん》と小籠包《しょうろんぽう》が絶品。わたしはお腹《なか》いっぱいだから、小籠包半分だけつきあうよ」

ナギは俊也の手をつかむと、いきなり歌舞伎町の奥にむかって歩きだした。酔った女の手の熱さにどきりとしたが、なにもいわずについていく。自分は従順な羊のようだ。このまま首を切られ、腹を裂かれるとしても、ナギに引かれていくのだろう。夜の歌舞伎町は目と耳に痛い色と騒音のカオスだった。俊也は一滴のアルコールも口にしないうちに、ナギと新宿の澱《よど》みに酔わされてしまった。

確かにナギのいうとおり、担担麵はおいしかった。本格的な汁なしタイプで、思い切り唐辛子と山椒《さんしょう》が効いている。俊也は辛いものが好きなので、生ビールと四川《しせん》料理の組みあわせは文句なしである。食事の最中、ナギは腕時計を気にしていた。

「どうしたの」

「そこのお店は大人気だから、早くいかないとけっこう混むんだよね」

「へえ、なんの店」

ゲイバーやショーパブのような店だろうか。過激なライブを売りにしたところなら、ポケットのなかにいれた仮面の意味もわかる。客席数も限られているだろう。ナギはちらりと舌をだして、へへっと笑った。

「秘密。でも、期待していいから。きっと俊也くん、びっくりするよ」

そのビルは中華料理屋のすぐ近くだった。客引きは禁止されているはずだが、夜の歌舞伎町にはなにをしているかわからない鋭い目をした男たちが夏の夜のクラゲのように漂っている。

「ずいぶん古い建物だなあ」

一階は以前は居酒屋だったようだ。明かりの消えた看板がそのまま残っているが、窓には内側から段ボールが張られている。永らくご愛顧ありがとうございました。手書きの告知がわびしかった。

「そうだね、ここはあと何カ月かでとり壊しになるらしいよ。それまでのゲリラ営業なんじゃないかな」

ビルの横手にあるエレベーターにむかった。八階建ての案内表示の半分以上が空白になっている。やってきたエレベーターは煙草《たばこ》と消臭剤の臭《にお》いがした。ナギはパネルに店名のない六階のボタンを押した。

「ここまできたなら、いいだろう。ナギ、なんの店か教えてよ」

俊也はポケットのなかで黒い仮面をにぎり締めていた。ゲリラ営業というのなら、本格的なSMクラブ、あるいは過激なストリップショーのたぐいだろうか。

「すぐにつくから、待ってて。それよりさ……」

ナギがいきなり背伸びをして、顔を寄せてきた。俊也の視界のなかで、ナギのよく光る目と赤い唇だけがおおきくなった。唇は何度も思いだした記憶のとおりのやわらかさだった。舌と舌がふれると、かすかな電気が流れたような感覚がある。旧式のエレベーターががたがたと音を立ててとまるまで、俊也とナギはキスを続けた。扉の開く音で、あわてて俊也はナギから離れ、唇に残ったルージュを指先でぬぐった。

「ここはいったい……」

エレベーターホールは熱帯植物園のようだった。造花なのか、ほんものなのかわからないが、たくさんの緑が壁を埋め尽くしている。正面の扉のとなりには、インターフォンがひとつ。ナギはためらうことなくボタンを押すと、カメラにむかって笑顔をつくった。

「こんばんは、ナギでーす」

インターフォンのスピーカーから男の声が流れた。おお、ナギちゃんいらっしゃい。同時にかちりと電気錠が開く音がする。ナギは重たそうな金属の扉を押して、謎の店にはいっていった。

## 14

ひどく暗いフロアだった。床がよく見えないので足を踏みだすのが心もとなく、俊也の歩幅は自然にちいさくなった。ナギは迷うことなく狭い通路を奥にむかう。突きあたりには黒いビロードのカーテンがさげられていた。ナギが顔だけいれて、なかの様子をうかがう。振りむいたとき、カーテンの真っ赤な裏地が見えた。

「いい感じで混んでるよ。入場料はわたしがおごってあげる。ワンドリンクサービスだから、好きなの頼んで」

「わかった」

ナギがカーテンのむこうに消えた。俊也もためらいながら、なかにはいる。右手のカウンターに三人座っていた。ふたりは中年男で上着を脱いだリラックススタイルだ。まんなかのスツールに浅く尻だけのせているのは、若い女だった。白い背中が、刀のように俊也の目を刺した。女は全裸で黒いエナメルのパンプスだけはいている。ナギに気づくと、裸の女がいった。

「あー、ナギちゃん、ひさしぶり。元気にしてた？　そっちのかわいい人は新しい彼氏なの」

ナギは女の尻をぱちんと音を立てて叩《たた》いた。いやんといって、女がスツールで腰を振った。背中についた薄い脂肪が揺れて、肌のうえをさざなみが走る。

「アンちゃん、いい身体してるね」

ナギは俊也のほうを振りむいて、片目を閉じた。

「みんな、この人は大切な人だから、今日は見学だけだよ。長いつきあいになると思うから、無理して誘わないでね」

女の両脇の男たちも俊也のほうを見ていた。ひとりは太っているが、暗がりでもわかるほど濃い化粧をしている。もうひとりはスーツ姿でネクタイもつけたままだった。裸の女のとなりではネクタイをゆるめてさえいない男のほうが、逆に不自然だった。化粧した男が妙に高い声でいった。

「ナギったら、ほんとに手が早いんだから。もうその子、くっちゃったの？」

うふふといって、その男が赤いルージュの口元を隠して笑った。

「お兄さん、この人、魔女だから気をつけなさいよ」

魔女といえば、確かにナギは魔女かもしれない。俊也はなぜかそのとき、子どものころ見た昆虫図鑑を思いだした。メスカマキリが交尾しながら、オスカマキリをかじっている写真だ。あのオスは頭をくわれたのに、必死にまじわっていた気がする。ナギが肉食獣のように獰猛《どうもう》な笑みを浮かべた。

「そうだよ。わたしは近づいてくる男を、みんな破滅させる魔女なの。最低最悪の女だよ」

カウンターの奥からバーテンダーが声をかけてきた。

「ナギちゃん、新顔さん、最初の一杯はなんにしますか」

ナギは濃いめのハイボール、俊也は同じものを薄くしてもらった。この店は酔っ払ったら危険だと、草食系の本能が告げている。カウンターにならんでもたれ、ナギは耳元でいった。

「ここは本人同士が了解したなら、どんなことをしてもいいところ。まあ、秘密のセックスクラブとでもいうのかな。この先にボックスシートがいくつかあって、一番奥はおおきな部屋になってる。全部ふかふかの絨毯《じゅうたん》敷きのね。去年のクリスマスには男二十七人、女二十七人で輪になってフォークダンスみたいに乱交をしたらしいよ」

俊也の感覚は麻痺《まひ》していた。すぐ近くに裸の女が座っていても、置きもののようにしか見えない。

「ナギは、その……フォークダンスには参加してないんだよね」

こんな店にきていても、俊也には乱交という言葉は口にできなかった。

「ふふふ、どうかな。ちょっとやってみてもいいかなって思ったけど、ほんとうはどうでしょう？」

ナギが背伸びして、俊也の耳たぶの内側をぺろりとなめた。身体の半分に鳥肌が立つ。耳元でささやいた。

「わたしがひと晩で、二十七人の男とエッチしてたら、俊也くんはどうする？　けがらわしい？　淫乱《いんらん》？　それともあなたも変態で、そういうやらしい女が大好き？」

俊也は唇をかむだけで、返事ができなかった。そのとき新しい客がやってきた。十代後半から二十代初めに見える女性のひとり客だった。スポーツジムの帰りのようなおしゃれなサテンのジャージの上下を着て、肩には同じブランドのバッグをさげている。

「こんばんは」

ひと言明るく挨拶《あいさつ》すると、カウンターのまえで着ているものを脱ぎ始めた。ジャージを脱ぎ、スポーツブラとショーツとジョギングシューズだけになった。

「ああ、のど渇いた。生ビールひとつください」

ランニングのあとのシャワーでも浴びるように、迷うことなくブラとショーツを脱ぎ落としていく。若い女は腰に手をあてて、足を肩幅よりわずかに広く開き、生ビールをぐいぐいと空けていった。体毛が剃《そ》られているので、肌色の彫刻のようだ。ナギがいたずらっ子のようにいった。

「さすがに、せっちゃんはスタイルがいいなあ。俊也くんが目移りするといけないから、奥にいこうよ」

ボックス席にはふたりがけのソファがおいてあり、間仕切りは木製でとなりが見えるようにおおきくくりぬかれている。俊也はおかしな緊張で、全身にびっしょりと汗をかいていた。

「だいじょうぶ？　なにか冷たいものでももらってこようか」

即座に返事をした。

「いや、いらない」

ナギにそばを離れてほしくなかった。そんなことをすれば、獣だらけのジャングルにとり残されてしまう。

「ほら、そっち見て」

俊也は間仕切りに空いた四角い穴から、となりの席に目をやった。男と女がスプーンのように重なっている。ブラウスの胸はおおきくはだけ、ブラジャーのうえにひどく乳輪のおおきな胸がむきだしになっていた。生活感のある乳房だった。カップルはどちらも四十代なかばだろうか。先ほどまで目にしていた裸の若い女には畏怖《いふ》しか感じなかったのに、急に俊也のペニスに力がみなぎった。乱れた服と女性が抵抗しているのが、よかったのかもしれない。ナギが俊也のジーンズのまえに手を伸ばした。

「へえ、せっちゃんのきれいな身体より、こんなおばさんのえげつない胸がいいんだ。もしかして、俊也くん、年上好きなの」

人さし指の先で、ジーンズのファスナーに沿って硬直するペニスに線を引いた。俊也はとなりのカップルから目を離せなかった。しつこく乳首を指のあいだでこねるのは、きっと彼女の弱点を男がよくしっているからだろう。恋人同士でも、不倫でもなく、夫婦なのではないか。俊也は直感でそう思った。セックスレスは週刊誌やワイドショーでとりあげられるほど誰でも耳なじみのある話題だが、逆に中高年になっても夫婦で秘密クラブにくるようなセックスフルな人たちも数多くいるのだろう。欲望の

けられないのだ。世界はひとりひとりばらばらで、かんたんに「普通」だとか「人並み」だとか決めつ

「俊也くん、お礼にあなたのも見せてあげようよ。もうかちかちでしょう」

ナギの手がベルトのバックルにかかった。ジーンズは皮をむくようにひざまでおろされ、ボクサーパンツのまえ立てに女の細い指がはいってくる。俊也はこれまでガールフレンドと一対一のときにしか硬直したペニスを人に見せたことはなかった。ナギの手であらわにされた先端がエアコンの冷たい風を感じている。

「ほら、あの人、俊也くんのすごい目で見てるよ」

嫌々をするように首を振るとなりのソファの中年女性が、薄目を開けて俊也のものをくいいるように見つめていた。

「このまえの続きだっていったでしょう。今夜はちゃんといっていいからね」

ナギの手が俊也をつかみ、ゆっくりと上下に動きだした。なにが起きているのかわからなかった。金縛りにあったように身動きがとれなくなる。ナギの手を払い、ジーンズをあげて、このクラブをでていけばいい。それでスマートフォンからナギのアドレスを消してしまえば、悪夢のようなすべてが終了する。来週の土曜日には、梨香とデートをしていることだろう。そちらのほうが、きっと自分は幸福になれる。安全に

生きられる。頭ではわかっているのに、俊也はナギに逆らうことができなかった。年上の魔女のいいなりになるよろこびに酔っている。ナギが耳の穴にしつこく舌をいれてからささやいた。

「すぐにはいかせてあげないよ。俊也くんをうーんと苦しめてあげる。わたしみたいな悪い女に、二度とつかまらないように、心も身体もずたずたにしてあげるよ。人に見られて硬くするなんて、最低の男」

なぜ、ひどい言葉を投げられて、いっそう硬度が増すのか理解できなかった。俊也は唇をかんで快楽に耐え、声だけでも漏らさないように努力した。

「ねえ、ナギちゃん、今度は年下？　かわいい男の子だね」

となりのブースから声をかけられた。スプーンのように重なった中年男女の女のほうだ。ブラジャーのカップからこぼれた乳房は、伸び切った水風船のようにだらしなく垂れている。

俊也は真っ赤になった。見ているだけで、声をかけられるとは思っていなかった。しかも、相手はナギの顔見知りらしい。

「そう、年下なんだ」

ナギはうしろからまわした手で俊也のペニスをこすっている。いじわるな声がきこえた。

「ほら、ご挨拶は?」

間仕切りに空いた四角い穴越しに、俊也は間抜けな挨拶をした。

「こんばんは」

「こちらこそ、こんばんは。あそこも若いのね」

新宿には何度も遊びにきたことがあった。けれど、こんな店は想像もつかなかった。初対面の相手に硬くなったペニスを見せながら挨拶し、相手の女性はバストをむきだしにして挨拶を返してくる。いったい性器に年齢などあるのだろうか。若いペニス、老いたペニス、おかしな言葉が頭のなかをまわっている。

中年女が振りむいて、うしろにいる男になにかいった。男はうなずき、女は笑ったナギにいう。

「ちょっと味見させてもらってもいい?」

てかてかとパールのように光るブラウスを脱いだ。グレイのタイトスカートとストッキング、肉づきのいい上半身はブラジャーだけだ。ナギがくすくすと笑いながら返事をした。

「いいよ。頭からたべちゃって」

女がこちらのボックス席にやってきた。俊也のまえにひざをつく。女の身体《からだ》はパネルヒーターのようだった。遠くからぎらぎらと熱を放ってくる。

「じゃあ、失礼します」

俊也は悲鳴がでそうだった。

「ちょっと待って……」

ナギが俊也のペニスに添えていた手をはずした。いれ代わりに、女が俊也の根元をつかんで、正面から観察している。先端を一度舌先でなぞるようになめると、すべてを口に収めてしまった。二、三度往復してから、落ちてきた前髪を直し、本格的に頭を振りだした。ナギが耳のなかに息を吹きこみながら囁《ささや》いた。

「気もちいい？　俊也くん」

悪いはずはなかった。だが、これでは違うのだ。俊也がこうした行為をしてもらいたいのは、ナギである。ナギに見守られながら、初対面の女性に攻められるのはたいへんなスリルだが、自分が求めているものではない。

ペニスをくわえられながら、俊也は淋《さび》しくなった。だんだんと性器に集まった熱と硬度が抜けていく。口を離して中年女性が笑顔でいった。

「あっ、ちょっと緊張したのかな。ごめんなさいね、急に襲ったりして」

女の顔がだんだんと近づいてきた。キスをするのだろうか。身がまえていると、女は俊也の肩越しにナギにキスをした。

「わたし、むこうにもどるね。うちの人もつまらなそうだし。あとでいっしょにできるなら、奥の部屋にいかない？」

フロアの奥には、やわらかなカーペットを敷きつめた広い部屋があるという。乱交のための専用らしい。

「ううん、今夜はそういう予定はないんだ。この人はまだバージンみたいなものだから、あんまり無理をさせたくないの」

俊也は童貞ではなかった。だが、ナギやこの女性に比べたら、確かに半分はバージンみたいなものかもしれない。性のジャングルの奥深さ、闇《やみ》の深さを思うと、ため息がでそうになる。

「やっぱりダメだった？」

なにがやっぱりなのだろう。質問の意味がわからなくて黙っていると、ナギがいった。

「人まえで平気でセックスできる人とできない人がいるんだよね。こういうところでも、できる人のほうがすくないかな」

ナギの冷たい手がペニスにもどってくると、俊也はまた充実し始めた。

「ナギはできるの？」

奥の部屋でひと晩に何人もの男たちと身体を重ねるナギを想像した。興奮もするのだが、胸の痛みのほうがおおきい。ふふふと耳元できこえた笑い声は、新宿の路地裏を抜ける夜風のように湿っている。

「できるよ。わたしは最低の女だからね。俊也くんが本気になるような相手じゃないんだ」

そういわれて、デートを土壇場《どたんば》でキャンセルした梨香のことをなぜか思いだした。きちんとつきあうのなら、確かに梨香のほうがいいだろう。スリルはすくないかもしれないが、梨香と暮らすほうがきっと幸福になれるはずだ。それが頭でわかっていても、こうして強烈にナギに惹きつけられる。

俊也はこれまで欲望に振りまわされた経験がなかった。女性とのつきあいのなかで、セックスが占める比重はそれほど大きくはない。デートのたびに毎回行為におよぶことはなかったし、気がつけばひと月も恋人を抱かないこともあった。自分でも草食男子という言葉は、うまくいったものだと感心するほどだった。もっとも異常なのは、なにかといえばすぐにセックスしたがる先行世代の男たちのほうである。自分たちが普通で、バブル期におかしな熱病にかかり、性欲過剰のまま中年になったあの人たちがおかしいのだ。セックスはあればいいけれど、なくても別に困らないもの。さして深く考えずに、そう結論づけていた。

それが、ナギだと違う。

出会ってひと月とたたないのに、散々振りまわされてしまった。ぎりぎりまで攻められたが、まだ実際にナギを抱いたことはない。けれど、俊也はナギのことを想像しながら、何度もひとりで欲望を処理した。自分のなかにこれほどの性欲があったことが、驚きだった。穏やかに凪《な》いでいた港から、三十歳近くになって嵐《あらし》の外洋に乗りだしたようだ。俊也は欲望に溺《おぼ》れ、生き延びるためにもがきながら泳ぎ続けていた。

耳たぶ、耳の裏、耳の穴の近くを、舌と息でしつこくなぞりながら、ナギがいった。

「どうして、俊也くんはそんなにまともなの？　もっと壊れちゃえば、楽になるのに。ほら、壊れちゃいなよ」

ペニスをつかむ手の動きが速くなる。俊也は唇を嚙《か》んで、耳と性器への刺激に耐えた。となりのボックス席から、中年女性が声をかけてきた。

「やっぱりナギちゃんがいいのね。あんなに硬くしてる」

中年の男女の視線がナギの手と自分のペニスに集中している。

「あれ、ナギさん、今度の人は若いね。新人さん？」

気がつくと、ソファの正面に裸の女が立っていた。先ほどクラブにはいってきて、すぐに全裸になった若い女だ。ジョギングシューズだけ履いている。暗い店内で蛍光ピンクの靴が、蛍の尻《しり》のようにぼんやり光っていた。

もうこらえられなかった。快感がなみなみとあふれそうになっている。硬度を増したペニスの感触でわかったのだろう。ナギはいっそう手の動きを速めて、ちいさく叫んだ。

「ほら、みんなに見せてあげなさい。俊也くん、全部吐きだして」

なぜか、わからない。俊也は目を閉じてうなずき、返事をしていた。

「はい、いきます」

暗がりのなか白い放物線を描いて、最初の精液が飛んでいく。ジョギングシューズの女の張りのある太ももにはりついた。流れ落ちることもない濃厚さだった。俊也は涙でにじんだ目をうっすらと開いて、裸の女を見つめた。若い女は笑って、太ももについた精液をてのひらで伸ばしている。

恐ろしいほどの快楽だった。なにもかも吐きだして、自分の身体のなかが空っぽで、同時に清浄になった気がする。なにかおおきなものに許されたと、俊也は思った。

「ずいぶんたくさんだしたね。でも、一回くらいじゃ許さないんだから」

ナギの手が精液まみれのペニスをつかんで動きだした。クライマックスを迎えたばかりの過敏な粘膜が悲鳴をあげている。快感をとおり抜けると、苦痛しかなかった。全力であがけば、ナギをふりほどけるだろう。俊也はやめてくれと叫びながらも、本気では抵抗しなかった。

しばらくして、二度目の頂点がやってきた。そのときも一度目に負けないほどの分量と飛距離で、俊也は自分の身体がわからなくなった。

## 15

乱れた服を整えて、カウンターにもどった。注文したウオッカトニックをごくごくとのみほす。炭酸が身体のなかを駆け巡り、内臓にしみわたるようだった。

華やかに笑い声をあげ、知人たちと挨拶を交わすナギにいった。

「そろそろいかない？」

自分の欲望が解消されてしまうと、クラブの澱んだ空気が気になった。ここにいる人間はみな、自分とは別な人種に感じられる。俊也の勘ではナギもこちら側だった。

手を打って笑い、見しらぬ男の頬にキスし、ほかの女性のバストで戯《たわむ》れるナギは、決して心からリラックスしているようには見えなかった。俊也の思いは、うっすらと汗をかいたナギの背中に気づいて決定的になった。フロアはスーパーマーケットの精肉売り場のように冷えびえしていた。

「いいよ、ここは暑いから、ちょっと涼みにいこうか」

歌舞伎町の路上は、真夏のような熱気だった。大鍋《おおなべ》の底で蒸しあげられているようだ。

「いきつけのバーがあるから、もう一杯やろうよ」

ナギは俊也の手をとって、呼びこみとホステスが浮遊する明るい路地を歩きだした。俊也の顔を見あげて得意そうにいう。

「マスクをつかうひまもなかったね。どう、すごかったでしょう。このまえ渋谷で露出して、俊也くんがすごく興奮してたから、つぎはあそこのクラブだなって思ってたんだ」

わがまま放題のナギだが、自分のことを考えていてくれたのだ。すこしだけうれしくなった。

「一杯もいいけど、今夜はどこかにいっしょに泊まらない？　ホテルでもいいし、なんならぼくのところでもいい」

ナギはつまらなそうな表情になった。

「えー、別にいいよ。わたし、つきあっても、あんまりべたべたしたいほうじゃないんだよね」

この人はなぜ、これほど簡単に男と関係をもつのに、人として接近しようとすると怖がるのだろうか。にぎやかな夜の繁華街で、ナギの周囲だけが光を吸いこむように重かった。

「ナギは、ほんとうはああいうクラブ好きじゃないんだよね」

酔っ払ったせいか、宿泊を断られたせいか、俊也は自分でも思ってもみなかった言葉を口にしていた。

「なんだか、おかしな汗かいてた気がするけど」

ナギの顔色が変わった。俊也の手を振り払って叫んだ。

「なにいってるの。わたしは、ああいうスケベなクラブが大好きだよ。何度もいってるでしょう、最低の女だって。俊也くんは変な夢でも見てんじゃないの？　わたしは誰の汚いちんちんでもくわえる女なんだよ」

歌舞伎町の住人は夜の女と客やヒモとの痴話げんかを見慣れているのだろう。いくらナギが叫んでも、過激な言葉さえあたりまえに夜の街に吸いこまれていく。ナギの目はガラス球のように澄んで、なにかをこらえているように見える。俊也には届かないどこか奥深くで、この人は決定的に傷ついている。そのことでナギはずっと苦しんでいるのに、苦しみを認めようとはしないし、ふれられるのも嫌なのだ。

もうあれこれ考えるのは面倒だった。俊也はいきなりナギを抱き締めた。路上で女性を抱いたのは、生まれて初めてのことである。頭上のスピーカーから、Kポップが流れてきた。なにを歌っているのかはわからない。だが、恋する苦しみだけは切々と伝わってきた。ナギの身体から力が抜けていく。

「だいじょうぶだよ。ナギが誰で、なにをしたとしても、ぼくはナギの味方だ。そんなに無理をしなくてもいいんだ。ナギはナギのままで……」

檻《おり》から逃げだす猛獣のようだった。俊也の腕のなかでナギがいきなり暴れだす。振り払った指先のネイルが俊也の頬を引っかき、細く血がにじんだ。ナギは俊也の足を踏み、蹴《け》りあげたミニスカートのひざが下腹部にはいる。俊也は腹を押さえてうめき声をあげた。

「やめてよ。なにもしらない癖に、かんたんに人のこと救えるなんて思わないでよ。

あんた、なにさまなの、草食のクズ野郎」

汚い言葉をいくら投げられても、俊也は腹を立てる気にならなかった。自分よりもっと傷ついている人がいる。ナギのつりあがった目の奥にある恐怖と孤独は圧倒的だ。この人の底には、いったいなにがあるのだろう。ナギの行動はでたらめだが、すこしも卑《いや》しいところはなかった。ひとりの潔《いさぎよ》く聡明《そうめい》な女性をここまで自暴自棄にする、その傷を確かめたい気もちと一度見たらただではすまないだろうという不安が、俊也の容量のすくない心のなかで争っていた。

窮地に追いこまれた黒猫のように、ナギは歌舞伎町の路地裏で目をつりあげ、ふーふーと荒い息を吐いている。俊也はゆっくりと慎重に近づいていった。手を伸ばす。

「ぼくはナギにになら、なにをされても、なにをいわれても平気だよ。いくら傷つけてもいいから、ナギの苦しみを分けてくれ」

ナギの胸のなかでなにかが折れたようだった。目の奥をのぞきこみながら近づいていた俊也には、はっきりと心が壊れる音がきこえた気がした。恐ろしい者でも見るように、小柄なナギが俊也を見あげていた。通り魔にでも遭遇したような目つきだ。

「だいじょうぶだ、ぼくはナギを苦しめない」

あとずさっていたナギの背中が、古い雑居ビルの壁にあたった。スプレーのグラフイティだらけの壁面に、スマイルマークとどこかのチームのロゴが描かれている。ペンキの勢いが強すぎたのだろう。落書きの目がにじんで、涙のようにペンキが垂れている。

俊也はナギの肩に手をかけた。目を見つめてそっと囁く。

「だいじょうぶだ。ぼくはナギを傷つけない」

怪我《けが》をした野良猫《のらねこ》でも抱くように、ゆっくりと身体を寄せていった。

「だいじょうぶだ。ぼくはナギを裏切らない」

薄いけれど、ひどく熱い女の身体を抱き締めた。そのとき、ナギが爆発的に泣きだした。わーわーと声をあげて、子どものように泣いている。俊也のシャツの胸が、すぐに涙で重くなった。

「バカ、変態、思いあがったインポ野郎。そんなこといって、女を泣かすな」

ナギのちいさな拳《こぶし》が、俊也の胸を力なくたたいていた。

「わたしのそばにいてダメになるのは、そっちのほうだよ」

意味がわからないが、俊也はひたすらナギの背中を撫《な》で続けた。ナギの拳がとまり、自分を守るように胸のまえにそろった。強打から身を隠すボクサーのようだ。ナギの声はけだるくかすれていた。

「わかってないのは、俊也くんだよ。わたしはあなたを苦しめる。きっとあなたを傷つける。わたしのそばにいた人はみんな、最悪のひどい目にあう」

ナギは泣きつづけていた。通行人が興味深そうにのぞいていくが、誰ひとりコンクリートの壁面にもたれるふたりに声をかけなかった。東京の夜、人はみな砂のようにばらばらになる。ナギが深呼吸していった。

「お願いだから、もう離して」

声の冷たさに驚いて、俊也は腕をほどいた。ナギは泣きはらした目で笑っていた。

「今夜で最後にしよう。もうあなたとは会いたくない」

全身の血液が逆流したようだった。一度に体温が十度もさがった気がする。俊也はあせって叫んだ。

「どうして、だってぼくたちはまだ始まってもいないだろ」

ナギが右手をあげて、なか指の先で血の滴《しずく》が一粒だけ流れる頰をぬぐった。ぺろりと俊也の血をなめて、ナギはいった。

「始まらないうちに終わりにしたいの。俊也くんに憎まれたくないしね。それになによりも、あなたに死んでほしくない。あなたには幸せになってほしいんだ。今夜は帰る。おやすみ」

ナギは俊也を押しのけて、ふらふらと歌舞伎町を歩きだした。ネオンににじむうしろ姿が揺れている。どうして、そんなことをいうのだろう。いきなり浮かんできた自分の死とは、いったいどういうことだ。俊也はしびれたようにその場に凍りつき、遠ざかるナギの背中を追うこともできずにいた。

## 16

新宿の夜から、ナギの電話は留守番電話サービスに切り替わるようになった。俊也は何度かメッセージを残したが、返事はもどってこない。着信拒否にされていないだけ、まだましだ。自分にそういいきかせて、俊也は録音された冷たいメッセージに耐えた。

メールも一方的に送るだけで、ナギからの返事は一切なかった。俊也の世代の特徴だろうか。これまで俊也は一度相手に無視されたり、断られるだけで、あっさりと自分から身を引くことが多かった。誘い直しのメールを打つことなど想像もできない。相手になにか都合のつかない理由があるのだとも考えなかった。傷つくこと、あるいはこれから傷つけられそうな予感がなによりも恐怖で、過剰な防衛本能が悲鳴をあげるのだ。そうしてちいさな芽のうちに凍らせてしまった恋とも呼べないような恋が、いくつもあった。

だが、今回の俊也はこれまでのようにあっさりとあきらめなかった。返事がなくても、日常生活の報告のようなさりげないメールを休まなかった。昼休みと就寝まえに、短いメールを書くのが習慣になった。俊也はナギの性格や異性関係にはふれなかった。明るく快活に、仕事のエピソードや映画や音楽の話題をつづったのである。

季節は梅雨にはいった。身を焼く情熱に乱されていても、俊也のメールと生活に波はなかった。ナギとの秘密を抱えたまま淡々と続く日常が楽しくさえある。渋谷の夜や新宿のクラブを思いだしては、腹の底に熱を感じる自分がおかしかった。ナギと出会ってから、俊也の欲望にはブレーキがきかなくなってしまったようだ。

まだ寝てさえいない女。メールに返事をよこさない女。路上で俊也のペニスをつかみだす女。安もののプレゼントを気にいったといい、高価なダイヤモンドのネックレスをとおりすがりの女子高生にくれてやる女。ナギという謎《なぞ》の女が頭と身体から離れなかった。

この夏はいったいどうなってしまうのだろうか。いつか自分はナギとむすばれるのか。そう思うと、つい苦笑いしてしまう。ナギは男なら誰とでも寝る女だが、それを不潔とも、乱れているとも思わなかった。

ナギと出会うまえの俊也なら、そんな女は決して認めなかっただろう。病気だ、心を病んでいる。あるいは、ただの淫乱と切り捨てて、目もくれなかったはずだ。二十代最後の夏を控えて、俊也は自分の異性観の変化に驚いていた。

梅雨の晴れ間の薄曇りの午後だった。

俊也は自分の担当地区を、つぎの営業先の病院を目指し移動中だった。急なくだり坂の標識には、蛇崩交差点と表示板がさがっていた。

ジャクズレとは妙に禍々《まがまが》しいネーミングだった。近くの個人病院の七十をすぎた院長から、由来をきいたことがある。現在は暗渠《あんきょ》になった川があり、洪水のとき崩れた崖《がけ》から巨大な蛇があらわれたという。あるいは、大雨で水かさを増した川が激流となり、恐ろしい大蛇がのたうつように見えたせいともいっていた。

暗い崖に潜んでいた蛇の白い腹を想像して、俊也はナギの胸の肌を思いだした。乳房の盛りあがりになだらかにむかう、青いほどに白い一枚の皮。女性の乳房はあの一枚の皮でつりさげられているという。乳房が垂れるのは、あの皮が伸びるからなのだ。

指先で額に流れる汗をぬぐったときだった。夏もののジャケットの内ポケットで、スマートフォンがうなりだした。また小宮山課長からだろうか。まったくあの人は細かくて困ってしまう。蛇崩交差点の横断歩道のまえで立ちどまり、スマートフォンの画面を確かめた。

ナギからだ!

俊也は気がつけば笑っていた。しかもメールではなく、電話だ。すぐに通話のアイコンにふれて、耳に押しあてる。これが薄く冷たい金属ではなく、ナギの胸のようにやわらかで体温があればいいのだけれど。

「もしもし」

返事がなかった。

「もしもし、ナギなの?」

はあはあと荒く息をつぐ音が、風のように鳴っている。最初に俊也が思ったのは、ナギのいたずらだった。

「ねえ、どうしたの。こっちは仕事中なんだ」

荒い息は深呼吸のように長く、テンポがゆっくりとしてきた。もしかしたら、これは……。俊也は口元を押さえていった。

「ナギ、ひとりでしてるのか」

昼間からオナニーして、いきなり電話をかけて途中経過をきかせる。ナギならやりかねなかった。

「そういうことなら、夜まで待ってくれないかな。うちに帰ってからなら、いくらでもつきあうから」

荒い息のあいだに、切れぎれにナギの声がきこえた。ひどくかすれた、老婆《ろうば》か魔法つかいのような声だ。

「いま……は……な、ん、が、つ?」

今が何月だって。

まったく意味がわからなかった。ナギにはこれまでずいぶんたくさん意味不明の言動があった。けれど、今回は特別だ。今月がどの月なのか、わからない大人がいるだろうか。これはなにかのゲームなのか、俊也はあきれていった。

「ナギ、ふざけるなよ」

はあはあという息は大風のように耳に吹きこんでくる。ナギはひどく苦しげだった。

「お、ね、がい……俊也くん……怖くて、たまらない……今は……今日は……何月なの」

ゲームでも冗談でもないようだった。ナギは今が何月だかほんとうにわからなくなっているのだ。目のまえの目黒区の交差点が、急によくできたスタジオセットのように見えてくる。俊也の現実感が揺さぶられた。蛇崩の名もそのままに、足元から崖崩れでも起きそうだ。とおりすぎる黒いドイツ製のセダンも、背後をゆくベビーカーも、偽《にせ》ものように感じられた。俊也は一度息を深く吸ってからいった。

「今は、六月だよ。ナギ、だいじょうぶ？」

四度息を吐いてから、ナギがいう。

「六月の何日？」

不安になって、腕時計のカレンダー表示を確かめた。

「六月十四日」

「何曜日？」

だんだんとナギの声がいつもの調子にもどってきた。これがどういう事態なのか、俊也には理解不能だったけれど、なんとか平静をたもって返事をする。

「木曜日だ」

「そう……今、何時？」

自分もスマートフォンをもっているのに、現在時間もわからないのだろうか。俊也は先ほど確かめたばかりの時刻をいった。

「午後三時、五分まえ。いや、もう四分まえになってるかな。ねえ、ナギ、なにが起きたかわからないけど、ほんとうにだいじょうぶなの」

ナギはつらそうにうなり声をあげた。

「あー、気もちわるい……吐きそう」

貧血でも起こしたのだろうか。女性ならではの一時的な体調不良なら、原因はほかにもいくつかある。

「今、どこにいるの」

「ちょっと待って……よく見てみる」

ナギは今が何月で何曜日かもわからないという。しかも、自分がどこにいるかもわからないのだろうか。俊也はてのひらに嫌な汗をかいた。韓流ドラマで都合よくつかわれるような記憶喪失なのか。実際には交通事故などの外傷で起こる健忘は短期間で治癒することが多く、症状は持続しないという。電話口に別な女性の声がかすかにきこえた。

「だいじょうぶですか、お客さま」

ナギが「はい」とこたえている。しばらくして、返事があった。

「本屋さんに、いるみたい」

俊也は悲鳴がでそうだった。書店なら周囲をたくさんの本に囲まれているのだろう。それがすぐにわからないというのは、どういう事態なのだろう。

「場所はどこ？　どの街の本屋なんだ。さっき近くに人がいたよね。その人にきいてみて」

ナギがのろのろと書店員に質問していた。ここはどこですか。大手書店チェーンの名前と新宿駅東口という言葉がきこえた。その店なら、いつもつかうところだ。よくしっている。俊也は叫んだ。

「ナギ、そのあたりで休んでいてくれ。ぼくが今から、すぐにいく。無理をしちゃいけないよ。わかった？」

幼い子どものように、ナギは頼りなげに返事をした。

「わかった……待ってる……迷惑かけて、ごめんね……でも、待ってるから」

つぎのクライアントには、すぐに電話をいれて次の機会に延ばしてもらえばいい。とくに重要な契約などなかった。いつもの世間話と新型超音波画像診断装置の説明くらいだ。俊也は蛇崩交差点で手をあげるとタクシーに乗りこみ、運転手に最寄りのJRの駅名を告げた。

# 17

俊也がナギを見つけたのは、踊り場のベンチだった。ガラスの窓越しに、新宿駅まえの鋭い景色が垂直に広がっている。日ざしの落ちるベンチに座っていても、ナギの胸元は体温を失ってしまったかのように蒼白《そうはく》だ。

「だいじょうぶだった？」

がくりと肩を落としてうつむいているナギに声をかけた。ナギは顔をあげなかった。

「しんどかった」

俊也はナギのまえにしゃがみこんだ。のぞきこむように顔を確かめる。顔のした半分しか見えなかった。唇が唾液《だえき》で光っている。この人はよだれを垂らしていたのだ。それをぬぐうだけの余裕もないようだ。見ていられなくなって、俊也はナギのとなりに腰かけた。壊れそうな女にではなく、都心の街なみに対面して、ようやく冷静さがもどってくる。

「身体はだいじょうぶ？　病院にいかなくてもいいの？　かかりつけのところがあるなら連れていってあげるけど」

ナギはゆっくりと首を横に振った。

「もう、だいじょうぶ……病院で治せるようなものじゃないから」

記憶喪失、重度の貧血、癲癇《てんかん》の発作、あるいは軽い脳梗塞《のうこうそく》や脳溢血《のういっけつ》のような脳血管系の病気。俊也は医療機器を売っているくらいだから、すぐにこうした症状の原因がいくつか思い浮かんだ。だが、病気の名を口にだせずに、黙ってとなりに座っている。どこまでこの人に踏みこんでいいのか、いまだに距離感がわからなかった。だいたいナギは、人に対するときの距離のとりかたがばらばらで、でたらめなのだ。キスをするまえにペニスをくわえるし、誰とでも寝るはずなのに俊也とは関係をもとうとしない。

その場で口にできるもっとも安全そうな言葉を、俊也は慎重に口にした。

「いろいろとつきあいのある人がいるのに、つらくなったときにぼくに電話してくれて、ありがとう」

ナギはびくっと肩を震わせた。

「着信履歴の最後に俊也くんの名前があっただけだよ」

俊也は辛抱強かった。

「それでも、声もききたくない相手には助けを求めないよね。ぼくでよかったんだろ。

ありがとう」

はあーっと息をおおきく吐いて、ナギが顔をあげた。勢いがついてベンチのうしろの壁に頭があたり、ごつんと鈍い音がする。

「調子にのってるね、俊也くん。でも、こちらこそ、ほんとに今日はありがとう。きてくれるなんて思わなかった」

「どうして」

ナギの頬に血の気がもどり始めていた。さばさばという。

「わたしは今がいつだかわかればよかったんだ」

俊也はむかいのビルを眺めていた。ガラスの断面で蟻《あり》のような人間が働いたり、ショッピングしたりしている。

「ほんとうに今日が何月だか、わからなかったの。スマホの画面を見れば、すぐに気づくよね、普通は」

ナギは乾いた笑い声をあげた。

「わたしは普通じゃないんだよ。いったでしょう、最低最悪の女だって。さっきはパニックになってて、スマホの待ち受けなんて見てられなかったんだよ。誰かに助けてもらいたい。今、いつで、ここがどこか教えてもらいたい。必死だったんだ」

声の様子がおかしかった。驚いて俊也が横をむくと、ナギは声を殺して泣いていた。胸を射抜かれた気がして、俊也は目をそらした。

「今がいつかわからなくなるのは、ものすごい恐怖なんだ。自分が誰かわからなくなるし、この世界がまったく見たことのない場所になっちゃう。わたし、昔、おしっこ漏らしたことがあるもん。怖すぎて、怖すぎて」

「ナギはそんなことが、ちょくちょくあるの」

俊也は手を伸ばして、ナギの冷たい指先だけにぎった。ナギはこばまなかった。ふっと笑って、肩の力を抜く。ネイルを塗った指先までやわらかになった。

「昔はしょっちゅうあったよ。ここしばらく起きなかったから、ちょっとなめてたのかもしれない。わたしは治ったんだって」

やはりなんらかの病気なのか。俊也は一歩踏みこんでみることにした。

「こたえたくないならいわなくていいけど、その発作はどんな病気が原因なのかな」

ナギの白い横顔をじっと見ていた。俊也の質問と同時に能面でもかぶったように顔から感情が抜け落ちていく。

「病気じゃないよ。誰でもそうなるって、医者はいってた。無理もないんだって。その症状とつきあっていくしかない。つらいときはお薬をのみましょうだってさ」

そんなことをいいそうなのは、心療内科の医師かカウンセラーに違いない。ナギは心を病んでいるのか。俊也の周囲にも、何人か鬱病《うつびょう》や自律神経失調症の患者はいる。日本人の十人にひとりが鬱状態だといわれる現代なら、別にめずらしくもない病気だった。誰もがかかる心の風邪だという専門家もいる。

俊也は口をすべらせた。

「ナギは鬱だったんだ。そうなら、そういってくれたらよかったのに。ぼくは別に偏見はないから」

赤い目をしたまま悲しげに笑って、ナギが俊也を見つめていた。何千光年も遠く離れた星の生きもののようだった。宇宙人が地球人に話しかけている。残念だけれど、あなたには決してわからないことがある。わたしたちの星では、地球とは違う形の生命が存在しているのだ——そのあきらめがまっすぐに伝わってくる表情だった。

「わたしは鬱病じゃない。セックスと男には依存してるかもしれないけどね」

乾いた笑い声とともに、色っぽい宇宙人がいった。

「ねえ、俊也くん、人をかんたんに分類して、ぺたぺたシールを貼《は》って、それで理解したつもりにならないほうがいいんじゃないかな。あなたは若いし、これからたくさんの人に出会うんだからさ」

原因不明の発作で、今の時刻さえわからなくなったナギに諭される。なんだか、おかしな気分だった。俊也は素直で人あたりのいい営業マンだが、もちろん自尊心も、うぬぼれもあった。自分は平均的な知的水準よりも、いくらか上だと考えていた。職場の同僚や学生時代の友人から、そんなことをいわれたらきっと腹を立てていただろう。

けれど、ナギの言葉には不思議な説得力があった。自分には想像もつかないほど深いところで、この人は傷ついている。その苦しみから生まれた言葉だった。俊也が医療機器の販売のために身に着けた病気の表層的な知識とはわけが違う。

「いつか、すべてを話せる日がきたら、ナギの苦しみを全部、ぼくにも教えてくれ」

ナギは驚いた顔をして、おおきな笑い声をあげた。

「ないない、そんな日は絶対にこないよ。第一、そんな話したら、俊也くんはわたしのこと軽蔑《けいべつ》するようになる。絶対に教えてあげない」

俊也も笑っていた。だんだんとナギにいつもの元気がもどってきたようだ。これなら、たぶんだいじょうぶだろう。

「どうする？　ぼくは今日、仕事は切りあげてきたんだ。なにかしたいことがあるなら、つきあうよ」

ナギが疲れた顔でぼそりという。

「どこか暗いところで、冷たいものをのみたい。それで、しばらく眠りたい」

新宿でいきなりそんなことができる場所など、ラブホテルくらいしかしらなかった。ためらうように俊也はいった。

「ホテルでもいいかな」

「いいよ。今日の調子じゃ、期待しても無駄だけどね」

「期待はしてない。そういうのは、ほんとうにそうしたくなったときのためにとっておく」

「なに、それ。あんたは昭和の男か」

ナギが立ちあがろうとして、足をふらつかせた。俊也は薄い肩に腕をまわしてナギを支えると、階段わきのエレベーターホールにむかって歩きだした。

口では元気なことをいっていたが、ナギの足元はふらついていた。俊也は年配の人の肩を抱くように、日暮れまでまだ間がある歌舞伎町を歩いた。この時間ではさすがに客引きも、ホストやホステスも通りに湧《わ》いていない。飲食街を抜けて、バッティングセンターのネットが右手に見えてくると、妙に白茶けたホテル街になった。

「ちょっと待って。気もちわるい」

ナギが口元を押さえた。俊也はナギを横道の電柱の陰に連れていった。しゃがみこんだナギの背中をさすってやる。痙攣《けいれん》するように腹と肩を震わせて、ナギは透明な胃液を吐いた。

「だいじょうぶ？　全部だしちゃっていいんだよ」

ナギにはいつもだいじょうぶといい続けている気がした。ほかの女をそれほど心配したことはなかった。

「なんだよ、真っ昼間っから汚ねえな」

舌打ちをして、くたびれたジャージ姿の中年男がとおりすぎていく。俊也は男を無視したが、ナギが相手にきこえるようにいった。

「うるさい。あんたは吐いたことないのかよ」

「なんだと」

通行人が振りむくほどの大声が返ってくる。俊也は立ちあがって、男を見た。炭のように日焼けした小柄な男だった。

「彼女が急に体調を崩したんです。すみません」

中年男の目に怯《おび》えがのぞいていた。なぜ、弱い人間ほど刺激に過剰な反応を示すのだろう。ナギとこの男はよく似ているのかもしれない。

「男ならちゃんと女を教育しておけ。ふざけんな」

捨て台詞《ぜりふ》を吐いて、安堵《あんど》したように背中を丸めていってしまう。ナギが後姿につぶやいた。

「最低、ちいさな男」

俊也はあきれていった。

「ああいう人間にはかかわらないほうがいい。相手をするだけ時間の無駄だ。ナギはいつもあんなふうにいい返すのか」

唇をぬぐったナギはまだ遠ざかる男の背中をにらんでいた。男は自転車に接触しそうになって、また大声で吠《ほ》えていた。

「屑男《くずおとこ》をいい気でのさばらせておくのが嫌なんだ。あんなやつこそ死んじゃえばいいのに」

俊也はぼんやりと考えていた。渋谷の出会い系カフェでしりあったばかりの男に暴力を振るわれたことがあった。ナギにはある種類の男の暴力性を引きだしてしまう傾向があるのかもしれない。胸が苦しくなるような嫌な予感に襲われた。俊也のほうが吐きたいくらいである。

「ナギはほんとに気をつけたほうがいいよ。あまりよくしらない男とつきあわないほうが身のためじゃないか」

まだセックスもしていないし、正式につきあっているわけでもなかったが、俊也はついそういってしまった。ナギはにやりと笑った。

「心配してくれるんだ。ありがと。もうだいじょうぶ、いこう」

俊也の手を払って、ナギが歩きだした。倒れそうになったら、いつでも支えられるように、手の届く距離を保って、俊也はついていった。


「さすがに歌舞伎町だね」

ナギが驚いていた。もう三軒目だが、どこも連続で満室の赤いサインが灯《とも》っている。

「こんなに明るいのに、みんな昼間っから、なにしてるんだろうね。あっ、そうか、半分以上はデートクラブみたいなプロの人か」

外観の新しいホテルはどこも満室のようだった。不景気といわれているけれど、これほどの繁盛《はんじょう》ぶりを見せつけられると、男性の草食化という決まり文句も虚《むな》しく思えてくる。いつの時代も、人間は生殖を続けてきた。それもあたりまえなのかもしれない。人は性から逃げ切ることなどできないのだ。もっともこの街には生殖目的でホテルの個室を利用している男女などいないのだろうが。

「ここはどうかな」

袋小路にある白い建物のまえで、俊也がいった。ペンキの色は目にまぶしいが、施設自体はかなり古いようだ。壁に点々と浮かぶ窓のうえに、ちいさな青い瓦《かわら》屋根がついていた。エントランス脇《わき》には青いネオンサインが、OPENと鈍く光っている。

「もう疲れた。別にエッチするわけでもないから、どこでもいい」

ナギの顔色はまだ蒼白なままだ。俊也は迷うことなく、暗いガラスの自動ドアを抜けた。

304号室はキングサイズのベッドが部屋の七割を占めているような狭さだった。さすがにカメラマンはうまく嘘《うそ》をつくものだ。フロントの横にあった部屋を選ぶ表示パネルでは、もっと広々と見えた。ナギはさっと上掛けをめくると、服を着たまま倒れこんだ。

「冷たいお茶を、お願い」

そなえつけの冷蔵庫から、ペットボトルを抜いた。一本二百五十円。ナギに渡してやる。横になったままで、ナギは一気に半分ほどのみほしてしまった。今度は、ヘッドボードについたスイッチをいじっている。

「冷房いれるね。わたしは寒いくらいに冷房いれて、それで布団《ふとん》にくるまって寝るのが好き」

ベッドの中央に座り、さばさばと黒のチュニックとスカートを脱いでしまう。ナギの腹は脂肪がついて、丸くやわらかそうだった。腰にはストッキングの跡が赤く残っている。俊也は目をそらしていった。

「ナギはぜんぜんエコじゃないんだな」

ナギは厳しい視線をむけてくる。

「わたしはエコとか節電とか、大嫌い。放射能がそんなに嫌なら、みんな、どっかいけばいいのに」

うかつな返事をすると面倒なことになりそうなので、俊也は黙ってやりすごした。ナギはふて腐れたように薄手の羽根布団をかけて丸まってしまう。

「なんか、ここのシーツ臭い」

部屋の明かりはシーン4が選んであった。折りあげ天井に薄青い蛍光管が仕こまれて、新宿の夜空のようにぼんやりと発光していた。俊也はベッドサイドに呆然《ぼうぜん》と立っていた。ほんとうに休憩のためだけにラブホテルにきたのは初めてだ。ナギが落ち着くまで、静かにしていよう。オンデマンドの新作映画でも観《み》ているのもいいかもしれない。布団のなかからナギのくぐもった声がきこえた。

「そんなとこに立ってないで、となりで寝たら」

これは誘われているのではないはずだ。ナギは今日はほんとうに体調がわるい。今が何月かもわからないような見当識障害を起こしたばかりである。俊也は静かにスーツとワイシャツを脱いだ。ハンガーにていねいにかける。Tシャツとボクサーパンツ一枚で、ナギのとなりの広大な余白に横になった。確かにナギのいうとおり、漂白剤の塩素の臭《にお》いが強かった。目を閉じると、学校のプールを思いだす。俊也は胸のうえで両手を組んだ。

*18*

ナギはほんとうに疲れていたようだった。いつの間にか低く寝息がきこえてくる。初めてきく寝息は悪くなかった。息が苦しいだろうと思い、羽根布団をまくり、顔をだしてやる。微笑《ほほえ》んでいた俊也の顔が固まった。ナギは眠りながら泣いていた。目尻《めじり》からこめかみにむかって光る筋が走っている。

いったいこの人は、どんな過去や病気を背負っているのだろうか。真実があらわになったとき、自分はその重さに耐えられるのだろうか。

俊也はリモコンでテレビをつけた。もう映画を観る気分ではなくなっていた。午後のワイドショーを音を消して流しておく。トップニュースは福島だった。事故調査委員会が、福島第一原子力発電所の事故に関する報告書を提出したのだ。六百ページを超える報告書では、放射能事故を天災ではなく人災だと結論づけたという。屋根が吹き飛んで、骨組みがむきだしになった建屋の映像が流されている。お笑い芸人の司会者に振られて、料理研究家がなにかコメントしていた。音声を消しているので、なにをいっているのかはわからない。だが、それでもまったく気にならないのは、お約束の言葉が垂れ流されていると、容易に想像がつくからだ。

原発事故のつぎのニュースは、国民的な人気を誇った元アイドル歌手の三度目の結婚と売れっ子コメディアンの母親の生活保護受給についてだった。泣きながら眠っているナギのとなりで、音のないワイドショーを眺めているのは、しびれるような気分だ。俊也は自分の足先に目をやった。紺色のソックスはまだはいたままだ。そのつま先のむこうに、目をつりあげて生活保護の不正受給を糾弾する女性国会議員がいる。この世界が年を追うごとに息苦しくなるのはなぜなのだろう。この調子では、この国に生きるすべての人がおたがいを敵として憎みあうようになる日は近いかもしれない。

俊也はそのまま音を消した液晶テレビを見ていた。この薄いガラス板が社会に開いた窓なのだと痛切に思う。そこに映しだされたものは、ほとんど吐き気を誘うものばかりだ。窓は外にあるものを、ただ見せるだけだった。


「今、何時」

ナギの声に驚いて、となりに目をやった。腕時計を確かめる。

「五時まえだよ。今が何月なのかはわかるの」

「わかるよ、六月でしょう。わたしだって、いつもおかしくなるわけじゃないよ」

ナギは目覚めた途端に不機嫌だった。

「あのさ、わたしお布団に潜ってたと思うんだけど、俊也くんがめくったの」

「そうだけど。息が苦しいかなと思って」

ため息をついて、ナギが寝返りを打ち、俊也に背中をむけた。ブラジャーの透明なストラップが、やわらかそうな脂肪に沈んでいる。

「あのね、わざと潜ってたんだから。人が寝てるからって、勝手なことしないでくれない」

ナギの反応はいつも予想外だった。なにをしても裏目にでるのは、相性がよくないのかもしれない。俊也も意地になった。ＳＯＳの電話をもらい、仕事を切りあげてきたのに、ずいぶん冷たい言葉だった。

「なにがいけないんだよ」

しばらく返事がもどってこない。コマーシャル四本分の時間が流れて、ナギがはずかしそうにいった。

「わたしの寝顔見たでしょう」

「それはちょっとは見たけど、それがどうしたのさ」

「だから、それが嫌だっていってるんだよ」

つい切れそうになって、強めにいい返した。

「寝顔を見られて、どこがはずかしいんだ。ぼくはナギの裸の胸も見たし、今だって個室で下着姿でふたりきりだろ。襲おうと思えば、いつでも襲えるんだぞ」

ナギはさっと上半身を起こすと、薄手のブラジャーの胸を張った。

「おっぱいを見られるとか、さわられるとかは、別にいいんだよ。はずかしいなんて思わないし、自分でちゃんとわかってる。でも寝顔は別でしょう。一番無防備なときだし、大切な人にしか見てもらいたくない。わたしはどんなに酔っ払って男と寝ても、ちゃんと帰るんだからね。朝までいっしょになんかいないし、寝顔なんて見せない」

それがナギなりのけじめのつけかたなのだろう。誰とでも寝るが、寝顔は心を許した男にしかさらさない。俊也はお手あげだった。どんな女性にもこだわりはあるが、ナギはまたも予想外だ。

ワイドショーは後半になり、何度目かの芸能ニュースが始まっていた。女性アイドルグループのひとりの交際報道だった。地元の高校でつきあっていたボーイフレンドが、携帯電話で撮影した写真を週刊誌に売ったらしい。現在よりはすこし幼い顔のアイドルが、上半身裸でベッドで身を起こし、笑顔でピースサインをよこしている。無邪気な笑いだった。ナギがぽつりといった。

「気もちわるいよね」

「ああ、この子？」

ちらりと俊也のほうを見て、ナギは首を振った。

「違う。この子のファンの男たち」

俊也は黙っていた。このアイドルグループにも、熱狂的なファンの男たちにも興味はない。

「かわいい子なら、ボーイフレンドがいるのはあたりまえでしょう。もう二十歳をすぎてるんだしさ。でも最近のアイドルや声優のファンって、処女じゃなきゃ絶対に許さないって感じだから。勝手に清純イメージを押しつけて、誰かとつきあったとか、恋人がいたというだけで、猛烈なバッシングをして相手を葬《ほうむ》り去ってしまう。草食男子っていったん攻撃的になると、ほんと恐ろしいよね。なんかそういうの苦手だなあ」

自分が満たされていないから、アイドルにも無垢《むく》を求める。俊也の友人にも、この子のファンはいたので気もちがわからないわけではなかった。なけなしのこづかいやアルバイト代から、数十枚も同じCDを買う代金をひねりだすのだ。純粋でも愚かでも言葉はどちらでもいいが、一途《いちず》さがなければとてもデフレ時代のアイドルを熱狂的に支持できないのだろう。

自嘲《じちょう》するように短い笑い声をあげて、ナギがいった。

「そういう処女信仰の男たちから見たら、わたしなんて人間のクズだよね。寝た男の数だって覚えてないし、処女だったころの気もちなんて、完全に忘れちゃったよ」

テレビの青い光がナギを照らしていた。俊也とナギは漂白剤の臭いがするベッドでならんで上半身を起こし、同じディスプレイを見つめていた。おたがいのほうは見ないようにする。視線がまじわることはない。

「草食系だって、いろいろいるよ。ぼくは別に処女をありがたいなんて思わないし、ナギのことも否定しない。これからはそんなにたくさんの男と寝てほしいとは思わないけど」

つぎの芸能ニュースのトピックは、流行の年の差カップルだった。二十歳差はあたりまえで、最近は三十歳四十歳と差が開いているのだという。ナギは手を打って大笑いした。

「お腹《なか》苦しい。なんか、わかりやすすぎて、嫌になる。男は地位と金、女は若さと処女性。わたしたち、だんだんビンボーになってきたんだね。むきだしだもん。生きてくのに、なにが重要なのか。その価値観が全部むきだし」

青い横顔をそっと盗み見た。この人はなぜ、どうでもいい他人のことで、これほど苦しむのだろうか。むきだしなのはずっと昔から同じはずだった。俊也は垂れ流されるニュースに、なんの違和感も憤《いきどお》りも感じなかった。ナギがこれほど敏感なのは、自分のなかに正義の基準があるからなのだろう。この潔癖さと同じ鋭さで自分自身も裁くのだ。生きているのが苦しくてたまらないのも無理はない。

「ねえ、セックスしようか。あんまり馬鹿《ばか》らしくて、もやもやしてきた」

ナギが絶望的に虚《うつ》ろな表情で笑いながら、俊也を見あげてきた。目は壁に空いた穴のようだ。熱も光もない。

「今、ぼくたちがセックスすると、どうなるの」

一瞬のためらいもなく、ナギがこたえた。

「今すぐむちゃくちゃにやらしいセックスして、それでおしまい。もう二度とわたしたちが会うことはない。そんな感じかな」

ナギがとおりすぎてきた荒野を思った。この人はそんな形で覚えていられないほどの数の男を、その場限りでつかい捨てにしてきたのだろう。避難所に身を寄せるように、あるいは非常食でもむさぼるように。

「セックスはしたいよ。でも、未来がないなら、今はしなくていい」

ナギが淋《さび》しそうに笑っていった。

「俊也くんは、そういうだろうと思った。じゃあ、さっさと服を着て。そんな格好でいたら、わたしが襲いたくなるから。もういこうよ。どこかで軽く夕ご飯でもたべよう」

この人はなぜ、こんなに悲しいのだろう。俊也は恐るおそる手を伸ばし、ナギの黒髪をゆっくりとなでた。ナギは俊也の手を払わなかった。なでられるまま、身体《からだ》を硬直させている。

「もういいかな。わたし、髪も感じるんだよね」

「ごめん」

俊也はあわてて手を引いた。それからふたりはベッドをでると、テレビの青い光のなか、おたがいに背をむけたまま服を着た。そしてその数分後、音のないテレビをつけっぱなしで暗い部屋を離れた。

## 19

梅雨の終わりに大雨がやってきた。九州では観測史上最高の降雨量を記録したところもあるという。一時間に百ミリを超える雨は、息をするのも苦しいくらいです——。女子大生の気象予報士が朝のニュースでそう伝えていた。激しい雨は空気まで濡《ぬ》らすのだ。息をするだけで溺《おぼ》れそうになるほど重く濡れた空気を想像して、俊也はなぜかナギを思いだした。彼女は今も梅雨の晴れ間の東京の空気に溺れているのかもしれない。

ナギは不思議な女だった。

俊也はいまだにナギの本名がなにか、どこに住んでいるのか、年齢はいくつか、既婚か未婚か、あるいはバツイチか、しらなかった。家族構成も、卒業した学校もわからない。それでも困らないのは、スマートフォンの電話番号とメールアドレスが手元にあるからだろう。ナギとのつきあいはすべて、てのひらにのる薄っぺらな金属の板にかかっているのだ。

メモリのなかに記録されたいくつかの数字とアルファベットの組みあわせが消えてなくなれば、ナギとのつながりは雨あがりの淡い虹《にじ》のように空に溶けていくのだろう。その消えかたがとてもナギらしいと不安とともに俊也は思い、数日ぶりの出社日、西新宿の高層ビルの頭上を押さえる低い曇り空を見あげた。

プライベートの時間のほとんどをナギに占められていたが、俊也は会社ではきちんと働いていた。といっても俊也の場合、その働きかたはリミッターをはずした猛烈なものではなかった。営業成績は平均のやや上くらいで、そこからさらに売上を伸ばそうとか、新規顧客を開拓しようという必死さにはとぼしかった。

俊也の世代は闘うまえからあきらめているところがあった。社会にでて七年ほどにしかならないが、そのあいだ日本の社会はほとんどといっていいほど変わらなかった。あの東北の大震災でも、その直後はともかく、今となれば日本はまったく変わらなかったといっていいだろう。政治家もマスコミも会社の上司も、坂本龍馬《りょうま》のようにこの国を変えなければいけないと口をそろえるが、誰も本気ではないと、俊也は感じていた。

この国は根本から変革するには、まだまだ快適すぎるのだ。南欧の国々のように失業率が高いわけでもなく、苦しくなったという給与所得者の暮らしも元々の生活水準が高いせいで、暴動が起きるほどのレベルまで逼迫《ひっぱく》していない。二十年続いたデフレは、驚くほどローコストの生活を可能にした。コンビニとファストフードだけでがまんすれば、俊也も十分に給与の半分を貯蓄にまわすことができるほどだ。

東京で暮らしている限り、不景気の影はよく見えなかった。俊也の学生時代の友人は、ほぼ七割が正社員として働いていた。その同期とは今も連絡がとれるが、非正規雇用の荒波に沈んだ残りの三割は、いつのまにか消息をきかなくなった。俊也はフリーターや契約社員の問題を真剣に考えたことはなかった。

いつの時代も誰もが勝者になれるわけではない。自分の仕事と生活に追われて、社会の不合理には目をつぶることが多かった。それは俊也が働く業界が特殊だったせいかもしれない。

医療ビジネスの世界にはあい変わらず巨大な資金が流入していた。日本の医療費は過去最大を更新し続け、近いうちに四十兆円を突破するだろう。どんな不景気も健康と命には代えられない。ほかの分野と同じで、日本の医療改革は容易にはすすまないだろう。しばらくのあいだ、医療費が急減することは考えられず、俊也が売る高価な医療用画像診断装置のマーケットも安泰だった。

それでも、個々の医師のあいだでは格差が広がっていた。厳しい受験を勝ち抜いて国家資格を取得した医師たちのなかでも、勝ち組と負け組が明確になっている。会社員のように病院で働く勤務医では、高額な医大の授業料を回収するには長い年月がかかった。かといって、自分で病院を開くには、多額の開業資金が必要になる。開業医は高収入が望めるが、とくに都市部ではほかの病院との厳しい競争が待っていた。俊也は破産した開業医を何人か見ているので、自分が医師ではなくてよかったと思うことがあった。たとえ高収入でも、そこまで厳しい競争と圧力にさらされたくはなかった。

そこそこに働き、そこそこ豊かならば、それでいい。草食なのは、女性に対してばかりでなく、仕事でも同じだった。

「島波クリニックのほうは、どうなってるんだ」

定例のミーティングのあとで、俊也はひとりだけ会議室に残されていた。窓のむこうには、また別の超高層オフィスが見える。ガラスの箱のなかで、自分と同じような会社員がせっせと働いていた。小宮山課長の声は厳しかった。俊也は頭をさげそうになって、なんとかこらえた。この上司のパワハラのせいで、辞めていった社員を二人しっていた。卑屈な態度を見せると、ますます調子に乗って手がつけられなくなるタイプだ。

「いえ、そちらのほうはまだ進展がありません」

テーブルをたたいて、小宮山課長が叫んだ。俊也を脅すには十分だが、会議室の外にはきこえない絶妙なおおきさである。

「なにをいってるんだ。あの案件がうちの部署では最重要課題だろう。伊藤くんは部長のまえで、必ずターンオーバーするとはっきりいったじゃないか」

テーブルをたたきたいのは俊也のほうだった。いいところを見せようとそんなことを口走ったのは課長のほうで、俊也はひと言もいってはいない。

「ですが、あそこのクリニックは代々ライバルのZEメディカルが強くて、簡単にはくいこめませんよ」

「そんなことは誰でもわかっている。そこをどうにかするのが、営業マンの仕事だろう」

いきなり声が低くなった。会議室の空気まで薄くなったようだ。あと一歩で、この男は大荒れになるだろう。どうすればこの場を切り抜けられるのか、俊也は切羽詰まっていた。

「それとも、伊藤くんはこのままZEのやつらにコケにされて、黙って引っこんでいるつもりか。やられたら、やりかえさなければ、うちの会社のメンツが丸潰《まるつぶ》れだ」

「ですが実際問題として、島波クリニックにくいこむのは至難の業です。これまでもうちの優秀な先輩が何度もアタックして、失敗に終わっていますよね。いったい、わたしはどうしたらいいのでしょうか」

その失敗のなかに、何年か前の小宮山課長のトライもふくまれていたはずだ。課長は平然といった。

「そんなことは自分で考えなさい。きみだって子どもじゃないだろう」

自分が狙《ねら》われているのだと、俊也はようやく気づいた。無理難題のミッションを押しつけ、それが達成できないとすべてを現場のせいにして、部下を切り捨てる。それで心を病んで、二人の同僚が辞めていったのだ。なぜか小宮山課長は、嗜虐《しぎゃく》の対象をつくりだす癖があるようだ。

俊也は背中に冷たい汗をかいていた。節電のために冷房は控えられていたが、暑さのせいではなかった。身体全体は寒気がしてたまらないのに、白いシャツの背中で汗が筋を引くのがわかる。自分はこれまでそこそこの成績はあげてきたはずだ。それがいきなり爬虫類《はちゅう》のように冷たくしつこい小宮山に狙われている。なぜ、こんな窮地にいきなり立たされるのか、意味がわからなかった。社内ではなにも問題は起こしていなかったはずだ。

「いいか、伊藤くん。島波クリニックに、きみの将来がかかっている。どんな手をつかってもいいから、新しい院長を落とすんだ。毎週必ず顔をだして、あの院長についてて、あらゆる情報を集めてくれ。うちの課全体の評価を左右するんだ。これは社命だからな。できないなどと、二度と口にするんじゃない。わかったな」

うなずくしかなかった。俊也はなるべく感情を抑えていった。

「はい。がんばります」

「今日中にアポをとって、明日にでも顔をだして、首尾を報告してくれ。本気でZEからターンオーバーを狙っていると、宣戦布告してくるといい」

なんとも調子のいい男だった。それをやって一台も機械を売れなかったのは自分自身ではなかったのか。会社で働くことの理不尽があらためて身にしみたが、自分を殺すしかなかった。俊也は会社を離れて生きることを想像したこともない。不景気の世のなかでステップダウンの転職をするくらいなら、どれほど自分を削っても今いる会社にしがみつくほうがよかった。

窓のむこうの青空に目をやって、なぜかナギを思いだした。彼女は自由だ。ナギならこんな状態に追いこまれたとき、どんな行動をとるのだろうか。

「いつまでぼんやりしてるんだ」

怒気をふくんだ声がきこえた。俊也はテーブルのうえの資料をかき集めて立ちあがった。

「すみません」

小宮山課長がじっと見つめてくる。体温の感じられないガラス球のような目だ。

「いいか、今からすぐに動くんだからな」

「わかりました」

課長と同じ部屋の空気を吸っているのが嫌で、俊也は風のように三十四階の会議室をあとにした。

島波クリニックは学芸大学駅まえの商店街を抜けた先にある総合病院だった。堅実な経営で四代にわたってその地で成長を続け、現在では三百床を超える規模にまで拡大している。俊也は小宮山にいわれたとおり何度かアポイントメントをとろうとしたが、そのたびに、秘書に多忙を理由に断られていた。もっとも担当地区の交代時の挨《あい》拶《さつ》で一度顔をだしたことがあっただけだったので、先方にすれば面倒だろう。それでも島波クリニックの院長・島波修二郎の母校の教授のつてで、なんとか面会の時間をつくってもらった。医者と官僚の世界で、人を動かすにはなによりもコネが必要だった。

小宮山課長の命令から五日後、ようやく俊也は島波クリニックにやってきた。広大な敷地に建つ白いタイル張りのビルは、病院というよりリゾートホテルのようだった。ガラス窓の面積が広く、ロビーのベンチも座り心地がよさそうだ。なにより看護師や医師の表情が快活でよかった。問題を抱えている病院は、働く人間の表情がどこか暗いものだ。ざっと院内を観察してから、裏手にある職員用駐車場で島波院長を待った。約束より十五分遅れて、島波修二郎が出てきた。白いポロシャツに、紺の細身のコットンパンツ。よく日焼けした顔はゴルフ焼けだという噂《うわさ》だ。新自由主義を日本にもちこんだ元首相のようなゆるいパーマをかけている。

「えーっと、伊藤くんだったっけな。毛利《もうり》先生に頼まれたから時間をつくったけれど、つぎからは勘弁してくれよ」

指先を切り落としたドライビンググローブをはめながら、四十代なかばだが七、八歳は若く見える院長がそういった。

「乗ってくれ、ちょっと立ち会いにいくんだ」

院長の横には銀色のポルシェ911がうずくまっていた。俊也はスポーツカーには詳しくないが、これが特別な車であることはわかった。街で見かける普通のポルシェとは迫力が違った。巨大なテールウイングとターボのロゴが目を引く。俊也は狭い室内に乗りこんだ。横転時の補強のためだろう。頭上に太い金属のパイプが走っていた。シートは身体にぴたりとあっているが、リクライニング機能はないようだった。

「きみは車には酔わないよな。気もちが悪くなったら、いってくれ」

キーをまわすと、後方でエンジンが目覚めた。何度かアクセルを踏みこむと、エンジンが島波のつま先にあわせて、躍るように吹けあがる。

「いい音だろ。出発するぞ」

尻を蹴《け》とばされたように、銀のスポーツカーが走りだした。

島波の運転は荒っぽいが、繊細だった。安全が確認できると交通規則を無視して、思い切り加速する。コーナーはほぼ横滑りするように、直角に曲がっていく。自分の車をもたない俊也には、スポーツカーという乗りものが新鮮だった。信号待ちで、若々しい院長が笑った。

「ストレス解消にいいだろう。きみだって、そこそこいい給料をもらってるんだから、スポーツカーでも買わないか」

俊也は初任給から始めた貯金を考えた。たぶんすべてはたいても、ポルシェが一台買えるか、買えないかだろう。だが、この院長にくいこめるなら、悪くないアイディアかもしれない。マニアは誰でも人に自分の薀蓄《うんちく》を話したがるものだ。

「ぼくは車をもっていないんですけど、今度、なにを買えばいいのか教えてください」

「ははあ、伊藤くんは素直なんだな。CTを一台売るために車を買うのか。それで割があうのかい」

手のうちは見透かされているようだ。だが、俊也にはほかに手がなかった。

「いえ、車のほうは仕事とは別です。ちょっとドライブに連れていってあげたい人がいまして」

島波がちらりと横を見た。

「きみの恋人か」

ナギはたぶん誰の女でもないのだろう。面倒なので、うなずいた。

「そんなところです」

「女と車はいいな。乗り手しだいで、いくらでも変わる」

信号が青になった。俊也の背中がシートに押しつけられる。

「どちらにいかれるんですか」

正面をむいたまま、島波はいった。

「渋谷松濤《しょうとう》だ」

都内有数の高級住宅地である。新居でも建てているのだろうか。そんな情報は会社ではしられていなかった。

「この不景気に松濤にご自宅を建てられるなんて、さすが島波クリニックの院長ですね」

「違うよ。ビジネスだ」

この男はすでに収益性の高い総合病院をひとつもっている。今度はなにをするつもりだろうか。

「あのあたりなら、雰囲気のいい店がけっこうありますよね。バーか、レストランでもお開きになるつもりですか」

趣味でちいさなバーを開いている医者なら何人かしっていた。あまり儲《もう》かりはしないが、仲間と落ち着いてのめるので、それなりに悪くないといっていた。金もちはいつの時代もゆとりがあるものだ。

「不景気だからできるんだ。とある金融機関が松濤にもっていた社員寮を安く売りにだした。わたしはそれを買って、中身を完全に改装させている。格差社会の上のほうを狙った医療サービスだ。宿泊型の高級な人間ドックを開こうと思っているんだ。そちらのほうにはまだビジネスチャンスがある」

富裕層むけの医療サービスは、これからの成長分野だった。その手の施設なら、考えられる限り最高性能の超音波画像診断装置やCTが必要になるだろう。山手通りを越えて、渋谷区の静かな住宅街に銀の車は進入した。俊也が一生働いても手にはいらないような邸宅が通りの両側に建ちならんでいる。ドイツ車とはすれ違うが、歩行者は目につかなかった。

「その新規事業のお話は、うちの会社のほうでは初耳だと思うんですが」

「ああ、そうだよ。まだZEメディカルにも話はしていない。これからのビジネスだからな」

ポルシェは加速するときと同じように、突然停止した。

「ここだ」

鍋島《なべしま》松濤公園の近くの小高い丘の上だった。都心とは思えないほど深い緑のなかに赤いレンガ造りの建物がそびえている。周囲には足場が組まれて、作業員が鉄パイプをかついで動きまわっていた。

「きみも見るかい」

金と力がある人間は気まぐれなものだった。だが、島波が上機嫌のうちにすこしでも新しい医療施設についてしっておきたい。島波が車をおりて、エントランスに続く長いスロープをあがっていく。俊也は白いポロシャツの背中を追いながら、これから始まるなにかへの予感に震えていた。

「骨組だけ残して、建物を裸にしているのさ」

三階まで吹き抜けになった広々としたロビーは内装材がはがされ、コンクリートがむきだしになっていた。天井を走るパイプと電線が、怪物の内臓のようにうねっている。工事現場独特の湿ったコンクリートの臭いが鼻をついた。

「すごいですね。壁の厚さなんて、今のマンションの倍くらいある」

俊也は急な展開に驚きながら、幸運に感謝していた。たまたま島波院長が視察にいく時間にアポイントメントがはまったのだろう。多忙でいき帰りの車中くらいしか時間がとれなかったのだ。島波は日焼けした顔を崩して笑った。

「そうだろう。この寮はちょうどバブルまっさかりに建てられたものだ。あのころ日本の銀行は世界のトップ20の約半分を占めていた。いくらでも無駄につかえる金があったんだな。専門家に評価させたが、この建物は最新の耐震基準を余裕でうわ回るほど丈夫だそうだ」

はめ殺しになった正面の窓のむこうに、中庭の緑が見えた。売主は手いれを放棄したのだろう。芝は伸び放題で、植栽はジャングルと化していた。緑とはきれいで安全なものではなく、本来獰猛《どうもう》な生きものだ。

「あっ、先生、わざわざご足労くださって、ありがとうございます」

壁際《かべぎわ》に半円形に刻まれた階段のうえから、スーツ姿の男が三人駆けおりてきた。黄色いヘルメットをかぶり、手にもヘルメットをもっている。建設会社の営業マンだろうか。俊也は自分と似た空気を感じた。この仕事に就いてから、どんな職種でも営業マンとそうでない人間は区別できるようになっていた。

「先生、お電話くだされば、玄関でお出迎えしたんですが失礼しました。こちらのヘルメットをどうぞ。安全は保証つきですが、なにぶん規則なもので」

一番年上の初老の営業マンが腰をかがめて、ヘルメットをさしだしてきた。島波は俊也を紹介しなかった。俊也も頭をさげて、ヘルメットをかぶった。

島波のあごのわきでは、締められていないストラップの先が揺れている。

「先生、こちらへどうぞ」

階段をのぼると、中庭を囲むようにつくられたコの字型の建物の全景が見えてきた。中庭の中央には、黒い御影石《みかげいし》でできた巨大な円盤のような彫刻がおいてある。

「全五十二室の個室は、スケルトンから全面改装しています。スケジュールのほうは若干遅れ気味ですが、期日までには必ず間にあわせるようにいたしますので、なにぶんご容赦ください」

営業マンがそういうと、島波は黙ってうなずいた。Tシャツの胸に汗の染《し》みを浮かべた男が、肩に内装材やコンクリートのがれきをいれた袋をかつぎ、とおりすぎていった。島波と営業マンは汗臭い男たちを完全に無視した。施主と大手建設会社と下請けの現場作業員、ここにいる人間にはきちんと序列があるのだ。まだぎりぎりで二十代の俊也には、その序列が居心地わるかった。

島波がサッシに手をかけて、中庭を見おろしていた。白いポロシャツの背中は、声をかけてはいけないような威厳を感じさせる。この男はどこか奇妙だと俊也は思った。普通の医者とはなにかが違う。多くの医師は金と名声が大好物だけれど、島波はこれほどの成功を収めていながら、すべてどうでもいいという投げやりな雰囲気があった。中年の医師が肩越しにいった。

「えーっと、なにくんだったかな」

俊也は自分のことだと気づいた。

「伊藤です」

「あー、そうだった。伊藤くんか。これでも若いころは一度きいた名前は絶対に忘れなかったものだがな」

「いや、島波先生はまだ十分にお若いですよ。とても四十代には見えません」

みえみえのほめ言葉はいつでも効果的だった。それが真実の場合は、さらに効くものだ。

「ああ、そいつが一番大切なんだ。金も名誉も美女も手にいれた男たちが、最後に欲しがるのはなんだと思う？」

建設会社の営業マンがそろって、俊也を見つめていた。施主の機嫌を損ねるなという無言のプレッシャーを感じた。

「若さでしょうか」

島波は俊也のほうを振りむいてから、視線を中庭にもどした。

「そうだ。伊藤くんのように若いと、若さなどなんでもないと思うだろうが、地位も金も手にいれた年寄りは、なにより若さと健康が欲しいものなんだ。人間、いくつになっても足りないものが欲しくなる。永遠に満ち足りないのがヒトという生きものだ」

神妙な顔で島波の言葉をきく男たちはみな直立不動だった。もしかしたら、この男の逆鱗《げきりん》にふれたことがあるのかもしれない。

「わたしはここに飛び切り豪華な人間ドックとアンチエイジングのための病院をつくる。看護師の女性は美人だけをそろえるつもりだ。なんなら、医療とは別目的で、海外からコンパニオンを呼んでもいいな」

誰にきかせているわけでもないようだった。島波は自分がいいたいことを自分がいいたいときに勝手に話す人間だ。そばにいる者はその声に耳を傾けざるを得ない。島波はくすりと笑った。

「アンチエイジングといっても、まああんなものは全部幻なんだがな。なにがサーチュイン遺伝子だ。飢餓状態をつくりだせば、二十パーセントばかり寿命が延びる。確かに実験動物ではそうだろう。だが、百歳のじいさんを百二十歳まで長生きさせてどうなるというんだ。がりがりにやせて、女も抱けない百二十歳なんて、なんの意味がある？」

百歳でも遥《はる》か彼方《かなた》なのに、百二十歳は想像もできなかった。島波のいい分にも一理ある。生きているとは、ただ呼吸して生存していることだけではないはずだ。俊也も窓の外の木々に目をやった。こんなふうに風に吹かれて、深く色づかなければ、生きている意味はないのかもしれない。そのとき、急にナギの唇と胸元の青いほど白い肌が思い浮かんだ。

「ただ長生きするだけじゃ、つまらない人生かもしれません。でも、島波先生は長生きのための施設をおつくりになるつもりなんですよね」

「そうだ。なんにしても、人を集めるには話題が必要だ。画期的なアンチエイジングの医療で、寿命を二割延ばす。延ばされた寿命の中身など、誰が考えるんだ。あとは治療費を法外なくらい高くしてやれば、それでいい。金もちは、なんだかんだといって金を信じている。高価なものには、それだけの実質と効果があると無条件に思いこむ。わたしは自分がなに者かわからなくなるほど長生きはしたくないし、不老の遺伝子もまったく信じないが、ビジネスのためには、嘘《うそ》やイメージが必要だ。おもしろいと思わないか」

建設会社の男たちの心は、その場を離れてしまったようだった。おかしなことを話す金もちの施主としか、見ていないのだろう。医療分野は専門外というところもあるのかもしれない。島波と俊也しか話の行方には関心がないようだった。

「すごくおもしろいです。ですが、島波先生はどうして医師になられたんですか。ほかのどんな仕事をなさっても、成功されたと思うんですが」

営業のためのゴマすりではなかった。正直な感想だ。この男がひどく優秀なのは、肩書や乗り回すスポーツカーからではなく、ほんの三十分もいっしょにいるだけでよくわかった。

「さあ、ほかになにをやればいいのか、わからなかったんだな。ちいさなころから、親には医者になって、跡を継げとしかいわれなかったから。病気を治して、人の命を救うのが、それほど立派な仕事とは思わないんだがな」

背中で苦笑していた。別世界の人間だとは思うけれど、共感できる部分もあった。

「いえ、立派なお仕事ですよ。すくなくとも、わたしには絶対できません」

島波は振り返ると、窓にもたれた。胸元で組んだ腕は、ワイヤーロープのように引き締まっている。

「なに、医者なんて何十万人もいるんだ。医学部にはいれる頭があれば、誰にでもなれるだろう」

「そんなことはありません。患者さんの命をまかされる。そんな責任はわたしなんかには絶対負えませんから。医療機器を売ったりするくらいしか、怖くてできません」

ため息でもつくように笑って、島波がいった。

「伊藤くんだったな。きみはおもしろいな。ここの施設に超音波やＣＴを売りたいのなら、きみもなにかやってみなさい」

緊張で身体がこわばってしまった。難攻不落だったはずの相手から、いきなりチャンスを投げられたのだ。島波にはいらなくなったおもちゃでも投げ捨てたくらいの、軽い気もちなのだろう。それでも俊也にとってチャンスであることは変わらない。

「こんなことは自分で考えなければいけないんでしょうが、いったいなにをすればいいんでしょうか」

島波がヘルメットを指先でこつこつとたたいた。ストラップが左右に揺れる。

「自分の頭をつかいなさい。だが、ひとついえるとすれば、きみに不可能なことをひとつ、わたしにやってみせてほしいね。さあ、いこうか」

ぞろぞろと営業マンを引き連れて、裸になった建物の巡回が再び始まった。

## 21

週末には梅雨が明けた。

東京にはいきなり真夏日がやってきて、新宿の空を見あげると、高層ビルをとりまくように積乱雲の柱がそびえていた。

「俊也もなかなかやるじゃないか」

益田誠司が額の汗をぬぐいながら、そういった。屋外のカフェは、この暑さで空席が目立っている。俊也と誠司は日傘のしたで、ピザをつまみにノンアルコールのビールをのんでいた。酒精の抜けた偽物《にせもの》のはずなのに、口あたりものど越しも本物と変わらなかった。偽物も本物もない。そういう時代なのかもしれない。

「だけど、あの人にどうやってくいこんだらいいのか。ぜんぜんわからないよ。なんというか、浮世離れした人だから」

どっぷりと医療ビジネスの世界につかっている癖に、あの男の浮遊感はなんなのだろう。俊也が初めて出会ったタイプの人物だった。

「ほかの医者と変わらないんじゃないか。まめに足を運んで、顔を覚えてもらう。趣味につきあう」

島波と何度ゴルフ場にいっても、気安い関係をつくれる気がまるでしなかった。あの人の心はたぶん普通の営業手法では動かないだろう。

「そういうのじゃない気がする。うちの先輩たちも、島波クリニックでは散々失敗してきたんだよな。なにか別の方法を考えないと」

ナポリ風のピザにたっぷりと刻み唐辛子をかけて、誠司はひと口で片づけた。

「人間なら、どこかに弱点があるよな。あるいは、大好きなこととかさ。なんでもいいから、そいつを探してくらいついてみるしか手はないんじゃないか。だけど、おおきいよな。島波院長にちゃんと名前を覚えてもらっただけでもさ。ほかの連中はみんな門前払いだったんだから」

その点では、小宮山課長も俊也を評価していた。ほかの課員がいるまえで、島波クリニックにコネクションができたと、俊也の成果を口にしたのである。

「ああ、なんとかくらいついてみる」

これから毎週、島波クリニックに顔をだすようにしよう。自分の仕事の成績もだが、あの院長に個人的な興味が芽生えていた。有力な顧客というだけでなく、島波修二郎という謎《なぞ》めいた人間への興味だった。

「そういえばさ、最近この画像がネットで話題なんだよな」

誠司がスマートフォンを何度か操作して、液晶をこちらにむけた。渋谷にあるデパートのロゴが描かれたシャッターのまえに、女がひとり立っている。上半身は黒いメッシュのカットソーだった。太く黒い目線がはいっているので、顔はよくわからない。女の下半身は黒のパンプス以外、なにも身につけていなかった。黒々としているが控え目なヘアが両脚のつけ根に、見事な二等辺三角形をつくっている。

「なっ、なかなかすごいだろ」

誠司は指先を開いて、画像を拡大した。黒い目線いりの顔がアップになっていた。厚みのある唇と鎖骨の影に、見覚えがある気がした。

「ちょっと貸してくれ」

「おまえも好きだな」

俊也は下半身裸の女の画像を観察した。開いた両脚はふくらはぎから太ももにかけて適度な量感があって、細いだけのモデル脚ではなかった。顔の輪郭と唇は、ナギによく似ているがこの画像だけでは決定的とはいえない。俊也は内心の動揺を隠していった。

「この子の画像、ほかにもあるのかな」

「待ってました。ネットにあるやつ全部ダウンロードしといたんだ」

スマートフォンをもどすと、誠司は画像ファイルを呼びだした。

「その子の写真がネットにはたくさんあるんだ？」

誠司は目をあげずにいう。

「ああ、どこだかはっきりと特定できる場所で、ゲリラ的にヌードを撮って、アップしてるらしい。最近話題なんだよな」

つぎの質問をするまえに、俊也は気づかれないように一度深呼吸をしなければならなかった。

「その子の名前は？」

「ナギ。どうせ本名じゃないだろう」

泥だらけの手で心臓をつかまれたようだった。息ができなくなる。誠司が新たな画像を浮かべたスマートフォンをさしだしてきた。

「ほら、こいつはおれが好きな一枚だ」

今度は表参道ヒルズの地下にあるステージのように広い階段だった。そこに四つん這《ば》いになった女が、尻《しり》をつきだしている。うっすらと口を開いた女性器も、淡く沈んだ肛門《こうもん》も映っている。口元は底抜けの笑顔だ。けれど、目の周囲は黒線で塗り潰され、女が心の底でなにを考えているのか、なにを感じているのか、まるでわからなかった。

この画像の女が本物のナギなのか、俊也にはわからなかった。ただ梅雨明け初日の夏空のしたで、てのひらが冷たい汗で濡れているのを感じただけだった。

22

早々に仕事を切りあげると、俊也はまっすぐ自宅に帰った。会社から家賃補助がでているので、ひとり暮らしには十分な広さの1DKをJR中央線沿線に借りている。駅から五分足らずのこの物件は、補助がなければとても手がだせないだろう。デフレでも二十三区の賃貸住宅は高止まりしている。デフレは外食や衣類だけで、生活の基礎になる住居費や通信費、水道光熱費はさしてさがっていないようだ。

俊也は上着をソファに投げ捨て、デスクにむかった。机のうえにあるちいさな鏡に、自分の顔が映っていた。目が血走っている。無理もない。つきあっている女性のヌード写真を、会社の同期から見せられたのだ。画像はネットにアップされ、誰でも見ることができるという。

ノートパソコンを起《た》ちあげ、検索にとりかかった。いったい一日に何度、自分はこの検索という行為をしているのだろう。すくなくとも俊也が高校生のころは、これほどネット検索は一般的ではなかった。今ではわからないことがあると、すぐに検索する。その場の用に立つくらいの知識の欠片《かけら》は、すぐに手にはいるが、どれも十五分もすれば忘れてしまうほどの、軽いアンサーばかりだった。

ナギ、ヌード、露出。

キーワードをいれて、エンターキーを押した。反応時間は0・18秒。「ナギの画像検索結果」と先頭の一行に書いてある。六枚の写真がならんでいた。誠司に見せられた渋谷と表参道ヒルズの写真は、そのなかにあった。きっと人気順なのだろう。あの二枚ははっきりと場所が特定できるから、より扇情的なのかもしれない。

俊也は最初のサイトに飛んだ。「ナギのヌード都市」というタイトルが浮かんだあとで、ディスプレイは一面ナギの顔のアップになった。黒い線で隠され、目のまわりの表情はわからないが、厚い唇のあいだから舌の先がのぞいている。この舌の感触を自分はしっている。俊也はキスをしたときの感触を思いだした。ナギの舌先は丸く、白く鮫肌《さめはだ》のように荒れている。あの舌先で、頬をなめられ、唇と耳とペニスを責められたのだ。

メニューからギャラリーを選んだ。目元だけ隠したナギのヌードがスライドショーの要領で流れていく。背景の街は、渋谷や表参道だけではなかった。都心の名所を巡っているようだ。新しく開業したスカイツリーも、パンダの出産で話題を呼んだ上野動物園もある。ナギは東京のあらゆるランドマークのまえで肌をさらしていた。全裸はめったになかった。きっと夜や早朝でも人目があったのだろう。スカートをまくって性器を見せたり、カットソーをさげて乳房を露出したりしている部分ヌードがほとんどだった。

そのサイトにアップされているナギの画像は全部で六十三枚。俊也は金縛りにあったようにデスクにむかい、そのすべてに目をとおした。なぜこんなことをするのか理解できないという違和感、つきあっていると信じていた相手に裏切られた気もち、それに激しい興奮が同時に心と身体《からだ》のなかを荒れ狂っていた。俊也のペニスはスライドショーの最初の数枚で、最硬度に達している。

痛いほどの硬さはナギのヌードが最後の一枚になって、再び最初の渋谷のデパートにもどっても変わらなかった。全国の男たちが今このときも、自分と同じようにナギの裸体を見て興奮しているかもしれない。そう思うだけで、俊也のペニスは落ち着きをなくした。けれど、心はぱくりと傷口を開いていた。ぬめるように開いた傷は、すべての男たちに自分のヌードをさらしている好きな女がつけたものだった。どうして、こんなことができるのか理解できない。ナギはなにを考えているのだろうか。一度ネットに流出した画像は、未来永劫《えいごう》漂い続けるのだ。いつか誰かと結ばれ、子どもが生まれ、孫をもつようになったあとでさえ、ナギのヌードは電子の海に浮かんでいることだろう。

もうひとつ気になるのは、この写真を撮っているカメラマンの存在だった。六十枚を超えるイメージの背景は、東京の十カ所以上にわたっていた。ロケハンと実際の撮影を考えると、カメラマンとナギはずいぶんたくさんの時間をともにしているはずだ。たぶん男性に違いないカメラマンとヌードモデルであるナギの関係はどういうものだろうか。ゲリラ的な撮影を繰り広げたうえで、ネットで公開までしているとすると、おたがいの信頼はかなりの深さのはずだ。

スライドショーは流れていく。青い光で幻想的にライトアップされた勝鬨橋《かちどきばし》の欄干にもたれるようにしゃがみこみ、自分の性器を両手で割るナギがモニタ一面で発光していた。明らかに性器は濡《ぬ》れている。ものの表面が濡れているか、乾いているか、最新の高解像度の液晶ディスプレイは残酷なほど映しだしてしまう。

ここまで自分を壊したいと願うのはなぜなのか。ナギの得体のしれなさが、俊也の胸をこがした。きっとナギとつきあう限り、この苦しみと興奮から逃れることはできないだろう。問題なのは、そのどちらも際限なく激しすぎることだった。普通の女性との交際ではもう満足できないかもしれない。すくなくとも、ただの正常な性行為ではナギのときほどの興奮は得られないだろう。恐ろしい罠《わな》にはまってしまった気がして、俊也はペニスを立てたままますべてのヌード写真をプリントアウトするようにコンピュータに命令した。

## 23

めずらしく俊也からの誘いにナギがこたえたのは、その二日後のことだった。待ちあわせは恵比寿《えびす》ガーデンプレイスにあるオープンカフェだった。日が沈みかけているが、まだ気温は三十度を切らなかった。俊也はクラッシュアイスに注がれたエスプレッソをのみながら、ぼんやりと夕日に染まったガラス屋根を眺めていた。

約束の二十分後、いつものようにナギは遅刻してやってきた。金属の光沢がある黒のミニワンピースは、ネットの画像で着ていたものと同じだ。

「ごめんね、遅くなって。ビールじゃないんだ」

テーブルのうえのグラスを見て、ナギはそういった。

「今日はちょっとのむ気分じゃないんだ。アルコールは話のあとにするよ」

ナギとは熱くならず冷静に話をしたかった。俊也はこの人に会うと、自分が親か教師にでもなった気分になる。ブレーキをかけ、危険な行為を思いとどまらせる役だ。ナギは性の暴走車両のようだった。怪しい雲ゆきを察し、ナギの目つきが険しくなった。それでもやってきたウエイターにいう。

「へえ、そういう気分なんだ。わたしはのんじゃうよ。シャンパンをグラスでください」

ウエイターがいってしまうと、俊也はいった。

「ここのところ、どうしていたの」

しばらくナギとは会っていなかった。この人が普段なにをしているかは、まったく不明だ。

「そういう遠回しの質問はいらないよ。いいたいことがあるなら、はっきりといってくれない。わたしは形だけとりつくろうとか、大嫌いなんだよね」

ため息をつきそうになる。ナギの得意な逆切れだった。俊也がいい返しそうになったところで、シャンパンのグラスが目のまえにおりてくる。しかたなく乾杯した。エスプレッソが舌に苦い。周囲のテーブルにきこえないように、俊也は声をひそめた。

「このまえ、会社の同僚からスマホで写真を見せられた」

ナギはシャンパンをのんで、ことなげにいった。

「その人、同期の益田さんだっけ」

「そうだけど、誰なのかはどうでもいい。写真はヌードだ。東京都心の誰でもしってる名所で、裸になった女の人の目線いりの写真だった。そいつがいうには、その筋の愛好家のあいだでは、今ネットで一番熱いサイトなんだそうだ。ナギはそのサイトの名前がわかるかな」

ナギはふうーっと長めに息を吐いて、もうひと口冷えたシャンパンをのんだ。

「サイトの名前まではわからない。わたしがやってるんじゃないから。でも、その写真はきっとわたしだと思う」

俊也は椅子《いす》の背にかけたショルダーバッグから、プリントアウトを抜きだした。テーブルのうえにそっとおく。

「アップされてるのは、これで全部だった」

ナギは分厚い紙の束を手にとると、ぱらぱらとなかをめくった。

「初めて見た。ほんとだ。ちゃんと全部目線がいれてあるね」

冷静なものだった。なぜ、この人はいつもこうなのだろう。

「ねえ、ナギ、これがどういう意味かわかっているの？　一度でもネットに流出したら、もうとり返しはつかないんだよ。ナギがいくつになっても、この映像は永遠に残ってる。もう回収することも、なかったことにもできないんだ」

ナギは落ち着いて、一枚一枚に目をとおしている。ときどき低く声を漏らした。感心しているようだ。

「いいじゃない、別に。ちゃんと目線もいれてあるし。ヌードなんてネットでは、パンダやペットの写真と同じくらいありふれてるでしょう」

それは確かにナギのいうとおりだった。けれど、情報やイメージは発信者との距離感が問題なのだ。

「ぼくだって、この写真が無関係の第三者のものなら、笑って見逃すよ。がんばって、おもしろい写真を撮ったなあ。よく警察に通報されなかったなあってさ」

俊也はそこで口を閉じて、わずかに間をおいた。ナギがきちんときいているのを確認してからいう。

「でも、ぼくはナギのことをしっている。つきあっていると思ってもいる。それなのに、いきなり昼間のカフェでそんな彼女のヌードを見せられたこっちの気分はどうしたらいいんだ」

ナギは恵比寿ガーデンプレイスの奥に城のようにそびえる石造りのレストランに目をやった。リラックスするように肩を一度あげさげした。うわ目づかいで、のぞきこんでくる。

「この写真見て、興奮した？」

どうして、そういう話になるのだろうか。俊也は乱暴に自分の頭をかいた。

「したよ。がちがちになった。でも、問題はそこじゃないんだ。ぼくでなく、未来のナギのダンナや子どもたちだって、この画像を見る可能性はある」

俊也はナギの手からプリントアウトをひったくった。適当にページをめくると、勝鬨橋の画像だった。

「こいつを見たナギの家族は、いったいどうすればいいんだって話じゃないか。きみにだって両親はいるし、ほかにも大切な人がいるよね」

俊也のテーブルのまわりだけ、ひどく静かになった。自分の息の音さえきこえそうだ。ナギは視線を落としている。外界ではなく、心の内側を見つめている反転した目だ。俊也がゆっくり返事を待っていると、ナギは笑うように息を吐いていった。

「……大切な人ね。いるよ、というかいたよ、昔はね。でも、今はいない。もう誰ひとり大切な人はいない。これからはそういう人はつくらないって、わたしは決めたんだ」

ナギのあきらめがまたむきだしになってくる。俊也は言葉を失った。ここまで自分を罰するのは、なぜなのか。いつもの疑問が嵐《あらし》の雲のように黒々と湧《わ》いてくる。

「赤ちゃんを産む気はないけど、その写真をわたしの子どもが見たら、正直にいうと思う。お母さんはおかしくなっている時期があって、そのころはめちゃくちゃなことをしていた。でも、決して後悔はしていない。これもお母さんの一部だからって……」

ナギは最後に絞りだすようにいった。

「……いつか、ほんとうに自分の子に、そんなふうにいえる日がきたら夢みたいだなあ。絶対にかなわない夢だけど」

「どうして、それが夢なのさ」

キッと俊也をにらんでから、ナギは残りのシャンパンを一気にのんだ。右手を高くあげて、ウエイターを呼ぶ。

「だから、もう絶対に結婚する気はないからだよ。わたしみたいな不良品を誰かに押しつけるなんて、詐欺《さぎ》みたいなものだから」

やってきた若いウエイターを待たせて俊也にいった。

「二杯目はシャンパンでいいよね。じゃあ、同じのボトルでください。あとグラスをもうひとつ」

届いたグラスで乾杯した。ナギの目つきが変わっていた。

表面にとろりとゼリーのような欲望の光を浮かべて、内面をのぞかせない目に変わっていた。この人はひどく傷つくと、なぜかセックスに逃げるのだ。セックスの一時的な興奮が避難所のようになっている。ナギという人間の心を守るための最後の砦《とりで》が、無軌道な性なのだ。

俊也にはどうすればいいのか、わからなかった。まだ自分は二十九歳だ。人生がなんであるかをしるには、手探り段階だった。ナギのように深く傷ついた複雑な異性とつきあった経験もない。もう今日で最後にして、ピンを抜いた手榴弾《しゅりゅうだん》のような女からは手を引いたほうがいいのかもしれない。けれど、ナギには壊れた人特有の爆発的な魅力があった。この人といっしょにいることで、自分がもう一段成長できる可能性もある。

ナギがマラソンの水分補給のようにシャンパンをのみ始めた。つまみはドライフルーツの皿があるが、そちらには手をつけようとしない。俊也は気になっていたことをきいた。

「その写真を撮った人だけど」

　かぶせるように返事がもどってくる。

「ああ、お金もちのおじさんだったよ。生身の女は苦手で、自分で撮った写真が一番いいセックス相手なんだって。アルバイトのモデル代をずいぶんはずんでもらった」

　カメラマンと肉体関係はなかったのだ。それだけで俊也の気もちは軽くなった。空になったグラスにナギが新しい酒を注いでくれる。

「ねえ、暗い話はもういいよ。それよりさ、俊也もこの写真をたのしんでくれたんでしょう。どの写真で一番硬くなったの」

　もっと話をしておかなければいけない。俊也はそう思ったけれど、気がつくと写真を選んでいた。

「この渋谷のやつかな」

　デパートのまえで、下半身をあらわにしている一枚だ。写真の出来がいいかわるいかではなく、その場所をいっしょに歩いたことがあるというのが第一の理由だった。

「そうなんだ。だったら、今度終電が終わった渋谷でデートしようよ。その写真と同じ格好してあげる。あのカメラマンじゃダメだけど、俊也ならそのあと好きにしていいよ」

ナギは酔っ払った目で見つめてくる。

それはセックスという安全な退避場所に逃げこんだ目だった。いつもいつもこの形になってしまうのだ。俊也はセックスやそれがもたらす熱狂とは別なことを、ナギといっしょにしてみたかった。困ったことにペニスは、逃げていくナギの目と言葉で硬直を開始している。

ナギが下唇をなめてから、ねばりつくようにいった。

「そこのデパートって、いつもお客がすくないよね。ここをでたら、ちょっとふたりで障害者用のトイレにしけこまない？」

車椅子でも用をたせる広々した個室を想像した。シャンパンのせいか急にのどが渇いてくる。

「ねえ、俊也も今夜はもっと話したいことがたくさんあるんでしょう。だったら、わたしが一度すっきりさせてあげるよ。ここで」

ナギの人さし指が半円形に近い下唇の輪郭をなぞっている。すこしだけ割れた唇のあいだから、舌先がのぞいていた。

「俊也の、のみたいな」

また撃ち抜かれてしまった。テーブルの下で、ペニスは完全に充実している。俊也はなんとか冷静さを保っていった。

「わかった。じゃあ、もったいないから、最後までボトルを空けよう。お店でのむシャンパンは安くないんだから」

勝手に注文したのはナギだが、勘定は割り勘だろう。銀のクーラーに斜めに刺さった深緑のボトルに手を伸ばし、ナギはいった。

「それなら、こんな上品なグラスよりジョッキが欲しいな。がーっとのんで、早く俊也の味を確かめたい」

この人と別れることが自分にはできるのだろうか。俊也はそう思いながら、グラスをかたむけ、ぷつぷつとのどを刺激する炭酸で、身体の奥から湧きあがる熱を冷ました。

## 24

今年の夏はナギに似ていた。

梅雨が明けたとたん、全開で真夏日が続く。なにかが始まる予感もないまま、気がつくと炎暑に汗だくで巻きこまれている。俊也は自分がいつナギに惹《ひ》かれるようになったのか、それさえわからなくなっていた。

前回のデートでは、閉店間際のデパートにある障害者用のトイレで二回射精させられた。最初は立たされたまま口で、二度目は乳児のためのテーブルに腰かけて無理やり手でいかされてしまった。クライマックスを迎えたばかりのペニスの先を、精液を潤滑剤代わりに徹底してしごかれたのだ。俊也は口を押えて、悲鳴をあげてしまった。すべてが終わったあとで、ナギはさっさと帰っていった。もうすこしいっしょにいたい、どこかのバーで一杯やらないかと俊也は誘ったけれど、ナギは笑って首を横に振った。そのときの言葉を、ナギの声と夜のガーデンプレイスを吹き抜ける風の感触とともに、俊也は覚えている。

「男もセックスも大好きだけど、ずっといっしょにいるのは無理。また今度、いいことしようね」

そういって、赤いタイル張りの広場を恵比寿駅にむかってしまう。俊也はしかたなくあとをついていった。これまでまったく会ったことのないタイプの女だ。こういう女性はどういう家庭や生活から生まれるのだろう。でたらめな夏の激しさがわからないくらいに、俊也はナギに全身をもっていかれていた。いつか夏が終わるように、ナギのことを考えもしない日がくるのだろうか。東京メトロ日比谷線で帰るというナギと、JRの改札前で別れた。俊也は人波に消えるまでナギの背中を見送ったが、ナギは一度も振りむかなかった。その夜はペニスの先にひりひりと違和感を覚えながら、自宅にもどり発泡酒をふた缶空けてふて寝してしまった。

宮崎梨香とは、メールのやりとりが続いていた。中野でのデートをナギの呼びだしでドタキャンしてから、もうふた月近くになる。埋めあわせに夕食をおごる約束をしていたが、社会人になるとおたがいのスケジュールがあわず、気がつけば数週間が流れていた。こんなとき例えばヨーロッパのカップルなら、仕事のほうをあと回しにするのだろうか。

俊也が選んだレストランは、代官山にあった。この街が若い女性に受けがいいことはわかっている。以前、得意先の医師に教えられた店だった。レンガ張りの建物の地下にあり、広いテラスと壁一面を占める書棚が自慢のブックレストランだった。

グラスのシャンパンを注文して、乾杯した。梨香は夏らしい清楚《せいそ》な白のワンピース姿だった。生地はレースで、細かな花びらの穴が全面に散っている。黒しか着ないナギなら、絶対に選ばない服だ。梨香はナギと違って、細身で長身だった。髪は短めのボブで、軽く茶色に染めている。髪の色にあわせて、形のいい眉《まゆ》もフレッシュミルクを数滴垂らしたコーヒーのような茶色だった。

「久しぶりだね」

梨香はつきあっていたころと同じ顔で笑っていた。右側だけ笑窪《えくぼ》ができる。

「ほんとに。でも、ちょっと驚いたよ。急に話があるなんて。梨香のことだから、きっとうまくやり直したと思っていた」

梨香はグラスからひと口のむと、唇をすぼめた。このシャンパンはそれほど酸味が強くない。なにか嫌なことでも思いだしたのだろうか。

「彼の話は、今夜はやめておかない。まだ完全に復活したわけじゃないし」

そういうことか、俊也にも想像がついた。まだ復活したわけじゃないと女性がいうのは、もう自分のなかでは完全に別離が決定的になったという意味だろう。

「わかった。ぼくもそいつには興味がないよ」

おたがいにちょっと距離をおいて、自分を見つめ直してみよう。梨香の別れの言葉を思いだす。そのときにはすでにつぎの相手がいたのだが、俊也ももう三十歳になる。女たちがきれいごとを口にしなければならない理由もわかっていた。梨香がちいさく笑っていった。

「でも、困った時代になったね。わたし、俊也の友達登録を消せなくて、ずっとフェイスブックで見てたんだ。別れた彼氏が、ランチで冷やし担担麺《たんたんめん》たべたとか、夜は新宿の居酒屋で学生時代の友達と飲み会だとか。嫌でも、そういうのが目にはいってきちゃうんだから」

俊也も梨香のアカウントは残っていたが、設定を変えてあった。振られた彼女の最新情報などしりたくない。

「でも、あれは見えないようにできるよね」

一瞬だけ梨香はにらむような強い視線で、俊也の目をのぞきこんでくる。

「できるけど、そうするのも淋《さび》しいような気がして。ずっと見ちゃった」

よかったと、内心で胸をなでおろした。実名で登録しているフェイスブックでは、俊也は恋愛関係のことを書いていない。会社の友人に読まれるのが嫌だからだ。おかげで、梨香にはナギの存在をしられていなかった。

「ねえ、話ってなんなの」

話したいことがあるとメールに書いていた。梨香はちらりと舌先を見せた。

「俊也に会ったら、もうなくなった。それにさっき彼の話をしないっていったしね」

新しい恋人の問題点について、昔の彼に愚痴をいう。きっと東京中でこの夜に数万件は、そんな理由でデートがおこなわれているのだろう。

「俊也のほうは、新しい出会いはどうだったの」

ナギの話をするつもりはなかった。俊也ももう三十だった。女に嘘をつくのもうまくなっていた。まっすぐに目を見たままいう。

「仕事もいそがしいし、結局なかなかその気になれなくて」

「ふーん、そうなんだ。俊也はいい物件だと思うけどな。会社は一部上場だし、正社員だし、医療関係は年収もいいものね。結婚退職を狙《ねら》ってる社内の若い子なんかには、ずいぶん色目をつかわれてるんじゃないの。まあ、そういう子たちの気もちもわかるけど。日本の会社で女が働くってたいへんだものね」

梨香は俊也と同じ年だった。女も三十歳に近くなると、変わるのかもしれない。つきあい始めのころの梨香を思いだした。自分は男を頼らずに生きたい、結婚しても仕事は一生続けたいといっていた。

「へえ、梨香も家庭にはいりたくなったんだ」

右手を軽く振ってみせた。梨香の指のほうがナギよりも長くて細い。手をにぎったときの感触をあざやかに思いだす。それにペニスをにぎられたときの指のやわらかさも。ナギのほうが梨香よりもすこしだけ手の感触がよかった気がする。

「そんなことはないよ。結婚もあせってないし。三十五くらいまでにできればいいかなって思ってる。で、できれば四十歳までに赤ちゃんを産みたいかな。女の子をひとりだけ。ふたり以上だと、仕事を続けるのたいへんそうだからね」

相手も決まっていないのに、ずいぶん先のことまで周到に計画するものだ。こちらもナギとは対照的だ。

夏らしいオードブルがやってきた。アユのマリネと夏野菜のラタトゥイユ、ガラスの小鉢には採れたてだというトウモロコシのすり流しがとろりと沈んでいる。梨香はひと口のむといった。

「うわー、これ甘い。シロップでもはいってるみたい」

彼の話をしないといったが、俊也は思い切ってきいてみた。

「彼のどこがあわなかったの」

アユをつついて、梨香がうつむいたままいう。

「最初は悪くないって思ったんだ。条件はぴったりだった。年も三歳しか離れてないし、知的専門職だし、収入もいいしね」

専門職という言葉が気になった。なにか資格でももっているのだろうか。

「専門職って、どういうやつ？」

梨香は肩をすくめた。

「俊也もよくしってる仕事、お医者さん」

全身の力が抜けていくようだった。仕事で散々わがままをいわれて振り回されたうえに、ガールフレンドを寝とられていたのならザマはない。俊也はつくづく医者に縁があるようだ。医者好きな女は掃いて捨てるほどいる。

「もったいない気もするけどな」

「うーん、そうかな。身体の相性もあんまりだし、あの人マザコンだし、女はこうするものだっていう思いこみが激しいんだ。そういうのって、ちゃんとつきあってみるまでわからないものでしょう。それにやたらと束縛するんだよね。今日はなにしてた、誰に会っていたって」

嫉妬《しっと》深い男が嫌われる理由は、俊也にもよくわかった。問題は女性の行動にではなく、男性の自信の欠如にある。自分の魅力も、相手の誠実さも信じられないから、嫉妬ばかりふくらませるのだ。

「そいつは驚いたな」

「彼って、わたしとつきあうまえは四年間も彼女がいなかったんだって。北京《ペキン》オリンピック以来だよ。つきあったら、無理もないなって感じたけど」

アルコールが回って、舌が滑らかになってきたようだった。新しい皿がやってくる。

カモのカルパッチョには、剃刀《かみそり》のように薄く削いだセロリが山盛りになっていた。カモの脂《あぶら》とセロリの瑞々《みずみず》しい歯ごたえがあっている。さすがに食いしん坊を自他ともに認める医者に紹介されただけはあった。

そこから先は、数カ月前に別れた男女ではなくなった。今もまだ梨香とつきあっているのではないかと、俊也自身が錯覚するほどだ。俊也のさしておもしろくはない冗談に、梨香は手を打って笑った。テーブルにおかれたアルコールランプが、ちいさな炎を揺らしていた。ナギに振り回されてばかりで、こういう普通のデートのたのしさが新鮮だった。きっと普通の壊れていないカップルは、こんな風に夜を過ごすのだ。

俊也はその晩心地よく酔い、ひどく笑った気がした。

二時間近くたって、ふたりは食後の飲みものを選んだ。俊也はアイスのエスプレッソ、梨香はハーブティだ。

「なんだかすごくたのしいね。つきあい始めたばかりのころみたい」

「ほんと」

梨香は頬と目を赤くして、ぬけぬけという。

「わたしたち、なんで別れちゃったんだろうね」

新しい男ができたからだろうといいそうになって、俊也は自分を抑えた。その医者についてはベッドマナーにいたるまで散々冗談のネタにしている。許してやってもいいだろう。笑ってうなずいた。

「ほんと、なんでだろうな」

白いワンピースの襟元《えりもと》から、鎖骨がのぞいていた。梨香はナギよりやせているので、鎖骨のくぼみが深い。そこは梨香の弱点のひとつで、よく舌で攻めたものだった。

梨香はなにかを待つように目を伏せている。俊也はそのとき、急に新しいアイディアが浮かんだ。ナギと会っているとき、自分はいつも梨香のように受け身で待っているのかもしれない。ならば、ナギがやったように梨香を振り回し、追いこんでいったらどうなるのだろう。梨香は恵比寿のトイレで俊也がそうしたように、口を押えながらエクスタシーの悲鳴を漏らすだろうか。

「ねえ、これからちょっと代官山を散歩しない？」

俊也はそういいながら、テーブルクロスのしたで足を伸ばした。梨香のふくらはぎを、つま先で撫《な》であげる。梨香の顔がさらに赤くなった。

「梨香とキスがしたいな」

ナギも他の男と寝ているのだ。ネットにヌード写真をアップして、世界中の男に裸体をさらしている。俊也が他の女とキスしても、報復にさえならないだろう。梨香が目をいっぱいに開いて、見つめてくる。女の目がいつも濡れているのは、なぜなのだろう。

「わたしも、したいなって思ってた」

梨香の裸を思いだした。いつも澄ましていて、細身でシャープな身体つきなのに、梨香は欲望の強い女性だった。自分では普通だというけれど、明らかに強いと俊也は思っていた。ナギのように自壊するほど暴走はしないけれど、人並みの健康的な欲望以上の激しさは確かにもっている。

俊也は手を軽くあげて、ウエイターを呼んだ。支払いをカードで済ませるあいだも、つま先で梨香の脚を撫でていた。梨香は迎えるように脚先を開いたり、ときに俊也のつま先を引き締まったふくらはぎではさみこんだりした。


代官山はファッションタウンのようにいわれるが、表通りを一本それてしまえば静かな住宅街だった。マンションよりも建てこんだちいさな一軒家が多い。自動車がはいれないような路地がいくらでも残っている、どちらかといえば庶民的な雰囲気の街である。

俊也は八幡通りを梨香と手をつないで歩いた。路地に折れてからは、ナギより薄い肩に手を回した。指先で鎖骨の窪《くぼ》みを何度も往復する。

「ダメだったら」

肩から手をはずそうとした梨香のあごの先をつまんで、強引に上にむけさせた。抵抗する前に唇で唇をふさいでしまう。逃げるかと思ったら、先に舌をいれてきたのは梨香だった。唇をおおきく開いて、俊也の口をすべて飲みこみそうな勢いだった。確かに女のキスは、ひとりとして同じではなかった。きっと女にとっては、男もそうなのだろう。

長いキスを終えると、ふたりはのろのろと歩きだした。俊也は路地の先に目をやった。人は歩いていなかった。右側に街灯が続いているが、節電のためひとつおきに明かりがついているだけだ。あの日から東京の夜もずいぶん暗くなった。ナギの口調を思いだしながら、俊也はいった。

「ちょっとゲームをしよう」

「えっ、なにするの」

腰骨をぐりぐりと押しつけるように歩きながら、梨香が甘えた返事をした。

俊也は笑って手を女の腰に回した。

「梨香のきれいな脚を見せてやるんだよ。つけ根まで、全部」

白いレースのワンピースを尻の上までまくりあげる。梨香はなんとか裾《すそ》を下ろそうとしたが、俊也はわざといじわるにいった。

「ダメだ。ちゃんと脚をだして歩こうよ。この道には誰もいないから、だいじょうぶ」

梨香はいまにも殺されそうな目で、周囲を見回している。パンプスのつま先が内側をむいて、太もものあいだに隙間《すきま》がなくなっていた。よちよちと幼女のような歩きかたになっている。真夏でストッキングははいていなかった。ワンピースと同じ白のショーツが、夜の路地に浮きあがっている。なぜ女の下着はこんなふうに光るのだろう。俊也は別れたガールフレンドの性器を隠す布の白さに目を打たれた。

俊也自身の想像力は、そこまでだった。梨香は確かに発情しているが、まだ限界がきたようには思えない。この先もう一段、梨香を追いこむにはどうしたらいいのだろう。ナギならば、ここからどうするか。俊也はペニスを露出して歩いた夏祭りのような渋谷センター街の雑踏を思いだした。梨香のショーツの底を中指でなぞって囁《ささや》いた。

「びしょびしょだね、梨香。でも、もっと恥ずかしいことしてあげる」

梨香のショーツを両手で押しさげた。丸く量感のある尻のほとんどが外気にさらされてしまう。

「お願い、やめて」

ぎゅっと両方の拳《こぶし》を握っているが、梨香はショーツをあげようとも、ワンピースをさげようともしなかった。

「ダメ、これはゲームなんだ。最後までがんばってごらん」

俊也はショーツの前もさげてしまった。白い布の縁から体毛が霞《かすみ》のようにのぞいている。

「このまま全部見せて、あの自動販売機まで歩くよ」

百五十メートルほど先にある蛍光灯の光を指さした。いきなり人があらわれたときのために、俊也はワンピースの裾に手をかけていた。一瞬の動作で梨香の尻と体毛は隠せるだろう。梨香は泣きそうな顔で内股《うちまた》にすすんでいく。

「こんなゲーム、どこで覚えたの。俊也、昔と違うみたい」

ナギのような女に出会ってしまったのだ。自分が同じはずがなかった。住宅街の夜に浮かぶ灯台のような明かりを目指して、ゆっくりと距離を詰めながら、あそこに着いたらつぎは梨香になにをしようか、俊也はそればかり考えていた。

## 25

二十代最後の夏が燃えていた。

俊也はこれまで夏になんの感慨も覚えなかった。いつの間にかやってきて去っていく、四つの季節のうちのひとつ。外回りの仕事がつらくなる酷暑の季節という印象しかない。古いＪポップの歌詞にうたわれるようなセンチメンタルな魅力は感じなかった。地球温暖化と東京の熱帯化以降に育った世代なのだ。

けれど、今年の夏は特別だった。

十分な若さと湧きあがる欲望、それによく動く心や張りのある肉体をもったまま、あと何回の夏を迎えられるだろうか。そんなことを初めて考えるようになったのである。現代において成人とはほんとうは三十歳だろうと思う。日々の仕事をきちんと務め、自分の欲望を正確につかめるようになって、ようやく一人前になった気がするのだ。

洪水のような情報と大人になることへの無関心が一般的になった時代に、俊也はようやく大人への階段をのぼり始めていた。大人になるということは、肉体の内側に誰にも告げられない欲望を育てることだ。ナギとの出会いが俊也の欲望のありかたを変えていた。

俊也はそれまでも草食系ではなかった。異性とのコミュニケーションや性的な接触を忌避する人間ではない。メディアや二次元のアイドルにしか欲望を抱けないわけでもない。しかし、セックス自体は定型的な肉体のアクションの繰り返しでしかなく、靴磨きや部屋掃除といった作業と変わらなかった。必要に迫られるとすませるけれど、さして思いいれもなく興奮もしない日課のひとつである。

それがナギによって、すべて変えられてしまった。手と口で何度もいかされたが、まだナギと実際のセックスはしていない。挿入はないのだ。ナギはいつも予想外のタイミングで襲ってきた。決められた手順も、決まりきった挿入もなかった。俊也はただ身をまかせ、ナギに引きずり回され、懇願して射精に導かれるだけである。ナギと出会う以前の俊也のセックスは受け身ではなかった。創造性はなかったけれど、普通の男性がするように女性をリードしていたと自分では思う。だが、ナギのように毎回のセックスに想像を超えたストーリーを描ける相手になら、自分を捨てて受動的になったほうが結果は素晴らしかった。セックスの責任を放棄して、ただ流されるまま身をまかせる。俊也は自らのなかにある女性性に驚いていた。奪うのではなく奪われること、押しこむのではなく受け入れること。俊也の性はこの夏おおきく変わりつつあった。

前回のデート以来、梨香からは毎日のようにメールが送られてくるようになった。俊也はあのときナギの役を試してみたのである。代官山の静かな住宅街の路地裏で、指だけで梨香を二回エクスタシーに追いやった。梨香はその夜、自分の部屋か渋谷にあるラブホテルにいきたがったが、俊也は首を縦に振らなかった。

ナギならきっとすぐにセックスなどしないだろう。相手を延々と飢餓状態において、ほかになにも考えられなくするはずだ。完璧《かんぺき》に欲望を満たさず、飢餓状態におくことで、相手を思うままに動かすだろう。俊也はつぎのデートの約束もあいまいなまま、宙ぶらりんの梨香と東横線の改札で別れている。帰り道では梨香ではなく、ナギのことを考えていた。自分がナギの役をやるのではなく、いつものようにナギにいじめられたかった。夜の路上であたりに細心の注意を払いながら梨香に刺激を与えるよりも、ただナギの目だけを見つめて、自分自身の快楽に集中したかった。そちらのほうがずっと快楽の強度は高かったのである。

俊也は梨香からのメールには、二回に一度ほど適当な返事を送っていた。

この夏、会いたい女は鏡のように俊也の欲望を反射するナギだけだった。

## 26

週明けの月曜日。

朝から気温は三十度を楽に超え、昼には猛暑日になると、気象予報士の女子大生がテレビで告げていた。舌足らずな話しかたで必死にかわいらしさを演じるお天気キャスターが奇妙に思えた。テレビのなかの女性たちは消臭剤でも使用したように、欲望の気配を殺している。

出社日にあたっていたので、午前十時までには西新宿に到着しなければならなかった。マンションのエレベーターをおりて、オートロックわきの郵便受けをのぞいた。数枚のチラシのうえに、白い洋封筒があった。新手のＤＭだろうか。俊也はスリーウエイのバッグを肩にかけたまま封筒を手にとった。

表も裏も真っ白なままの封筒だった。宛名《あてな》も差出人の名前も書かれていない。切手も貼《は》られていなかった。誰かがこのマンションまで、自分の足で入れにきたのだ。封筒自体はきちんとしたメーカーのもののようで、中身が透けて見える安ものではなかった。
中身を抜きだし、開いてみた。A４の紙には、プリンターの文字が数行躍っていた。

あの女といっしょにいれば、
あなたは破滅する。
すぐに別れなさい。
あの色情狂は男をくい殺す。
死にたくなければ、
二度と近づくな。

気味が悪い文面だった。俊也は二度読んでから、ぞっとして周囲を見回した。ステンレスの郵便受けが規則正しく冷たく並んでいる。壁の隅から監視カメラが黒いガラスの瞳《ひとみ》でにらんでくる。
封筒をバッグに収めて、オートロックを抜けた。とたんに八月の熱気と蟬《せみ》の合唱に襲われる。冷えた汗は暑さのせいではなかった。名もしらぬ差出人の悪意に俊也の体温調節機能がおかしくされたようだ。汗をかいているのに、寒気がしてたまらない。

あの女というのは、当然ナギだろう。手紙を書いた人間は、ナギのことをしっているのだ。しかも、ナギと俊也がつきあっていることもわかっている。いったいどこの、どういう人間なのか。ナギとはどんな関係にあるのだろう。JRの駅にむかう人の流れに、オートメーションの部品のように乗りながら、俊也は想像をとめられなかった。

ナギがつきあっている男は、たぶん自分だけではないだろう。あちこちでいろいろな男に手をだすナギである。自分とのデートを直前でキャンセルして、別な男のところに走ったこともある。きっとそのうちのひとりが、ストーカーにでもなったのかもしれない。俊也に嫉妬して脅迫状まがいの手紙をわざわざ自分で配達しにきたのだ。自分がストーカーの標的になるとは思わなかった。もっともその男が執着しているのは、こちらよりもナギのほうであるのは間違いない。

交差点の信号が赤になった。俊也は数十人の通勤通学の人間たちといっしょに無表情で立ち止まった。気がつけば、にやりと笑っている。この差出人がストーカーなら、ナギの普段の行動がよくわかっているはずだった。ナギがつきあっている男たちのなかでも、たぶん自分はかなり上位なのだ。ストーカーが嫉妬に燃え、危険を冒して自ら動くほどに。すくなくともストーカーが無視できるほど、どうでもいい交際相手ではない。

青信号が点灯すると、俊也は朝の会社員と同じ速度で、駅前のロータリーにむかって歩きだした。周囲の男たちと同じように、クールビズでネクタイはしていない。白い半袖《はんそで》のシャツを着たサラリーマンが俊也の近くだけで、十数人はいる。誰もがすこし不機嫌そうに大量の汗をかきながら中央線の改札にのみこまれていく。人は型どおりな生きものだった。出勤時間、通勤電車、服装、さして変わらない勤務時間と給与。すこし距離をおいてみれば、会社員などほとんど変わらないだろう。

だが、心の奥深くは別なのだ。その人間をその人らしくする隠された欲望だけは自由だった。夜の時間のなかでだけ、世の決めごとを飛び越えて、自分の欲望の世界をつくることができる。そのとき俊也には、欲望の自由だけが自分らしさに思えた。給与明細も、勤務評価も、数々の控除《こうじょ》や税金も関係ない。自分は欲望のなかでだけ自由を生きられる。

気味の悪い愚かな手紙にあるように、ナギが色情狂だろうが、自分の身が破滅しようがかまわなかった。欲望の暗い鏡をもっと深くのぞきこんでみたい。その果てに、ナギと自分のどんな姿が映るのか。俊也は夏服の白い人波にのまれ、幽霊のように改札を抜けた。

## 27

金曜の夕方、俊也はJR秋葉原駅で総武線をおりた。東京の東側は俊也には圏外だった。卒業した大学も、営業で担当する地域も、二十三区の西にある。

駅まえの広場にでると、白黒のメイド服を着た若い女たちがチラシを配っていた。空は日が沈んでから三十分たって、暗い紺地に帯のように流れる朱色の雲を幾筋も浮かべている。地上ではネオンサインが毒々しく光っていた。Tシャツと短パン姿の外国人が、免税店の店先で不安げに固まっている。

俊也は周囲を見回した。この街には土地勘がなかった。約束の時間だが、いつものことながらナギはやってこなかった。遅刻時間の平均は二十分である。だが、遅れてもナギは必ずやってくる。俊也は駅ビルの丸い柱にもたれてナギを待った。関心はないけれど、手にしたメイド喫茶のチラシを読んでみる。いらっしゃいませ、ご主人さま。猫耳をつけたイラストの美少女がお辞儀をしていた。チラシを読んで、あの白い封筒のことを思いだした。ナギに脅迫の内容を伝えるべきだろうか。不気味な文章は、俊也の破滅を予言していた。

「待った、俊也」

肩をたたかれて、飛びあがりそうになった。振りむくと、ナギが不思議そうな顔をしていた。

「どうしたの、なんだかすごく真剣な顔してたよ。仕事の悩み？」

フリルはあっさりとしているが、ナギは駅前のチラシ配りによく似た黒いメイド服を着ていた。舌先まででかけた脅迫状という言葉が消え失《う》せていく。

「いいや、だいじょうぶ。ちょっと考えごとをしてただけだ」

「ふーん、ならいいや。いこう」

俊也の腕を抱えて、大通りを目指して歩きだす。空が一段と暗くなり、ネオンサインの明るさが真昼のようだ。細かな電子部品を売る小店が難民キャンプのテントのように連なっている。

「今日はなにをするの。ぼくは秋葉原、ぜんぜんわからないんだけど」

「だいじょうぶ、だいじょうぶ。わたしにまかせてくれたら、俊也はだいじょうぶだから」

両側に家電量販店とゲームセンターがならぶ、ネオンの谷底を歩いていく。どの店でも爆音のハンマーのような音量で、勝手に音楽を流していた。たいていはアニメの主題歌だ。

　上野方向にしばらくすすむと、ナギはビルのあいだの細い路地に曲がっていく。

「こっち。やっぱり秋葉原も裏のほうがおもしろいよね」

　路上に敷かれたビニールシートのうえで、中古パソコンや印刷の悪いＤＶＤ、ゲームソフトが売られていた。露店で野菜でも積んであるようだ。ナギが耳打ちした。

「たぶんみんな違法コピーだよ」

　俊也には裏秋葉原の危険なビジネスよりも、肘《ひじ》にあたるナギの胸のやわらかさのほうが圧倒的だった。

「このビルの六階だよ」

　俊也は雨染《あまじ》みを浮かべた古いコンクリート打ち放しの雑居ビルを見あげた。張りだした六階の看板には、スタジオりりすとある。ナギは消毒薬の臭《にお》いがするエレベーターにさっさと乗りこんでいった。俊也は小型犬のように従順だった。スタジオでなにを撮るのだろう。それになぜ秋葉原のスタジオなのだろうか。東京には貸しスタジオなどいくらでもある。

　エレベーターの扉が開くと、受付のカウンターだった。黒いＴシャツ姿の受付は髪をポニーテールにまとめた若い女性で、カメラマンのアシスタントのような雰囲気だった。

「いらっしゃいませ」

ナギは慣れているようだった。

「七時に予約したナギです」

ここでも名字や本名はつかっていないようだ。予約表を確認すると受付嬢がいった。

「わかりました。二時間のトランスヴェスタイトコースですね」

ナギはにこりと笑ってこたえた。

「はい」

俊也は混乱していた。トランスはわかる。なにかを超越することだろう。だが、その接頭語にヴェスタイトがつくとどういう意味になるのか、まったく想像がつかなかった。受付嬢がカウンターを抜けてきた。

「ではこちらの、Dスタジオをご使用ください。スタジオ奥には、フィッティングルームがあります。お選びいただいた衣装はそちらにご用意してあります。そなえつけのメイク道具は、ご自由におつかいください。では、どうぞ」

スチールの扉を開いて通されたのは、十畳ほどの広さの真っ白な部屋だった。金属のポールが何本も床と天井を結んでいる。三脚には一眼レフのデジタルカメラが設置されていた。

「ここはいったい……」

ナギが俊也の背中を強めに押した。

「はいって。今夜のモデルはあなたよ」

そうか、ナギはこちらを撮りたいのか。男性ヌードを撮る女性カメラマンの話ならきいたことがある。まあ、ナギが相手なら裸になるのはかまわないだろう。俊也はすこしだけ安心していった。

「ふーん、そういうことなんだ。ところでトランスなんとかって、どういう意味なの」

いいカモを見つけた詐欺師《さぎし》のようにナギが悪い笑みを浮かべた。

「異性装者のことよ。自分とは異なる性の衣装を着ることで安心する人たちのこと」

またも想像外だった。俊也はあせっていった。

「だけど、ぼくにはそういう趣味はないよ」

「だいじょうぶ、そういう趣味があるのはわたしのほうだから。俊也は細いし、身体《からだ》がきれいだから、きっと女装も似あうと思うんだ。それで、ここのスタジオ頼んだの。いいよね、二時間だけつきあってくれても」

返事ができなかった。白いスタジオのなかで立ち尽くしてしまう。帰るなら今だろう。ここにいれば、必ずナギのペースに巻きこまれてしまう。ナギは両手を胸のまえに組んで、上目づかいでいう。

「ねっ、お願い。一度だけでいいから。女装くらい都市生活者のたしなみだよ。それにさ、ほんとに俊也は似あうと思うんだよね。たまにはきれいになって、みんなを振りむかせてみてよ。女の気もちがわかるから、ねっ」

そのままのポーズでお願いしてくる。そんな格好をする年上の女が、かわいく思えてきた。俊也は短く鼻で笑ってこたえた。

「わかったよ。でも、ほんとに一度だけだからね」

「じゃあ、メイクアップからしなくちゃ。さあ、きてきて」

両手で背中を押されて、フィッティングルームに連れていかれた。鏡の周りをライトが囲んでいる。ドラマや映画で観《み》る楽屋のようだった。ハンガーには白いサマードレスがかかっていた。その足元には白いパンプスもおいてある。パンプスの横におかれたものを見て、俊也は叫んでしまった。

「それ、ストッキングだよね。そんなもの、ぼくが穿《は》くの?」

黒のストライプのストッキングだった。ナギは当然という顔でうなずいた。

「そうだよ。でも、それを穿くまえにちゃんとすね毛を全部剃《そ》らないとね。まあ、エチケットだから。あとでわたしが全部やってあげる。まずは顔のメイクからだよ。鏡のまえに座って」

落ち着かない気分で、スツールに腰かけた。ナギは額にかかる俊也の前髪をピンでとめた。化粧水をコットンに含ませながらいう。

「俊也は肌がきれいだよね。わたしは男でも女でも、やっぱり肌のきれいな人が好きだな」

額と頬を化粧用のコットンが撫でていった。ひどく冷たい感触が後に残る。ナギは指先にファンデーションをつけると、俊也の顔に伸ばし始めた。

「スポンジをつかう人もいるけど、わたしは人の指の腹のほうがいいと思うんだ。指の熱でファンデーションが溶けて伸びやすくなるというか。それに肌の調子もよくわかるしね」

ナギは鏡のなかと実物の俊也の顔を交互に見つめ、顔全体に薄くファンデーションを伸ばしていく。ちいさな傷やひげの剃り跡やシミそばかすが消えて、陶器のように滑らかな肌になっていく。俊也は呆然《ぼうぜん》としたまま、ナギのするままに身をまかせた。

ファンデーションの後は、メイクアップだった。男らしい太い眉はコンシーラーで半分潰《つぶ》し、アイラインとアイシャドウをいれていく。シミやそばかすを消された人の顔はキャンバスのようだった。いくらでも絵が描ける。

頰にはピンクのチークをぼかし、唇には一段と濃厚なピンクのルージュが塗られた。

「ほんとはプロの人にやってもらうともっといいんだけどね。自分でやるのはいつも十五分だけのやっつけメイクだから」

ナギは鏡のなかの俊也を芸術作品でも見るようにじっと観察している。すこし考えると、目尻《めじり》にさしたシャドウをすこしつりあがった形に直し、頰のチークを濃くした。

「こんなので、どうかな？　けっこうかわいいじゃない、俊也」

自分の顔が信じられなかった。俊也には女装の趣味はないし、性的にはストレートで男性に興味はなかった。けれど、この異性装——トランスヴェスタイトというのは、また違うのだ。自分のなかで確固として揺らぐことがなかった「おれは男だ」という男性意識が、足元からやわらかに崩されてしまう。まるで波打ち際《ぎわ》で夏の波に足をさらわれるようだった。生ぐさくぬるい水が土台を崩していく。俊也はあせってこたえた。

「なんだか気もち悪いな。男でも女でもないみたいな変な感じだ」

自分がどこかで興奮していること、女性のメイクアップを気にいっていることは、なんとしても認めたくなかった。当然、ナギには絶対にしられたくない。

「それにこの髪の毛がおかしいじゃないか。短くてもみあげがあるなんて、化粧にぜんぜんあわないよ」

ナギは腰をかがめて、俊也の耳元に口を寄せた。

「だいじょうぶ、ちゃんと用意してあるから。俊也はいい子にして、全部完成するまで待ってなさい」

かすれた声でそういうと、最後に舌の先を俊也の耳の穴にさしいれてくる。耳と同じ側の右半身にだけ鳥肌が立った。ナギは白い箱からかつらをとりだした。前後を確かめてから、俊也に笑いかけた。

「さあ、いってみましょうか。ほんものの女の子のできあがりよ」

ばさりとかぶせる。一瞬目のまえが真っ暗になった。しっかりと頭がはいったか確認して、ナギは手ぐしでかつらを整えた。あごの先で切り揃《そろ》えた黒髪のショートボブだった。俊也は男性らしくえらが張っている。角ばったあごのラインは見事に隠されていた。そうなると、切れ長の目や頬にいれたチークが俄然《がぜん》光ってくる。自分でも男顔をした若い女にしかみえなくなった。伊藤俊也という会社員ではなく、性の境界を越えた中性的な生きもののようだ。

「素敵じゃない、俊也」

ナギは腰に手をあてて、首からうえは完全に女性化した俊也を眺めている。

「うーん、俊也って感じじゃないなあ。なにか女の子の名前をつけたいな。あなたはなにがいい？」

内心ではいくつか好きな名前を思い浮かべたが、俊也はむっとした表情をつくった。

「そんなこと自分で決められるはずないだろ。女の名前なんて、なんでもいいよ」

ナギはまた意地悪そうな笑みを浮かべた。

「じゃあ、サキでいいや。サはさんずいに少ないの沙で、キは二十一世紀の紀だよ。わたしが昔つきあっていた女の子の名前」

すこしだけ跳ねた毛先を櫛《くし》で整えて、ナギはいった。

「じゃあ、全部脱いで」

「えっ、全部って、下着も？」

ナギはまたにやりと笑い、ハンガーラックにむかった。背中越しにいう。

「それはそうだよ。女の子は色気のないボクサーパンツとかはかないでしょう。さっさと脱いで」

フルメイクをすませ、ボブのウィッグをかぶり沙紀になったせいかわからない。俊也はなぜかナギに背中をむけて、白いシャツとコットンパンツを静かに脱いだ。

四角いボクサーパンツ一枚になった俊也は、ひどく心細い気がした。楽屋のようなフィッティングルームはひどく明るい。両手をだらりとさげて、ぼんやりしてしまった。理由はわからないが、ペニスが半分だけ硬直していた。ナギは目を細めて、俊也の全身を上下に掃くように観察している。

「もともとあんまり毛深くないから、つるりとしてきれいだね。剃るのは脚だけでいいや」

ナギは化粧道具の端におかれた電気剃刀《かみそり》を手にとった。スツールをさしていう。

「ねえ、沙紀、座って。脚をまっすぐ伸ばしてくれない」

いわれたとおりにした。その名前で呼ばれるのが俊也は嫌ではなかった。ナギは開いた脚のあいだに座りこみ、右脚を自分の太ももにのせた。

「すぐにすむからね。女の子の癖にこんなに伸ばし放題にするなんて、ちゃんとお手入れしなくちゃダメだよ」

モーターの唸《うな》りとともに、電気剃刀の刃の幅だけすね毛が刈られて、白い肌がのぞく。ナギは手慣れているようで、さっさとくるぶしまできれいに剃ってしまった。最後に残された足の甲の毛まで剃り落とす。

「ほら、きれいになった。背が高いからすね毛がないと、脚がきれいだね」

つるつるの白い脚を見ると、他人の脚のようだ。それもモデルのような細く長い脚である。

「ほら、沙紀ちゃん。こっちのほうも」

今度は左脚を抱きかかえ、太ももにのせた。ナギの脚は決して細くはない。適度な肉感とクッションの効いたやわらかさがある。すね毛を剃られながら、俊也は王侯貴族のような気分だった。左脚の剃毛《ていもう》が完了すると、足元には黒い煙のようにすね毛が渦巻いている。

「沙紀は座ってて、今片づけるから」

ナギはそういうとホウキと塵《ちり》とりでさっさと掃き清めていく。

「立って」

俊也は白いタイルの床のうえに立ちあがった。

「パンツ脱がすよ」

ナギがしゃがんで、俊也のボクサータイプの下着をひざまでおろした。半分硬直したペニスが小魚のように一度だけ揺れて、動きを止めた。ナギはめずらしい動物でも見つけたように、じっと俊也のペニスを見ている。手を伸ばすとつかんで上むきにし、先についた粘りを舌だけでなめとってしまった。勃起《ぼっき》もしていないのに、俊也はセックスのときのように濡《ぬ》らしていた。

「ふふっ、おいしい。このままだと女性用のショーツが汚れちゃう。沙紀はやらしい女の子だね」

もうすこし続きをしてくれるのかと思ったら、ナギはさっさとボクサーパンツを脱がし、レースの縁どりのついた下着を手にとった。ヌードカラーというのだろうか。肌の色を思わせるベージュだ。

「さあ、脚をとおして」

侍女のようにひざをついてショーツを広げてくれる。このためにナギはメイド風の服を着てきたのだろうかと、俊也は思った。両脚をとおすと、ショーツを引きあげた。俊也の性器の形が薄手の布に影をつくっている。ナギは嬉々《きき》としていった。

「つぎはブラジャーね」

女性もののショーツ一枚で立っているだけでもはずかしいのに、ブラもつけるのか。俊也はファンデーションのしたで顔を赤くした。女たちには男には想像もできないほど面倒な儀式があるのだ。簡単に女装するなどと同意しなければよかった。上半身をかがめて、ブラジャーのひもに腕をとおした。

「うわー、やっぱり男だなあ。胸板が厚いし、肩幅が広いや。水泳選手みたいだね」

ナギは素直によろこんでいるが、俊也は息が苦しかった。背中でホックをとめると、胸が潰されそうな圧迫感がある。

「……ブラジャーって、こんなにきついのかあ」

ナギはハンドタオルを丸めながらいった。

「そうだよ。女の子はみんなその苦しみに耐えて、胸の形を保っているんだからね。男はみんな、もっと感謝したほうがいいんだよ。ちょっとごめん」

ナギはブラジャーのカップの内側に丸めたタオルを押しこんだ。左右ともいれると、鏡で形を見て手直しした。

「ふう、ようやくここまできた。つぎはパンティストッキングだよ」

気が遠くなりそうだ。冷房は効いているが、俊也は全身に汗をかいていた。不思議なのは化粧をした顔だけが涼しげなままでいることだ。初めて脚をいれたストッキングは、ひどくきつかった。むこう側が透けて見えるくらい薄い癖に、ひどく強いのだ。ふくらはぎと太ももが締めあげられるような感覚がある。ブラジャーとストッキングはどちらも見た目は頼りなく、布の量もわずかなのだが、身体の窮屈さは驚くべきものだった。

俊也は鏡のなかに立つ自分の姿に目をやった。ヌードカラーの上下のランジェリーにストライプ柄のストッキング。脚は普段よりも丸みを帯びて、細く長くなったようだ。すね毛がないので、つるりとしている。いったいどうしてこんなことになったのだろう。初めて訪れた秋葉原の貸しスタジオで、なぜか女性の格好をさせられている。嫌だといって、かつらとランジェリーを脱いでしまえば、こんな遊びはすぐに終わりにできるはずだった。

「じゃあ、最後にサマードレス着てみようか」

ハンガーにかかった白いコットンレースのミニワンピースをもってくる。ナギは俊也の肩にワンピースをあわせるといった。

「このサイズはなかなかないんだよね。沙紀は背が高いけど、横幅がなくてよかったよ。そうじゃないといいデザインのなくなっちゃうから。さあ、着て」

バンザイをするように両手をあげて、白いワンピースをかぶった。肩をとおすのがきつくて、ナギに助けてもらわなければならなかった。身体の太さギリギリのチューブでもくぐったようだ。下着やストッキングがあれほどタイトなのに、ワンピースは無防備だった。女性の衣装というのは、おかしなものだ。外側はゆるく、内にいくほど守りが堅くなる。誰でも受けいれるふりをしながら、最後までの侵入は許さない。

ふわふわとやわらかで、デザインの優れた要塞《ようさい》のようだった。

「これで完成だよ」

ナギが背中のファスナーをあげてくれた。そのままウィッグの毛先を避けて、首の裏にキスをする。ナギの両手はワンピースのうえから俊也の胸をつかんでいた。

「……やめてっ」

自分が女性のような声をあげた気がして、俊也は顔を赤らめた。

## 28

シャッターが鞭《むち》のように唸るたびに、スタジオは白い闇《やみ》に呑《の》まれた。俊也はナギにいわれたとおりのポーズで、カメラのまえに立っている。

「いいよ、もうちょっと胸をそらして、横目でこっちを見て」

普段は横目で人を見ることなどなかった。ショートボブの前髪のあいだから、流し目でカメラを見る。シャッターが何度かおりた。

「もっと強くにらむように」

俊也は目に力をいれて、デジタル一眼レフとその後ろにいるナギをにらみつけた。

「違う違う。女の子は眉《まゆ》をひそめて目を細めてにらんだりしないでしょう。目をぱっちり開いて強い目力をだすのが、女の子のにらみかただよ」

そういうものか。俊也は意表をつかれた。グラビアアイドルが上目づかいに見あげるあの視線は、女が男をにらみつける目だった。ただ目を見開いてかわいらしさをアピールしているだけだと思っていた。あの目をしているとき、女たちは獲物でも探すように男をにらみつけていたのだ。

「じゃあ、スツールに腰かけてみようか」

黒革の座面のスツールがおいてあった。俊也は意識せずいつものように座った。

「それも違う。脚がちゃんと閉じているように、気をつけて。女の子が脚を開いているときは、開いてもいい相手といるときだけなんだからね。ひざをつけて」

ラテン系の言語をつい思い出してしまった。すべての名詞が男性と女性に分かれているのも無理はない。人を見ること、腰かけること、いちいち男と女では違うのだ。

俊也はひざに注意して、脚を閉じた。ナギから厳しい声が飛ぶ。

「そういうふうに深く座ったらダメ。モデルの子にとっては、スツールは小道具なんだよ、自分をより美しくみせるための。リラックスして休むためのものじゃない。浅くお尻の端っこだけのせて、骨盤をまっすぐに立てる。そのうえに伸ばした背筋をやわらかにのせる。それが女の子の座りかただよ」

ナギは本職のカメラマンなのだろうか。ポーズの注文が多いし、どれも的確である。身体の各部に神経を配り、ナギのいうとおりに座り直してみた。シャッターを切ったナギが、カメラを三脚からはずしてやってくる。液晶ディスプレイを俊也に見せるといった。

「ほら、ぜんぜん違うでしょう。沙紀はきれいだよ」

髪をなでられた。ひどくうれしい。きれいだといわれたことがうれしいのか、髪をさわられたことがうれしいのか、俊也自身にもわからなかった。ただどちらも三十年近くの人生で、初体験だと思うだけだ。

ディスプレイには脚の長い女が映っていた。白いサマードレスは清楚《せいそ》だが、抑えたエロスを感じさせた。自分のなかにいるのに気づかなかった女性が顔をのぞかせ、上目づかいでカメラをにらんでいる。早くふれて、早く開いてと無言のうちにアピールしているようだった。

「まじめなのはひととおり撮ったから、つぎはやらしいのいこうか。今度はうんとはずかしがっていいからね」

ナギはカメラを三脚に戻すと、俊也にストッキングの脚を開かせた。スカートをはいて、脚を開くとペニスが充実するのはなぜだろうか。俊也は両手で前を押さえながら、思い切り脚を開いた。

撮影は一時間弱で終わった。ナギはカメラからカードを抜いた。カメラもレンタル品で、もち帰るのは数枚のカードだけである。腕時計を確かめると、上気した頬でナギはいった。

「ねえ、まだ三十分近く時間があまってるんだ。ちょっと遊びにいかない？」

スタジオには冷房がはいっているが、照明とフラッシュのせいで妙に暑く、俊也は汗だくだった。モデルは重労働で、いつもは使用しない筋肉が熱をもって痛みだしている。疲れと緊張で声がかすれてしまった。

「遊びって、なにをするの」

ナギの目は赤いが、生きいきと濡れて光っている。なにか悪いいたずらを思いついたときの顔だった。

「いっしょに散歩にいこうよ」

こんなミニスカートで女装したまま、秋葉原のメインストリートを歩くのか。化粧はきちんとしているし、ウィッグもつけている。自分は完全に同性愛者と思われるのではないか。俊也のなかで恐怖がふくらんだ。

「だいじょうぶ、秋葉原にあなたをしってる人なんていないでしょう。誰にもわからないよ。沙紀が俊也だなんて」

ぐっと手首をつかまれた。強引にスタジオから連れ出される。ナギは受付嬢には、ちょっと外の空気を吸ってくる、すぐに戻るといっていた。

エレベーターをおりると、薄暗い路地を抜け、大通りにやってきた。ネオンサインが夜空ににじみだすように光っている。シンセサイザーのベース音がやかましいダンス音楽がきこえる。ハイヒールのせいだけでなく、俊也の足元はふらついていた。恐ろしくて視線をあげることができない。目があっただけで、心の奥まですべて見抜かれてしまいそうだ。ナギが腰に手をまわして、やさしくいった。

「ほら、沙紀はきれいなんだから、みんなに見せてあげなよ」

黒いメイド服のナギと白いサマードレスの俊也は腰をぴたりとあわせるように大通りをいく。周囲の人波が自然にふたりを避けていった。巨大な韓流アイドルのサインボードのしたで、ナギは立ち止まった。

「ねえ、俊也、わかってるの？　あなた、きれいだよ」

ナギにあごの先をさわられた。自然に口づけを待つように俊也の唇がナギのほうに動いていく。たくさんの観光客とおたくたちがあふれる秋葉原の歩道で、女装した俊也はナギとキスをした。

ふたりがスタジオにもどると、レンタル終了時間の十分前だった。秋葉原の大通りで舌をからめるキスをされ、俊也はたかぶったままだった。真っ白な部屋の中央でぼんやり立っていると、ナギがいった。

「どうしたの？　早く着替えないと時間がきちゃうよ」

俊也は自分の格好を貸しスタジオの隅にある鏡に映してみた。白いサマードレスは身体の線にぴたりと沿い、脚は自分のものとは思えないほど細くきれいだ。ストライプのストッキングのしたは、ナギの手によりすね毛がきれいに剃られている。ブラジャーは窮屈だったが、ドレスの胸のふくらみは誇らしかった。

なによりきちんと化粧をした顔が興味深かった。俊也はもともと細面で中性的な顔立ちをしている。そのためか、男性にしては白く肌理《きめ》の細かい肌のせいか、ひどく化粧の乗りがよかった。

初めてのファンデーションにも、アイシャドウやチークにも違和感は感じなかった。女たちは毎日こんな遊びをして楽しんでいるのか。奇妙な悔しささえ覚える。唇に引いた黒みを帯びた濃厚なピンク色のルージュは、ナギの強いキスのせいで半分落ちてしまっている。

「ねえ、俊也はその服脱ぐの名残惜しいの？　やっぱりほんとの変態なのかな」

トランスヴェスタイト。

自分は異性装者ではないはずだった。というより、待ち伏せのようにいきなり着せられるまで、女装をするなど想像もしていなかった。それがこうして自分の性の揺ぎに興奮している。だが、俊也自身は絶対にその興奮をナギ相手に認めたくなかった。

自分は男に抱かれたいとも思わないし、女装家でもない。ナギとしたいし、この女にめちゃくちゃにされたいだけだった。

「そんなんじゃない。さっき通りであんなキスをしたから、こっちのほうが収まらないだけだ」

白いサマードレスの下腹部には縦に隆起が走っていた。女性の服は身体の異変を隠すのではなく、強調するような造りになっている。これではみなダイエットに夢中になるわけだった。四六時中異性の視線を気にしたうえ、他の女たちと自分を比べ続ける女のしんどさが、俊也にもすこしだけわかった気がする。

「そうなんだ。じゃあ、すっきりさせちゃおか」

いたずらっぽく黒いメイド服で笑って、ナギは壁につけられたインターフォンの受話器をとった。

「すみません、一時間延長してもらえませんか」

受話器をもどすと、ナギはスチールの扉わきにある操作盤にむかった。十を超える照明スイッチがならんでいる。ナギはつぎつぎと明かりを消して、俊也が立つスタジオの隅にあるライトだけを残した。その最後の一灯もスライドスイッチで、ロウソクの火のように小さく絞ってしまう。俊也の足元には淡く黒い影が落ちた。

「わたしもちょっともの足りないなと思ってたんだ。このあとラブホとかいっても、こんなに盛りあがらないだろうし。俊也、そこで立ったままひとりでしてみてよ」

ナギは三脚を移動させ、手を伸ばせば届く距離にカメラを据えた。

「すごいね、デジタルの目って。すごい高性能。こんなに暗いのに、なんでも全部映っちゃう。見えないものが見えるなんて、そんなにいいことじゃないけどさ」

ペニスは近づいてきた嵐《あらし》のせいで硬度を増していたが、俊也は両手をだらりと垂らして動かずにいた。ナギとつきあい始めてから、なにか性的なアクションを起こすまえに、甘い叱責《しっせき》を受けるのを待つようになっていた。責められるのがうれしいし、そのあとのクライマックスも高まる。

「ほら、ワンピの裾《すそ》をまくって、だしてみなさい」

のろのろと裾をあげる。ナギの声が飛んだ。

「もっとうえまで。俊也は見せるの好きでしょう」

縦縞《たてじま》のストッキングのしたには、ヌードカラーのショーツ。ペニスはそこに斜めに窮屈そうに埋まり、鋭い影をつくっている。

「ゆっくりストッキングをさげて。全部脱いだらダメだよ」

シャッターの音が薄暗いスタジオに連続して響いた。俊也は指先をストッキングのウエストベルトにさしいれ、ゆっくりと脚のつけ根までずりさげていく。下腹部の締めつけがなくなると、呼吸がずいぶん楽になった。同時にショーツのなかのペニスが腹から離れて、自由に空を指す。

「うわー、先が女の子みたいに濡れてるよ。俊也って草食系なのに、ちょっといじめられると、めちゃくちゃに興奮するんだね」

あなたに会うまで、自分はそんなふうではなかった。女たちが何度もつかってきたはずの言葉を俊也はのみこんだ。女性もののショーツの表にまで透明に滲《し》みだしているのは事実だ。カメラのファインダーのむこうにあるナギの目のせいで、ペニスは最硬度を記録している。シャッター音以外は、エアコンが静かに冷たい息を吐く音しかない静かなスタジオだった。ナギは息をのんでいう。

「その子をショーツから自由にしてあげて」

俊也はアイシャドウを塗った目でナギをすねたように見つめた。

「下着は脱いだらいけないんだよね」

ファインダーから顔を離して、ナギが笑った。暗がりのなか目と歯が白く生きいきと動いている。

「わかってきたね、俊也」

ゆっくりと肌と同じ色のショーツをもちあげた。つるつるのサテン地だが、俊也にはなんの素材かわからない下着だった。はいていないように軽く、下半身にフィットしている。男の性器があっても関係ないようだった。すべてをなめらかに包みこんで、素しらぬ顔をしている。男もののトランクスやボクサーパンツとは大違いだった。あの雑さや風とおしのよさはないけれど、安心感と肌に張りつく心地よさがある。

俊也はペニスを外気にさらした。同時にシャッター音がミツバチの羽音のように高く鳴った。ナギも興奮しているのだ。そう思うだけで、俊也はさらに硬くなった。

「にぎって」

自分のペニスを握るように命令されるのは、気もちがいいことだった。俊也は中央の部分を握った。やわらかな革を巻いた金属、それも中空のパイプではなく芯《しん》までみっしりと無垢《むく》の素材で詰まった金属の手ごたえがある。

「いいよ、こすって。でも、ゆっくりお願い。さすがにこの暗さだと、夜のモードにしてもぶれぶれになっちゃうから」

ひと呼吸に一回のつもりで、手を動かした。ナギのいうとおり、先端は蜜《みつ》に浸したように濡れている。自分の手というより、暗いスタジオの空気が女性器そのものになったようだった。シャッターを押しながら、ナギがいった。

「わたしたちって変なカップルだね。さっさとエッチすればいいのに、こんなに遠回りしてさ」

俊也は自分の快楽に夢中だった。ナギの言葉が邪魔だ。セックスの最中におしゃべりする男を、女たちはこんなふうに感じていたのか。撮影の途中から硬くしていた俊也には限界がすぐにやってきた。ゆっくりとした手の動きにも、いつもとは違った快楽がある。ペニスを上下する動きにあわせて、思わずつま先立ちになってしまう。ハイヒールのパンプスでそうすると、バレエの踊り子のような完璧《かんぺき》なつま先立ちになる。あれは確かポワントといったっけ。

「ナギ、いきそうなんだけど」

高鳴るシャッターの音が返事だった。ナギはなにもいわなかった。切羽詰まってもう一度いう。

「いきそうなんだけど、いってもいいかな」

ナギがカメラから顔を離して、底光りする目で俊也をにらんだ。

「そうじゃないでしょ。お願いしなさい」

身体のなかにねじれるようなよろこびが走った。命令されるのは素晴らしかった。代官山で梨香をいかせたときとは、比べものにならない興奮だ。自分が求めていたのは、誰かに快楽を管理され、命令されることだった。俊也の声は興奮とよろこびでざらざらにかすれていた。

「お願いします。いかせてください」

「いっていいよ。ただし、手の速さは今の半分にして、耐えられるだけ耐える。わかった？」

「はい」

手の動きを半分にすると、快感は倍になるようだった。絶えずつま先立ちになってしまう。女性用のサマードレスを着て、下半身を露出し、貸しスタジオでエクスタシーを迎えそうになっている。ぼくは完全に変態じゃないかと、俊也は悟った。その理解がさらに快感を深めてくれる。

ナメクジのような速度で手を動かしていても、限界がやってきた。一瞬先にフラッシュのような光の海が開けている。俊也は叫んだ。

「いきそうです」

カメラに張りついたままナギがいう。

「声がちいさいな。思い切り叫んじゃいなよ。ぼくは女装してよろこぶ変態です。いかせてくださいって」

ナギの命令はいつも天才的だった。俊也の心の底にある願いを読む。あるいは俊也がもっとも羞恥《しゅうち》を覚える部分を突く。ナギの言葉でペニスの先端から光のなかに投げこまれてしまった。

「ぼくは女装してよろこんでる変態です。いかせて……」

ひどい苦しみだった。こんなものを快楽と呼ぶのはなぜだろう。俊也のペニスのなかを最初の精液の塊が、赤熱した鉄球のようにごりごりと押しとおっていく。目に涙がにじむ。狭い管を自分の精液で犯されるようだった。三脚を飛び越える飛距離を記録した滴《しずく》は、スタジオの暗がりに消えて、どこかに水音をたてて着地した。俊也はつま先立ちのまま、何度も射精した。

「よくできました。終わらないかと思ったよ。今までで一番たくさん出たんじゃないかな」

涙で化粧の崩れた顔をあげて、ナギを見た。俊也の顔は恥じらいとよろこびで輝いている。

「そんなことない」

ナギは一眼レフの液晶モニタで、撮影した画像を確認した。ぱちりとダイヤルを回し、デジタルカメラの電源を切ると、にっと笑って唇をなめた。

「ふふ、ごほうびあげる」

なにをするのだろう。ナギは這《は》うように低い姿勢でやってきて、いきなりまだ硬直しているペニスをつかんだ。

「ちょっと待って、今いったばかりだから」

ナギは止まらなかった。さっきまで恐ろしくゆっくりと動かしていたペニスを口に収めると、全速で頭を振り始めた。悲鳴が漏れてしまう。

「お願いだから、ちょっと待って」

拷問《ごうもん》のようだった。刺激が強すぎて、快感なのか痛みなのかよくわからない。俊也の腰が砕けて、あおむけに冷たい床に倒れこんだ。ナギは腰のうえに乗り、口をつかっている。ペニスについていた精液は、すべてのんでしまったようだ。暗がりのなかペニスをくわえる横顔を薄目で見た。悲しいほど必死な表情だった。墜落する飛行機のなかで酸素マスクを吸う乗客のようだ。命がけに見える。この人はなぜこれほど性にしがみつくのだろうか。その必死さが哀れで、同時に愛《いとお》しかった。俊也がその日、二度目の頂点を迎えるまで三分とはかからなかった。

## 29

週末、俊也はほとんど外出しなかった。在宅勤務なので、翌週に済ませておいたほうがいい書類をいくつか仕上げ、あとはのんびりと過ごした。ナギは別な相手と忙しいようで、俊也に誘いはかからなかった。元ガールフレンドの梨香からは、一日に数通のメールが送られてきたが、俊也は二回に一度短い返事をもどすだけだった。梨香はナギよりも若く、都会的な洗練された美人である。背が高くスタイルもいい。それでもナギの爆発的な魅力の前では影が薄かった。

こうした気まぐれで一方的なつきあいがきちんとした恋愛関係と呼べるのか、俊也にはわからない。けれど、世界にいる女たちは二種類に分かれてしまった。ナギとそれ以外の女たちである。学生時代から何度か恋をしてきたけれど、これほど底のしれない激しい恋愛は初めてだった。

人はよく心と身体を分ける。恋愛とセックスも分ける。俊也にはすべてが同じひとつのものの裏と表に過ぎない気がした。生きかたや世界の存在を細かく分類していった先には、生きものとしての人間に幸福はないのではないか。普段はめったに思い浮かべることとさえない哲学的な命題を考えてしまう。人の経験は果たして分割できるのか。とくに性と繁殖のような生物としての基礎にあたる経験には、人の知性や理性を超えた力があるのではないか。ヒト遺伝子のゲノムをすべて読み解いたところで、そこに愛とエロスの秘密は明かされていない。その謎《なぞ》が秘密のままであることが、俊也はうれしかった。この世界には、まだまだ生きるに値する謎が無数にあるのだ。

ナギと自分のように。


日曜日の夕方だった。

俊也はサンダル履きで、近所のコンビニにでかけた。洗剤とゴミ袋が切れていた。日曜の夕暮れの街には独特のもの悲しさがあった。明日からはまた労働と勉強の日々が始まる。うんざりとした悲しみと休日の怠惰な気分がいり交じって、見慣れた街がひどく大人びて見える。

必要な雑貨と缶チューハイをひとつさげて、マンションに帰った。いちおう郵便受けを確かめてみる。新聞をとっていない俊也には、日曜日に配達されるものはなにもないはずだった。

大判の白い封筒が、ステンレスの四角い空間に冷えびえとおかれていた。寒気がする。震える手でとりだすと、また宛名《あてな》も差出人も書かれていない真っさらの封筒だった。

中身を確かめる。紙が硬い。便箋《びんせん》ではなく印画紙だった。カラープリント用の肉厚の光沢紙だ。秋葉原中央通りの歩道を、手をつなぎ歩く女装姿の俊也とメイド服のナギが写っている。ネオンサインを浴びて、ふたりの顔色は青かったり、赤かったり、緑だったりした。路上のキスは映画のポスターのような出来だった。俊也とナギは禁じられた同性同士の恋人のようだ。ゲイに比べ、レズビアンを正面に打ちだした映画はまだすくない。きっとこんなポスターの映画が公開されれば、センセーションをまき起こすだろう。

写真は大通りをいくふたりを撮っていただけではなかった。路地裏の貸しスタジオにはいるうしろ姿、きょろきょろと周囲に怯《おび》えながら女装で外出する俊也、笑いながら俊也の腰に手を回すナギ。あの日のすべてが写されている。

俊也の顔がかっと熱くなった。人のプライベートな楽しみを、こんな形で壊そうとする悪意をもった人間がいる。自分で撮ったのか、金を払って興信所を雇ったのかわからない。どちらにしてもナギと自分の関係に氷水を浴びせたい男がどこかにいるのだろう。

マンションのオートロックが開く音がした。子ども連れの家族が会釈《えしゃく》して、とおり過ぎていく。俊也は硬い表情で会釈を返し、生々しい写真と封筒をなんとか背中に隠した。

そのとき、写真の裏側に手書きの黒い文字があるのに気づいた。筆跡がわからないように定規で書いたような、四角張った文字だった。家族連れがエレベーターホールに移動したところで読んでみる。

その女は死神だ。

おまえは破滅を望むのか？

いっしょにいれば、
いつか死ぬんだ。

見てみろ、おまえは
自分を変えられ
尻尾《しっぽ》を振っている。
恥を知れ。
この写真をおまえの
親や友人や同僚が見たら、
どうするつもりだ？
あの女から手を引け。
これはおまえのための
忠告だ。

死や破滅は、前回でもう慣れていた。気分はよくないが、似たような脅迫だと思うだけだった。だが後半の「親や友人や同僚」という言葉には、俊也も震えあがった。言外にナギと別れなければ、この写真をばらまくと脅しているようなものだ。いったいどうしたらいいのだろうか。ナギとつきあうだけで、こんなトラブルが漏れなくついてくるのか。俊也は恐怖に鳥肌を立てながら、笑ってしまった。もう笑う以外になにも思いつかなかった。

夕方から夜にかけて、何度かナギに電話とメールをいれた。留守電に二度メッセージを残し、メールは三通送っている。どれも至急連絡が欲しいという内容だった。時間はかまわない。夜中でも夜明けでもいい。

浅い眠りと目覚めを繰り返し、つぎの朝確認すると、ナギからはメールも着信もなかった。スマートフォンの電源を切って、どこか別な男のところにでも泊まりこんでいるのだろうか。ナギのことだから、女の可能性もあるけれど。そういえば、俊也はまだナギとひと晩をともに過ごしたことはなかった。脅迫状と盗撮写真のことを忘れ、嫉妬《しっと》で胸がはりさけそうになる。

秋葉原の女装写真は見せられないとしても、誰かに相談したくてたまらなかった。月曜は幸い出社日だ。俊也は朝一番で、同僚の益田誠司にメールを送った。話がある、ランチをおごるから、つきあってくれ。ナギと違って、誠司からは了解の返事がすぐにもどってきた。それくらいのことで、すこし感動してしまうのだから、ナギとつきあっていると人間関係や人との距離感がおかしくなってしまう。脅迫状の送り主のいい分にも、正しいところはあるのだ。寝不足の目をしばたきながら、俊也はにやりと自分を笑った。

窓の外には白い砂でも撒《ま》いたように細かな建物が広がっていた。会社からすこし離れた別な高層ビルの五十二階にあるのは、畳敷きの小上《こあが》りをもうけたそば屋だ。出し巻卵とカモの塩焼き、盛りが二枚座卓にならんでいる。この高さから新宿の街を眺めながら、そばをすするのは普段ならなかなか気分がいいものだ。だが、気がかりがある俊也には、そばの実の芯だけつかって打ったというそばの香りがよくわからなかった。

「脅迫状って、こいつか」

誠司の手にはジップロックにいれた最初の脅迫状があった。証拠品として警察に届ける場合を考えたのだ。こうすれば、俊也と犯人の指紋しかこの紙には残らないだろう。

「なんだって……すぐに別れなさい、男をくい殺す、二度と近づくな」

誠司が脅迫状から顔をあげ、俊也を見て唇の片方の端だけつりあげた。

「色情狂か……最近きかない言葉だよな」

誠司にはナギとのつきあいを折にふれて話してあった。もちろん細部をぼかして、だいぶソフトにしてはいた。あのヌードの女だとは気づいていないようだ。

「脅迫状がはいっていた封筒には切手も貼《は》ってなかったし、消印もなかった。うちの住所も、送り主の名前もない真っ白な封筒だ」

「驚いたな。二時間推理ドラマみたいだ。犯人はおまえが住んでる部屋をしっていて、自分で直接配達にきたのか。彼女との交際をあきらめさせるために」

理不尽な話だった。ナギは確かに性的にすこし常軌を逸したところがある。けれど、つきあっている男女がおたがいに了解しているなら、どんな行為も自由なはずだ。ナギと俊也はほかの誰も傷つけていないし、罪も犯していない。ふたりだけの問題にこんな陰湿な形で介入してくるのは、余計なお世話である。

「実は昨日、もう一通きたんだ。そっちのほうは、事情があって見せられないんだけど」

同僚に自分の女装写真など見せられるはずがなかった。誠司は無邪気に乗りだしてくる。

「彼女のヌードかなにか撮られちゃったのか。おまえ、あんまり外で変なことするなよ」

普通のセックスなら、気楽なものだった。女性ものの下着をつけて胸をふくらませた俊也は、白いサマードレスを着ていた。すね毛までナギに剃《そ》られている。だが、ナギに剃刀《かみそり》をつかわれるのは、ぞくぞくするような快感があった。

「彼女には、こいつを見せたのか」

俊也は首を横に振った。

「いや、まだだ。連絡をとろうとしてるんだけど、なかなかつかまらなくて」

「そうか。だけどいったいどこのどいつがこんなもの送ってよこすんだろうな。俊也は誰か心あたりがないのか」

ナギと昔つきあいのあった男。あるいは女といえば、梨香だろうか。

「あれから梨香と一度デートしたけど、梨香は彼女のことしらないはずだ」

誠司はおおきな出し巻卵をひと口で片づけた。もそもそと口を動かしていった。

「やっぱり卵焼きは関東風の甘いのがうまいよな。じゃあ、彼女の関係のほうが有力そうだな。男出入りが激しい彼女についたストーカーの仕業」

誠司は名探偵のように箸《はし》の先を振って見せる。他人事《ひとごと》なら、脅迫状もストーカーも愉快なものだろう。

「おいおい、すこしは真剣に相談に乗ってくれよ。こっちは二度もうちまで押しかけられてるんだぞ。気味が悪くてしかたない」

「で、彼女のほかの男はどうなんだ。おまえみたいにMで、おまえより純情で、彼女にめろめろって相手はいないのか」

Mは余計だった。俊也はナギ以外の女性ではあんなふうにはならない。どちらかというと自分はSだと思っている。

「男の影はいくつもあって、こっちにはよくわからない。彼女はちょっと変わってるから」

俊也は窓のむこうに目をやった。遥《はる》か下方の地上では、八月の街が砂漠のように乾いている。あのどこかで今もナギは別な男を抱いているのかもしれない。そう思うと胸が苦しくなってきた。

「そうだよな。彼女は相当な発展家だもんな」

色情狂とか発展家とか、古くさい言葉だった。俊也は投げやりにいった。

「別にヤリマンでいいよ。彼女はほんとにそうだから」

「おまえも変わってるよな。普通、自分の彼女がほかの男と寝てるってわかってたら、なにがあってもやめさせるし、第一つきあえないだろ。でも、俊也は嫉妬半分で、残りは逆に興奮してつきあい続けてる」

誠司は作務衣《さむえ》に似た制服を着た店員に声をかけた。

「そば湯ください。それと、くずきりをひとつ。ここは俊也のおごりだろ。おまえもたべるか」

「いらない」

中年の女性店員がいってしまうと、誠司はいった。

「おれは脅迫状を送ってきたやつのほうが、まだわかるな。自分の彼女がほかの男とつきあうのをやめさせたいんだろ。俊也みたいに彼女がほかの男とつきあっているのを受け容《い》れてるほうが、わからないよ」

そば湯が届くと、誠司は七味唐辛子を多めに振って、うまそうにのんだ。俊也のほうを見ずにいった。

「おまえさ、彼女とこれからどうしたいんだ」

なにもこたえが見つからなかった。俊也は皿のうえで冷たくなっているカモの切り身に箸を伸ばした。肉が硬くて、のみこみにくい。これから先のこと、ナギと自分の将来のこと。ふたりでいる瞬間の快楽や熱量に負けて、普通の男女ならきちんと考えるはずの問題を自分は考えてこなかった。俊也は、ほかの男たちの存在とふたりの関係の未来について、つぎはきちんとナギにきいてみようと思った。

## 30

東京の八月は完全な砂漠で、今年はまったく雨が降らなかった。アスファルトも、家々も、電柱も、電柱を結ぶ黒い電線さえ、からからに乾いている。仕事を終えて部屋にもどると、シャワーをさっと浴び、短パンにはきかえ、半袖《はんそで》のアロハを着た。生き返ったようになる。

電話は缶ビールの最初のひと口をのんだときに鳴った。ナギからだ。

「もしもし、緊急なのに遅くなってごめんね。メールも読んでたけど、ちょっととりこみ中で」

まるですまなそうではない気楽な声だった。このまま脅迫状のことを話してしまおうか。だが、電話で話すには微妙すぎる内容だ。脅迫状と盗撮写真の実物は、ナギに見せておきたい。

「今からすぐに会えないかな。デートがしたいとか、そういうのじゃなくて、まじめな話がある。ほんとに緊急事態なんだ」

すこし酔っているのだろうか。ナギの声はふらついている。

「えー、エッチなほうで話があるんじゃないんだ。なんかつまんないなー」

「そうだ。いい機会だから、ぼくの部屋にこないか」

いつでもこられるように住まいの場所を教えておくのもいいだろう。俊也はインテリアにはそれなりに凝っているので、見せたいソファや椅子《いす》もある。ミッドセンチュリー調のレプリカで、統一されていた。素面《しらふ》にもどったかのようにナギがいった。

「それはやめとく。わたしは男の部屋にはいかないの。そこまで生活に踏みこみたくないから」

セックスに関してはあれほどオープンなのに、恋愛やプライベートな生活についてはひどく頑《かたく》なな一面があらわれた。セックス以外の方法で異性とつながるのを、この人はなぜ恐れるのだろう。理由をききたいが、電話を切られておしまいだろう。

「わかった。じゃあ、近くまででるよ。どこにする？」

「俊也は高円寺だよね。だったら、三十分後に駅まえで」

電話を切ると、俊也はぬるくなったビールを飲み干した。こんな理由でもナギに会えるのが、単純にうれしかった。誰とでも寝るくせに、自分とはけっして最後の一線を越えようとしない女。ナギにここまで魅せられてしまったのはなぜだろう。俊也はいそいそと外出の用意をした。

震災以来、駅の周辺でさえ節電で明かりは落とされ、一段と暗くなっていた。下り坂の日本を震災が襲って、文字どおり最後の灯を吹き消すようにこの国は暗くなった。俊也はもう明るかったころの東京を思いだすこともできなくなっていた。

ナギは計ったように二十分遅れてやってきた。俊也は腹を立てることもなく、声をかけた。

「急に呼びだして、ごめん。いこう」

ナギはメイド服ではなく、大人っぽい黒のレースのミニワンピースだった。花びらの形に細かく空いた穴からのぞく肌が青白い。

「いいよ、別に。急な呼びだし、大歓迎。俊也はわがままいわないほうだから、こういうの新鮮かも」

小柄なナギは飛びつくように俊也の腕をとり、抱えこんだ。ひじがやわらかな胸にあたる。夜風はわずかに涼しさを増して、近づく秋を告げていた。このまま脅迫状の話などせずに、夜明けまで街を歩いていられたらいいのに。

片手にさげたトートバッグが妙に重かった。なかにはいっているのは、脅迫状とあの写真だけである。

チェーン店に押されて客のすくない、昔ながらの喫茶店にはいった。すり減った臙《えん》脂《じ》の布張りソファは、時代を感じさせた。いつもなら街ゆく人を観察できる窓際《まどぎわ》に席をとるのだが、俊也が選んだのは奥のボックス席だった。ほかの客だけでなく、カウンターのなかにいる店の人間の目も届かない位置にある。

「話っていうのは、これなんだ」

バッグからジップロックにはいった脅迫状を抜いて、テーブルに滑らせた。ナギは手にとろうとせず、うえからじっと見つめている。表情は変えないが、目の動きで文面を読んでいるのは確かだった。

「そいつがきたのは先週だった」

ナギは誠司と同じ言葉に反応した。

「色情狂って、なんかすごいね。やっぱりわたしって、そう見えるんだ」

自嘲《じちょう》気味に笑っている。

「男をくい殺すのか……わたしとつきあってると、俊也も破滅するんだね」

「ぼくはそこになにが書いてあるかなんて、どうでもいい。脅迫状を郵送でなく、わざわざ自分で配達しにくるようなやつは、どうせ頭がいかれてるんだ。それよりも、いったい誰が、どういう目的で、こんなものをよこすのか、それがしりたい」

刑事にでもなったようだった。俊也は低い声でそういいながら、ナギの反応に注目していた。

「こんな文章を書くような男に、心あたりはないのか」

ナギは顔色をまったく変えなかった。

「ないよ。ストーカーはみんな自分がストーカーですって顔をしてないでしょう。どの男がこんなことをするのか、ぜんぜんわからない」

嘘《うそ》はついていないようだった。俊也は心の隅にずっと引っかかっていたことをきいた。

「ぼく以外に何人の男とつきあってるんだ」

平然とナギはいう。

「どういうのをつきあってるっていうのか、わからないから何人ともいえないよ。ひと晩限りの人もいるし、新しいのがやってきて、また去っていくから」

胸に突き刺さる言葉の連続だが、俊也は冷静な振りをしていった。

「ナギはそういうの疲れないの」

短いため息をついて、ナギは顔をあげた。俊也の目をまっすぐに見る。眼球の丸さがわかるほどおおきくて、よく濡《ぬ》れた目だ。

「疲れるよ。あっちこっちで、わけがわからない男と、わけがわからないセックスばかりして、くたくたに疲れる。でも、そうしていないとわたしは生きてる感じがしないんだ。死んだように生きるなら、でたらめに男と寝たほうがまだましだよ」

ナギのような魅力的な女性がそこまで壊れてしまったのは、なぜだろう。その理由をナギは絶対に口にしなかった。複雑な家庭環境、DVや性的な虐待《ぎゃくたい》、男たちへの報復、あるいは単に強すぎる性的欲求。俊也はさまざまな性依存の理由を思い浮かべたが、ナギはどれとも違っている気がした。ナギはこれほど壊れていても、正気なのだ。自分のしていることを了解して、いいも悪いも受け容れ、欲望と無軌道を全速力で駆け抜けるように生きている。目のまえの人を、俊也はそんなふうに観察していた。だが、その速すぎる速度がナギを自壊させてしまうのではないか。いつか曲がり切れないブラインドコーナーがやってきて、ナギは分厚い壁に激突するのではないか。俊也の恐怖はそこにあった。ナギはふふふと低く笑っていった。

「でもさ、こんなことを書くってことは、デートのときとか尾行してるんだよね。きっとこの人、わたしたちがしてること見て興奮してるよ。だって、けっこうすごいことやってるもん」

いたずらっ子のように目を輝かせる。そんな顔をするとナギは年上なのに少女のようだった。俊也はつぎに写真をとりだした。一枚ずつジップロックにいれてある。

「ああ、尾行してるのは間違いないよ。これを見て」

秋葉原の女装写真だった。ナギは中央通りの歩道を腕を組んで歩く俊也と自分が写った一枚をとりあげた。

「あー、やっぱり俊也は女の子になっても素敵だね。わたしより脚がきれいって反則じゃない」

ナギならそこに反応するのは当然だった。俊也は裏に手書きの文章が書かれた写真をつきだした。

「そういう格好が似あうかどうかって問題じゃない。うちの親や会社に写真を送りつけるって、そいつは脅迫してる。なんとかしなくちゃならない。警察に届けてもいいんだけど」

ナギは冷静だった。写真をすべて見ると、そろえて俊也にもどした。

「そんなことしても無駄じゃないかな。実際の被害もでていないのに、警察は動いてくれないよ。第一、犯人が誰かもわからないしね。それよりもっとかんたんな解決法があるでしょう」

俊也は声を潜めたまま荒げた。

「かんたんな方法って、なんだよ」

「その犯人のいうとおりにすればいいんだよ。俊也がわたしと別れれば、もう手紙はこなくなる。ねっ、かんたんでしょう」

黙ったまま俊也は思い切り奥歯を嚙《か》み締めた。脅されたくらいで、あっさりナギと別れられるなら、どれほど楽だろう。ストーカーにつけ回され、女装写真をばら撒くと脅されても、ナギと別れようとは考えもしなかった。ナギが複数の男たちとのセックスに依存しているように、自分もナギに身も心も依存しているのかもしれない。だが、同時にそれは俊也にとって生まれて初めての恋だった。ナギと比べれば、今までつきあった女たちはみな月のようだった。俊也の心のなかで、ナギは八月の太陽のように灼熱《しゃくねつ》の炎をあげ輝いている。

31

「伊藤くん、このあとちょっと残ってくれ」

定例の会議の終わりに、俊也は声をかけられた。ナギの身体《からだ》とストーカーについてぼんやりと考えていた俊也はとっさに返事をした。

「なにかありましたか」

最初に浮かんだのは秋葉原での女装写真が送られてきたのかという恐怖だった。小宮山課長はトカゲのように冷たい目で、じっと見つめてくる。威圧感を与える嫌な癖だった。それともこの上司は意識してやっているのだろうか。

「話があるからいっている。いいからこっちにきてくれ」

同期の益田誠司が憐《あわ》れむような目で、ちらりと俊也を見てほかの営業部員とともに部屋をでていった。俊也は窓の外に目をやった。夏の終わりの積乱雲が、ぎざぎざの東京の地平線をとりまくように浮かんでいる。俊也はノートパソコンと書類をもって、小宮山が座る窓辺の席のとなりに移った。

「最近、なにかあったのかな」

爬虫類《はちゅう》のような課長の妙に優しい声だった。やはりストーカーから写真でも届いたのか。俊也はおかしな汗をかきながら、必死にごまかした。

「いえ、とくにはなにも」

「これを見なさい」

白いプリントアウトが会議テーブルを滑ってくる。俊也は営業成績の棒グラフに目を落とした。最近はこんなものまで3Dで、シャドウをつけてある。無駄な飾りだ。

「きみの売上はこの三カ月ほど低迷している。会議でも魂が抜けたような顔をしてることが多くなった。在宅ワークのときの報告メールも減少しているようだ。伊藤くん、なにかあったんじゃないのか」

人の目があるところでは部下を叱《しか》らないほうがいい。課長はビジネス書で若手社員の操縦術でも読んだのかもしれない。新型うつ病やいきなりの辞職などは、俊也の会社でもめずらしくはなかった。小宮山課長は腹を立てるというより、心配しているようだ。

「いえ、ちょうどわたしが抱えるクライアントのほとんどが、たまたま買い替えの谷間にあたっていまして」

出会ったのは春の終わりだが、三カ月まえといえば、ナギと頻繁に会うようになった頃だった。いつも黒い服を着た魔女のような女に転げ落ちるように夢中になった。売上があがっていないのは気づいていたが、それまでは毎週のように気にかけていた営業成績もチェックしなくなっていたのだ。

「そうか、ならば私生活でも問題はないんだな」

俊也はうなずきながら、腹のなかに嫌な気分を溜《た》めこんでいた。問題ないといっておいて、すぐに写真が届いたらどうしたらいいのだろうか。だが課長にナギのことをしられるのはなんとしても避けたかった。

「はい、だいじょうぶです」

「成績も元にもどせるのか。買い替えの谷間を抜ければ、また山がくるはずだな」

俊也はいくつかの病院名を思い浮かべた。山というほどの売上は立てられないだろう。せいぜい年末までがんばって、二件の成約がやっとである。そうなれば、今年は入社以来初めてノルマ未達の年になりそうだった。ストーカーどころではない。

俊也の会社では実力主義が徹底していた。二年ごとに営業担当地区がいれ替わるのだが、その際、成績のいい順により売上の立ちやすい好条件の地区を選べるようになっている。衰退する地方都市ではいくら営業努力を重ねても、高価な医療機器を売りこむのは困難だった。成功する者はますます成功し、成績をあげられない者は会社を去っていく。厳しい競争を勝ち抜かなければ、社内に居場所はなくなる。なんとしてもノルマだけは達成しなければならなかった。

「あっちのほうはどうなってる？」

「はあ、あちらというと」

小宮山がいらだった目で、俊也をにらんだ。

「やっぱり伊藤くんはどうかしてるんじゃないか。昔のきみなら、勘所ははずさなかった。身体の調子が悪いなら、病院にでもいってみてもらいなさい。あっちといえば、島波クリニックに決まってるだろう」

俊也は若い今の院長の島波修二郎を思いだした。体温を感じさせないところは、この課長とよく似ている。

「毎週、顔をだしてなんとか切り崩そうとしています」

問題は島波院長の腹の内がまるで読めないことだった。通常、特定の医療用画像診断装置をつかっているクリニックならば、別な社の営業マンは出入り禁止のところが多かった。代々同じブランドで習慣的にリースや買い替えを続けるからだ。島波は俊也の来訪を嫌がる風でも、居留守をつかう訳でもなかった。

「なるほど、あの先生に会えてはいるのか」

「ええ、まあ」

小宮山が顎《あご》の先をつまんで、しばらく考えこんだ。

「悪くないな」

「そうですか、まだぜんぜん手ごたえがないんですが」

「悪くはない。あの先生は気むずかしいので有名で、ベテランを何人か送りこんだんだが、けんもほろろだった。毎週きみのために時間をつくってくれているのなら、きっと目はあるはずだ。新しい富裕層むけの人間ドックというのは、どんな調子なんだ」

ＣＴやＭＲＩといった大型の機器の場合、レイアウトを決定するときに建築士が必要だった。俊也の会社にも懇意にしている建築事務所があり、要望があればクリニックに紹介することもある。

「そろそろ導入を決める時期だと思うんですが」

「どれくらいの商売になる？」

島波の最高級のポルシェがちらりと頭に浮かんだ。

「あの先生のことですし、金もち向けの人間ドックなので、最高性能のＣＴとＭＲＩを一台ずつ、超音波を二台というところじゃないでしょうか」

「それはすごいな。しかも島波クリニックはこれまでＺＥメディカルが押さえていた有力顧客だ。うまくいけば見事なターンオーバーになる。社長賞も夢じゃないぞ」

二人分の海外旅行のチケットと金一封がでる賞だった。俊也はナギと飛行機に乗るところを想像した。きっと夜の機内でナギの妄想は爆発するだろう。散々俊也をいたぶってくれるはずだ。しかも、それだけ大型の成約があれば、俊也のノルマは軽々と達成される。小宮山課長がぽんと肩をたたいてきた。獲物を見つけたトカゲの目が青白く光っている。

「いいか、島波クリニックのコンペになんとか参加させてもらえるようにがんばりなさい。伊藤くん、きみにすべてまかせる。いくら営業費をつかってもいいから、あの先生を落としてこい。うちの課の最優先プロジェクトに決定する。ほかになにか助けはいらないか」

ひとりで難敵に立ちむかうのは心細かった。俊也はとっさに口にしていた。

「では、担当地区は違いますが、益田くんにバックアップをお願いしてもいいでしょうか」

誠司なら気心もしれている。仕事は抜群にできる男だ。なによりもナギとストーカーについても相談をしていた。いっしょに仕事ができるなら、これほど心強い相棒はいなかった。

「わかった。オフィスにもどったら、益田くんにすぐここにくるように伝えてくれ」

「はい、わかりました」

書類をまとめ、立ちあがった。小宮山課長も同時に席を立ち、右手をさしだしてくる。上司から握手を求められたのは初めてだった。冷たい手はすこし湿っていた。日陰の苔《こけ》のような感触だ。

「いいか、うちの課の今年の成績は、きみにかかっている。精いっぱいがんばってくれ」

「はい」

湿った手を放すと、俊也はほっとしながら会議室を離れた。とりあえずストーカーはまだ動きを見せていないようだ。この場はなんとか切り抜けた。だが、課長のいうプライベートでも、ノルマ未達というオフィシャルでも、俊也はぎりぎりまで追いつめられていた。年の瀬までの数カ月をうまく乗り切らなければ、自分に未来はない。

俊也は廊下を歩きながら、最悪の事態を想像した。成績不振でこの会社を辞めざるを得なくなり経済的な生命が絶たれ、さらにストーカーが女装写真をばら撒いて社会的な生命まで回復不能なほど傷つけられる。そうなったら、自分は果たして生きていけるのか。足元が崩れ落ちそうな気分で、俊也は超高層ビルの通路をオフィスにむかった。

## 32

その夜、俊也はめちゃくちゃになりたかった。仕事は明日からでいい。でためでに酒をのみ、性の欲望に走る。自分自身と自分のなかにある恐怖を、ずたずたに引き裂かなければ、その明日にさえ立ちむかうことができそうもない。会社をでると、以前ナギといっしょにいったことがある六本木のバーにむかった。ステーキサンドとオムレツで腹を満たしてから、本格的にのみ始めた。濃いめにつくってもらったハイボールを何杯のんでも、すこしも酔った気がしなかった。三十分おきにかけた四度目の呼び出しで、ナギが電話にでたのは幸運だった。思わずため息が漏れてしまう。

「あー、よかった」

ナギは笑いながらいった。

「どうしたの、俊也」

「どうもこうもない。今夜、空いてないかな。どうしても会いたいんだ」

これでは自分のほうがわがままな女のようだった。相手のスケジュールなど気にせずに、とにかく会いたいと叫ぶ。ナギはまだ笑っている。

「へえ、いつも冷静な俊也にしてはめずらしいね。うーん、どうしようかな」

電話を押さえて、誰かと話しているようだった。しばらくして、ナギがいった。

「わかった。ちょっと時間がかかるけど待っててくれるかな」

「あとどれくらい」

「一時間……いや、一時間半かな」

「わかった。待ってるから、絶対にきてね」

それからバーの名を告げて、通話を切った。誰かにどうしても会いたい気もちには、男女の差などないのだと俊也は思った。ナギがやってくるのなら、自分はきっと朝まででも待つだろう。俊也はスマートフォンをネットにつなぎ、世界中のスポーツニュースを読みながら、ひたすら自分を支配してくれる相手がやってくるのを待った。

ナギがきたのは、十一時すこしまえだった。電話をしてから二時間以上たっている。俊也は怒りもしなかった。この人の時間のルーズさにはすっかり慣れてしまっていた。

「俊也、すごい酔ってるね」

何杯のんだのか途中からわからなくなっていた。俊也は自分でも思ってもみなかったことを口にしていた。

「誰かほかの男と会ってたんだよね。そいつとはセックスしたの？」

バーテンダーにスコッチのオンザロックを注文すると、ナギは素面でいう。

「会ってたかもしれないけど、それは俊也には関係ないことでしょう。わたしは誰にも縛られないっていってるじゃない」

酔った俊也はしつこかった。

「わかってるよ。だから嫉妬とかじゃなく、普通にきいてるだけだ。ぼく以外の男と会ってたんだよね」

ナギは顔をあげて、俊也をにらみつけた。目の光が強い。

「そうだよ。それがどうかした？」

オンザロックが届いた。ナギが乾杯を求めてきたが、俊也は自分のグラスを手にしなかった。淋《さび》しい音がカウンターで鳴る。

「もう面倒くさいなあ」

ナギは手首の返しで、スコッチをのどの奥に放りこんだ。俊也の手首をつかむ。

「ちょっときて」

そのままフロアの奥に連れていかれた。廊下のつきあたりに個室のトイレが三つならんでいる。空いている個室の扉を開くと、無言で俊也を押しこんだ。鏡張りのトイレだった。青いネオン管の間接照明で、氷のなかにでも閉じこめられたようだ。

「なにするんだよ」

「男の癖にぐちゃぐちゃうるさい」

ナギが視界から消えた。しゃがみこんで、ベルトのバックルをはずしている。ひざまでパンツと下着をおろされるのは一瞬だった。俊也のペニスはうなだれたままだ。

「きたないよ」

先端をつかむと、ナギは自分のほうにむけた。

「うるさい、黙って」

ずるりとひと口で全長をのみこんでしまう。オンザロックをのみ干したナギの口のなかは冷たかった。俊也の熱とナギの冷たさが争っているようだ。ペニスが硬直して俊也の熱が勝った。なにもほかのことを考えられなくなる。

俊也は快感に下半身を縛られながら、昼間の小宮山の言葉を思いだしていた。売上が低迷している。魂が抜けたようだ。私生活に問題はないのか。島波院長を落とせ。そのあいだもナギは頭を振るのをやめなかった。唇を離していう。

「ふう、今日はなかなかいかないんだね。酔ってるからかなあ。でも、絶対ひーひーいわせちゃうから」

ナギはまた作業にもどった。俊也は青いトイレで目を閉じ、すべての気がかりを忘れて、まぶしい快感に集中した。クライマックスは手が届くところに見えているのに、その夜はいつもなら容易に手にはいる快楽が訪れなかった。俊也はあせりながら、鏡張りの個室に立っていた。ナギは足元にしゃがみこみ頭を振っている。すべてが悲しく、すべてが馬鹿《ばか》らしい。遺伝子を残すための性本能の罠《わな》にはめられて、みすぼらしい快感にとらわれている。人間という生きものは、なぜこんなに不自由なのだろう。次世代の人間などどこかの工場で電子回路でも印刷するように増やせればいいのに。そんなことを思っているうちに、いきなり快感の波がやってきた。ナギが口をはずした。

「ふふ、いきそうでしょう。今、すごく硬くなって、びくんって跳ねたよ。今日ははながかったね」

返事をするのも面倒だった。俊也はナギの頭をそっとペニスに押しつけた。ナギは口にくわえず、頬にあてた。

「熱いね。ほかは全部嘘だけど、この熱だけは信じられるな」

「男はみんな嘘なの？」

ナギはうっとりと頬にあたる熱をたのしんでいるようだ。

「そう、男は嘘、女も嘘、この世界も嘘。ほんとのことは全部、この硬いもののなかにある。でも、それももう終わりだね。ねえ、いくときはちゃんといくっていってね。あのときの俊也の声が、わたしは好きだから」

ナギはそういうとペニスにもどり、猛烈に頭を振りだした。舌はプロペラのように回転している。俊也はすぐに叫んだ。

「もういきそうだ。ナギ、だすよ」

うなずきながら、ナギは頭を振った。また苦しいクライマックスがやってくる。なぜいくたびにこれほど悲しくなるのだろう。俊也の精液をナギはすべてのみ干した。

立ちあがると笑っていう。

「今日はウイスキーの味がした。さあ、なにか話があるんでしょう。カウンターにもどろう」

俊也はのろのろと下着とパンツをあげて、下半身を整えた。きたときと同じように、ナギに手首をつかまれる。

「いくよ。あっ、忘れてた。今日はまだだったね」

ナギが伸びあがるようにつま先立ちでキスをしてくる。ナギの唇はウイスキーよりも、海の味がした。海水の塩からさと苦み。きっと精液と海の水はよく似ているのだろう。どちらも命を生みだす素《もと》になる。俊也はナギに続いて、鏡張りのトイレをでた。廊下で待っていた若い女が目を丸くしてこちらを見ている。ナギは女に笑いかけて、小走りで席にもどっていった。

33

島波修二郎の白衣は、モード系スーツのように身体の線にぴたりとあっていた。ジム通いで鍛えた身体は中年になっても崩れていない。

「先生の白衣は特製なんですか」

先ほどから、サインと捺印《なついん》を十数枚の書類に続けてしていた。院長は顔をあげると、俊也をちらりと見た。

「いや、特別なものではないよ。腰まわりがゆるいので、ボタンの位置をすこし直してもらっているだけだ」

俊也は作業にもどった島波を観察した。よく見ると髪にはわずかに白いものが混ざり始めている。この男には見え透いた世辞は禁物だった。多くの医者はほめられれば素直によろこぶものだが、島波は根拠のないほめ言葉を受けつけなかった。ほんとうにそう思ったことを口にするか、あとは黙っているよりほかにない。

「先生はスタイルがいいというより骨格がいいんですね。手足も長いし。スーツも白衣もさまになりますね」

日焼けした顔をあげて、島波はにこりともせずにいった。

「骨格や手足の長さはほとんど遺伝子で決まる。それは別にわたしをほめたことにはならない」

とりつくしまのない相手だった。いつもこの調子なのに、この人はなぜ忙しい業務のあいだに、自分のために時間をつくってくれるのだろう。それはこのふた月ほど頭を離れない疑問だった。俊也は口を滑らせた。

「実は先生の新しい人間ドックのコンペにぜひ参加させてもらえるようにと、うえから厳命を受けています」

このタイミングでいうべきことだったのだろうか。口にしてから、俊也は反省した。ふたりきりでいるプレッシャーに負けたのかもしれない。

「人間ドックというのは、もうやめてくれ。そいつは古くさい呼びかただ。今、広告代理店をいれて、ネーミングを考えさせている。二百以上もアイディアを見たよ。島波アンチエイジングラボとかね」

「アンチエイジングですか。いい感じじゃないですか。裕福な人はみな若さを欲しがりますから。先生のところなら、最高性能の新型医療機器がご入り用ですよね」

これまでは世間話ばかりで、仕事についてふれたことはほとんどなかった。

「そうだな。金もち相手だから、ほかの選択はあり得ない」

俊也はやる気もちを抑えていった。

「CTやMRIや超音波はもうZEメディカルに決定ですか」

島波院長は黒いデスクに組んだ両手のうえにあごをのせて、じっと俊也を見つめていた。

「いや、まだ決定というわけではない。ZEは性能は問題ないが、少々値が張るからね。伊藤くんのところだって可能性がないことはない」

初恋の相手にでも振りむいてもらえたようだった。これほど前むきの返答を島波からもらったことはなかった。座ったまま身を乗りだしてしまう。

「画質やソフトでは、もうZEに負けないところまで、うちもきています。新しく3Dのアニメーションで臓器の動きをリアルタイムで見られるモードも搭載していますし」

心臓の動きをそのままモニタで再現できる機能だった。俊也は一気にまくしたてた。

「価格については、最大限の努力をさせていただきます。その点ではZEに決して負けません。新しいアンチエイジングラボにうちの機械を導入していただけるのなら、採算を度外視してご奉仕いたします。先生、ぜひよろしくお願いします」

静かな院長室だった。三方をつくりつけの書棚に囲まれている。どの医者の個室も医学系の専門書が多いのだが、島波は半分以上が文学書だった。マルキ・ド・サド、マゾッホ、ボルヘス、谷崎潤一郎、三島由紀夫、澁澤龍彥《しぶさわたつひこ》。俊也にはよくわからないが、耽美《たんび》的な傾向の作家が多いようだ。

島波修二郎はしばらく黙っていた。口を開くときに、唇の端が粘りつくように離れた。

「価格はもちろんがんばってもらいたい。だが、それだけでは十分ではないな。すこし前のアニメであっただろう、等価交換の法則というのかな。ほんとうに欲しいものを手にいれるには、同じだけ価値のあるなにか別のものをさしださなければならない」

俊也はぼんやりと考えた。自分のもので、総額で一億円を優に超える商談と同じ価値をもつものがあるのだろうか。島波は立ちあがると白衣を脱いだ。ハンガーにかけてあった羊革のジャケットを羽織る。革に千鳥格子《ごうし》のプリントを施した高級品だ。

「伊藤くん、今夜はこのあと、時間があるかな」

否《いや》も応《おう》もなかった。即座に返事をする。

「はい、だいじょうぶです」

日焼けした顔で笑う島波の表情からは、ますます感情が読めなくなった。この男には人並みの情緒があるのだろうか。

「よかった。では、夕飯につきあってください。そのあと軽く一杯やろう」

俊也は革の匂《にお》いがする島波修二郎の広い背中について、院長室をでていった。


夕食は病院の近くにあるカウンターだけの店のタパスだった。生ハムをつまみ、バゲットをちぎり、スペイン産の発泡ワインをお代わりする。サフランと唐辛子を利《き》かせた内臓の煮物がことのほかうまかった。

島波院長はクリニックをでるといっさい仕事の話をしなかった。俊也の気は急《せ》いていたが、無理に営業をかけようとは思わない。先ほどはたまたまうまくいった。だが、島波はひとつ言葉の選択を間違えるだけで、目の前にいる人間を完全に無視することがあった。

カウンターでグラスを空けながら、島波は誰かと盛んに短いメールのやりとりをしていた。俊也はナギのことを思いだしたが、自分はスマートフォンにふれなかった。ここは島波の機嫌を損ねるようなことをするわけにはいかない。俊也は集中していたので、まったく酔わなかった。

夜十時すぎにレストランをでると、島波は目黒通りにむかって歩いていく。昼はまだ三十度ほどあるが、さすがに夜風は秋になっていた。乾いた風がジャケットの裾《すそ》をふわりと乱して背中に抜けていく。

「今夜は空いてるんだよな。もう一軒つきあってくれ」

振りむくこともなく島波がいった。

「はい」

空車のタクシーばかり走っている淋しい通りだった。渋谷からすこし離れるだけで、街はほとんど無人になる。俊也は島波に続いて、タクシーに乗りこんだ。

六本木の交差点を過ぎて、ふたつ目の信号でタクシーは停車した。先ほどのタパスも運賃も支払いは俊也だった。営業経費はいくらでもつかっていいと小宮山課長からいわれている。島波は妙に焼肉とステーキハウスが多い路地に曲がっていく。

「ここだ」

地下におりる階段は赤い照明がともり、冷えてゆっくりと固まっていく火口のような雰囲気だった。店内にはいると、自分の手の先がようやくわかるほどの暗さだ。壁と天井は沈んだ赤だが、あちこちに透ける素材の黒いカーテンがさがっていた。広いフロアに点々と黒い柱が立っているようだ。柱のなかではカップルが静かに酒をのんでいる。BGMはざわざわと不安を誘うような音楽だった。ドビュッシーの交響詩だったかもしれない。波紋のようなメロディの欠片《かけら》を、俊也は覚えていた。蝶《ちょう》ネクタイをつけた中年の店員に島波がなにか囁《ささや》いた。

「こちらへ、どうぞ」

フロアの奥の一段と太い布の柱に連れていかれる。店員がそっと声をかけた。

「お連れのお客さまがいらっしゃいました」

店員がカーテンを引くと、なかは円形の黒いソファだった。闇《やみ》を吸いこむような素材はベルベットだろう。そこに若い女が座っていた。黒のミニスカートに黒い髪。一瞬ナギと見間違えて、俊也は声をあげそうになった。

「伊藤くん、お先にどうぞ」

島波は女を無視して、俊也をソファの上席にとおした。店員がいってしまうと、若い女が床にひざをついた。俊也は三つ指をつく女性を生まれて初めて目撃した。若い女は輝くような太ももをミニから晒《さら》したまま、島波と俊也にていねいに頭をさげたのだ。

あっけにとられていると島波がソファに腰をおろした。俊也も浅く座る。初対面の、しかも三つ指をついた女性のまえで居心地が悪くてたまらなかった。島波はテーブルのメニューを手にとって開くと、誰にともなくいった。

「オットマン」

足のせ用のスツールのことだろうか。若い女は島波の前で四つん這《ば》いになった。島波はあたりまえのようにイタリア製の革靴をはいた足を女のくぼんだ背中にのせる。医師はすっかりくつろいでいるようだった。

「伊藤くん、シャンパンでいいかな。ここの店はわたしのおごりだ」

「……はい」

島波は人を呼ぶと、ヴィンテージのシャンパンを注文した。最後にグラスはふたつでいいという。蝶ネクタイの店員はスツール代わりにされた女性を見ても顔色をまったく変えなかった。

フルートグラスを打ちあわせると、医師はいった。

「これには同情も気兼ねもいらない。なんなら、伊藤くんも足をのせたらどうだ」

島波は女の背中にのせた足を組み替えるとき、わざとつま先で脇腹《わきばら》を突いた。びくりと一度身体を震わせたが、女はまた元の家具にもどった。

「いえ、わたしはけっこうです」

「きみはまだ若いから、こういう遊びには慣れてないんだな」

それは年齢の問題だろうか。島波は生まれついてのサディストに見える。

「さっきいった等価交換の話、わたしは本気だよ」

九桁《けた》の額になる医療用画像診断装置と同じだけの値打ちをもつ対価。俊也には医師の言葉の意味がまるでわからなかった。自分の命なら、生命保険に加入すればそれくらいの金にはなるかもしれない。だが、いくら島波がサディストでも、俊也の命など求めないだろう。

黙っていると、島波がシャンパンを口にしてからいった。

「ZEの以前の担当は、趣味があう、なかなか話のわかる男だった。若いのにいいセンスをしていたんだ」

この男のいういいセンスとはなんだろうか。なんにせよ落ちこんでいる営業成績をあげるためには、島波のいうことをきくしかない。

「新しい担当者は仕事はできるらしいが、ひどくお堅い男でね。彼の前ではこんなふうに人間オットマンなどできやしないんだ。伊藤くん、きみが驚いたのは最初だけだろう？」

そういえば、いつの間にかものをいわない女性の存在に慣れていた。どちらかというと、島波よりも女性のほうに感情移入している。ずっと四つん這いでいるのは肉体的にはつらいかもしれない。けれど、彼女のなかには別な種類の満足感があることだろう。ナギにいたぶられるのに慣れた俊也は、無視や不自由や理不尽な命令が生みだす快楽を理解し始めている。

「……そうかもしれません」

この手の秘密クラブめいた場所にも、ナギに連れられて何度か足を運んだことがあった。

「ZEの新しい営業マンは、わたしの取引相手としては不十分なんだ。このふた月ほどきみを観察していてよくわかった。伊藤くんはわたしと同じ種類の人間だよ。なにか人にいえないうしろ暗い快楽を抱えながら生きている」

ナギとの、恋愛ともセックスだけともいえないような関係をずばりと指摘された気がして、俊也の背筋に震えが走った。

「昼の世界はすべて嘘で、夜起きる出来ごとだけが真実だ。そんなふうに思っているんじゃないかな。きみは熱心な振りをして、わたしのところにかよっていたが、いつだって仕事などどうわの空だった」

黒いカーテンを背景に島波が笑うと、悪魔が気の利いた冗談でも思いついたように見えた。俊也はまだ若かった。世間にうまく隠していた秘密をえぐられ、島波にすべてを見抜かれたように感じてしまう。

「先生、わたしはそんなふうに見えていましたか」

島波はまた悪魔の笑いを浮かべた。

「だいじょうぶだ。同じ種族の者にしかわからない。ほかの凡庸な昼の人間には、わたしたちのことはわからないものだ」

ナギと出会って、吸血鬼にかまれた人間のように闇の眷属《けんぞく》になったのだろうか。そういえば、春の終わりから地獄めぐりでもしているような欲望のジェットコースター状態が続いている。島波は満足げに微笑《ほほえ》んだ。

「心配はいらない。きみに悪いようにはしない。ただわたしとことんつきあうというのなら、きみにとって一番大切なものをさしだしてもらう。それがなんなのか、これからゆっくり考えさせてもらおう」

医師はそういうと、馬でも蹴《け》るように若い女の背中を突いた。

「おい、ごほうびだ」

口一杯にシャンパンをためると、女の前にしゃがみこみ、口移しで流しこんでいく。女はごくごくとのどを鳴らし、のみほした。

「あの、姿勢を変えてもいいでしょうか。手がしびれてきたので」

若い女性の声はアナウンサーのように低くよくとおった。島波は手首の返しだけで、ぴしりと女の頬を打った。

「若い友人の前で、わたしに恥をかかせるものじゃない。謝りなさい」

女は再び三つ指をついて額が床にふれるほど頭をさげた。

「もうしわけありませんでした、伊藤さま」

俊也はどうこたえていいのかわからなかった。

「……はい」

女は島波にも同じように頭をさげると、先ほどとまったく同じ姿勢でオットマンにもどった。島波は満足したようで、新しいシャンパンのボトルを注文した。

## 34

二通の脅迫状とストーカーの存在は、俊也の生活を変えてしまった。マンションをでるとき、駅にむかう途中、電車に乗りこむとき、会社にはいるとき、営業の立ち回り先……。移動の局面では必ず周囲を見回し、怪しい尾行者がついていないか確認するようになった。

われながらパラノイアのようで自嘲《じちょう》することもあるのだが、あの切手のない手紙と盗撮写真の実在は疑えなかった。

ときには一度乗った電車を発車直前におりて、自分を追って誰かがホームに飛びださないか確認したりする。突然タクシーを停めてワンメーターだけあてもなく利用したり、見晴らしのいいカフェで自分に続いてはいってくる客を注視したりもする。いつでも誰かに追われているのではないかという恐怖を心から追いだすことができなくなっていた。

ナギにも尾行には注意するようにいっていた。俊也が追跡者をまいて、デートにむいても、ナギに尾行がついていたら結果は同じだ。また脅迫の種をにぎられることになる。だが、ナギは俊也ほどストーカーを気にしていないようだった。季節が変わっても、あい変わらず露出の多い服装でやってくる。あれほど多くの黒い服をいったいどこで買っているのだろうか。ナギの服は光を吸いこむ暗い色だが、胸や脚の露出はステージダンサーのように派手だった。

九月もなかばを過ぎたころ、俊也はナギと待ちあわせをした。場所はなぜか浅草だった。灯の消えた深夜の仲見世は、昼間のにぎやかな参道とは別な顔をしている。独房が果てしなく立ち並ぶ獄舎の回廊のようだ。

ナギは約束の時間に三十分遅れて、遠い浅草寺《せんそうじ》の明かりを背に幽霊のようにふらふらとやってきた。俊也は黒ずくめの魔女でもあらわれたのかと、一瞬目を疑った。先のとがった黒のニットキャップを目深《まぶか》にかぶっていたせいだ。

「お待たせ」

顔を横にむけたまま、吐き捨てるようにナギはいった。

「どうしたの、その顔」

暗くてよくわからないが、ナギの顔がゆがんでいるように見えた。さっと俊也のほうをむくと、ナギはちいさく叫んだ。

「今夜はこれから絶対に、わたしの顔のことはいわないでね。そうでないと、今すぐ帰るから」

そういうナギの顔の左半分は、腫《は》れて内出血を起こしていた。誰かになぐられたのだ。それも右利きの男に、有無をいわさぬ暴力を受けたのだ。

俊也は顔の痣《あざ》について黙っているために、血がにじむほど唇をかんだ。

デートの始めから、ぎこちない会話になった。顔にひどい青痣をつくったナギのとなりを歩いているのに、決して傷についてふれてはいけないという。人どおりがすくない夜の仲見世でよかった。ナギはうつむき、俊也に顔の左側を見せないように、ゆっくりと確かめるように足を運んでいる。秋風が吹く参道の先に、幻のような本堂が燃えあがる朱色に浮かんでいた。

「これから、どうするの」

俊也は東京の東側をよくしらなかった。ナギは話しぶりからすると山の手の生まれのようだが、妙に下町に詳しい。

「バーにいく。浅草寺のむこう側」

ナギは目をふせたままため息をつき、短く笑った。

「なんだか、馬鹿みたいだね。ほんとは人のいない仲見世で、俊也をおもちゃにするつもりだったのに。ぜんぜんそんな気分じゃなくなっちゃった」

自分以外の男となにがあったのだろうか。のど元まででかかった質問を、なんとか抑えた。ナギの丸まった背中と灯の消えたような目が哀れだった。薄い肩を抱こうとして腕をあげると、ナギはとっさに顔をかばい、両手で頭を抱えた。誰かに手ひどくなぐられたばかりなのだ。恐怖は俊也が相手でも簡単には消せないのだろう。両手の指のあいだから、俊也を見あげる視線が悲しかった。

「……ごめんね」

俊也は静かに腕をおろした。切なくてたまらなくなる。

「いや、こっちこそごめん。急に動くなんて、今のナギには無神経だった」

ナギの表情が一瞬で変わった。腕を開き、身体全体をぶつけるように俊也に飛びついてくる。

「きみはそういうとこ、かわいい」

なめるように隙間《すきま》なく顔にキスをされた。俊也は最初に会った渋谷の午後を思いだしていた。地上にあがる階段の途中で、いきなり頬をべろりとなめられたのだ。電気が走ったようだった。あのときから自分はナギの自由さに魅せられたのかもしれない。

「なんだか元気がでてきた」

ナギは笑顔になると、痛いといって左目を押さえた。よく見ると白目が充血して赤くなっている。血のなかに黒い瞳《ひとみ》が浮かんでいるようだった。視力が落ちたりしていないだろうか。

「ねえ、病院にいってちゃんと診てもらいなよ。視神経は傷つきやすいんだよ。なんなら、ぼくがいい医者を紹介するから」

腕のいい医者なら何人もしっていた。知人から紹介を頼まれる機会も多い。

「だいじょうぶ。気合とアルコールで治すから。さあ、いこう」

そういうとナギは抱えこんだ俊也のひじに、柔らかな胸を潰《つぶ》れるほど押しつけてくる。俊也は黙りこみ、ナギに引かれるまま浅草寺にむかった。


こちらも暗いバーだった。

島波とナギは趣味がよく似ているのかもしれない。浅草寺本堂の裏手にある雑居ビルの二階で、階下では外国人むけの派手な着物や模造刀がショーウインドウに飾られていた。「切腹」とか「萌《も》え」とおおきくプリントされたTシャツは誰が買うのだろうか。

店内はL字型のカウンターがあるだけで、奥には狭いフロアにふさわしくないほど巨大なJBLのスピーカーがおいてある。島波といったクラブがクラシックなら、こちらには古いソウルミュージックが流れていた。マーヴィン・ゲイがセックスによる癒《いや》しを猫なで声でうたっている。プレイボーイで有名だった歌手は結局、実の父親によって射殺されている。天才の死にかただった。

ナギはいつものようにスコッチのオンザロックだ。ナギほど酒に強くない俊也は、同じ銘柄のソーダ割を頼んだ。炭酸の酸《す》っぱさが爽《さわ》やかで悪くなかった。俊也が顔の傷についてふれずに三十分も話していると、ナギは自分から語りだした。酔ったせいか、笑うと痛いといっていたのに顔がにこにこと笑っている。

「いや、この前の男が最悪だったの」

「そう」

まったく感情を交えずに返事だけした。別な男の話でいちいち嫉妬《しっと》していたら、ナギとはつきあえない。

「もう俊也は冷たいんだから。セックス抜きでこんなに何度も会って、長い時間いっしょにいるのは、俊也だけなんだよ」

うれしかった。身体の奥にアルコールとは別な酔いが生まれそうだ。ナギはつぎの瞬間には、「この前の男」の話を始めていた。

「ネットで出会った人なんだけど」

俊也の声が厳しくなった。

「ナギはまだネットなんかで男を探してるのか。危ないから止《や》めろって、何度もいったじゃないか」

ネットの出会い系には、人の心や欲望そのものと同じくらい深く暗い闇が広がっている。無数につながれた端末の先に、どんな怪物が待っているかわからなかった。この人はそこで綱渡りの危険なスリルをたのしんでいる。顔の左側の痣を見た。青黒い痣は頬骨と目の周りを囲むように広がり、周囲が黄色くなっている。ナギは黙って、オンザロックを飲んでいるだけだった。

「以前にも一度、男に襲いかかられて、怪我《けが》をしたことがあったよね。どうして、そんなむちゃを繰り返すんだ。ぼくはナギを心配してるんだ。このまま続けていたら、いつかもっとひどい目にあうかもしれない」

ナギはグラスに指を入れて、丸く削った氷の塊をくるくると回転させていた。

「なんとかいってよ」

グラスのなかをのぞきこんだままナギはいった。

「わたしは、あの日から壊れてるんだよ。俊也みたいに健康な人は、ほんとはわたしなんかとつきあってちゃいけないんだ」

あの日とはいったいいつのことだろう。疑問が俊也の頭の隅をかすめてとおり過ぎたが、すぐに返事をしていた。悲しいのと同じくらい腹が立ってたまらなかった。

「そんなことをいってるんじゃない。出会い系は危ないから、あんなところで男漁《おとこあさ》りをするのはやめてくれっていってるだけだ。それがどうして、健康とか壊れてるなんて話になるんだよ」

ナギはグラスをもつと、底をがつんとカウンターに叩《たた》きつけた。

「もう、うるさい」

視界にはいらない場所に隠れていたバーテンダーが顔をだした。ナギは同じものをもう一杯と注文する。にらみつけるように俊也を見あげて、低い声で一気にいった。

「あなたと会ってから、この何カ月かのあいだで、わたしは二桁の男と寝てる。俊也もあいつらと同じようにすればいいんだ。わたしも男たちを利用する、あいつらもわたしを利用する。それでフィフティフィフティで、借りも貸しもなし」

傷つけられ、肩で息をしている姿は縄張り争いに敗れた野良猫《のらねこ》のようだった。目ばかりぎらぎらと光らせている。左目は充血して真っ赤だが、俊也はそんなナギが切ないほど愛《いとお》しかった。

「いい、俊也、あなたも都合よくわたしをつかえば、それでいい。わたしの未来なんて、どうなってもいいんだから、心配なんて余計なお世話だよ」

手を伸ばせば届く距離にいるのに、言葉さえナギには届かなかった。ナギは全身の毛を逆立てて、これ以上近寄るなと警告している。俊也も声のボリュームをさげ、囁くような早口でいった。

「だったら、なぜ、ぼくだけ特別あつかいをしてるんだ。何度会っても寝ようとしないよね。いきずりのやつらと違って、もう数えきれないくらいぼくたちは会ってるだろ。食事もしたし、酒も飲んだ。ナギだって、ほんとは道具として利用されるだけじゃ嫌なんだろ。だから、こうして街を歩いて、何時間も話をしてる。ぼく以外に誰かナギの話を心からきいてくれるやつはいるのか。どんな相手とどれほどひどいセックスをしててもかまわない。でも、最後はここだろ」

俊也はジャケットの上から、そっと左の胸を二度叩いた。あっけにとられたナギが、厚い唇を半分開いて、見つめてくる。ふっとため息をつくように笑うと、ナギの肩から力が抜けていくのがわかった。

「今のは、ちょっと効いた。普通の女の子だったら、ころりと落とされたかもしれない。でも、わたしは空っぽで、ゼロだから。わたしには意味も価値もない。俊也にそういってもらえるのは、ほんとにうれしいよ。だけど、止められないから」

ナギは自分自身をあざ笑っているようだった。淡々と続ける。

「へへへ、ネットででたらめに男を釣ってたら、命の危険があるなんて、よくわかってるよ。まともな顔して昼は仕事してる男が、悲鳴がでちゃうくらいどろどろの変態なんて、もうしょっちゅうだから。でも、そんなことがわかってもどうしようもないんだ。夜になるのが、毎晩怖くてしかたない。ひとりでいたら、叫びだしそうに怖い。

だから、しかたなく毎晩男を交換してるんだ。男はキャンドルみたいなもんだね。明かりが消えたら、闇に押し潰されるよ」

俊也はカウンターにのせられたナギの手をとろうとした。ナギはさっと引っこめてしまう。まだこの人の神経は逆立ったままだ。

「今のナギに必要なのは、男でもセックスでもなく、病院だよ。きちんとしたところで、話をきいてもらったほうがいい」

俊也にはどうすることもできなかった。ナギは常軌を逸している。男好きとか、奔放とかいう段階ではなく、すでに心の病だった。ナギの表情は能面のように硬い。目には奇妙な光がある。血の色を背景に光る瞳には、吸いこまれるような魅力があった。

「心療内科、カウンセラー、被害者の会……そんなとこなら、もう何度もいってるよ。心の薬だって、今ものんでる。でも、どうしようもないんだ。わたしの病気は治らない。夜は恐ろしいまま。いつか、俊也もあきれてわたしから離れていくよ」

L字型のカウンターの角にふたりは席をとっていた。その場に座ったまま、ナギがどこまでも遠くにいってしまうようで、俊也は悲鳴をあげそうになった。この人をひとりにしておいてはいけない。といって、縛ることもできない。俊也は自分がすすむことも、退くこともできないのだとそのとき気づいた。学生時代から何人かの女性とつきあってきた。みな頭もセンスもいい子ばかりだった。けれど、恋愛の深さや恐ろしさを、ナギほど見せてくる相手はいなかった。

俊也もナギも黙りこんでしまった。暗いソウルバーの店内を埋めるのは、バリー・ホワイトの巨体から放たれるバスだった。死んでしまったバリーは「きみが最初で、最後のマイ・エブリシング だ」とカウンターまで震えるような低音でうたっている。

俊也はぼんやりと考えた。最初のほうは確かに歌のとおりだ。けれどナギはほんとうに、最後の自分のすべてになってくれるのだろうか。

グラスのなかでぷつぷつと炭酸の泡がはじけていた。俊也も同じものを、隠れて息を殺すバーテンダーに注文した。

終電がなくなった浅草の夜は、人通りも絶えていた。電柱にさげられた造花の鮮やかな花びらが風に揺れている。俊也はそれとなく周囲を観察した。尾行を心配していたのだ。

ナギは俊也の腕を抱えると、元気よく歩きだした。

「ねえ、この先に割と新しいラブホテルがあるんだ。わたしから提案がひとつある」

どうやら怪しげな人間はいないようだった。自動車も停まっていない。すこし離れたところに大声をあげる四人組の会社員がいるだけだ。

「えっ、なに？　提案？」

俊也はナギの話をよくきいていなかった。なぜかそういうときに限って、ナギは重要なことを話す癖がある。

「そう、提案。どっちか好きなほうを、俊也が選んで。これからホテルにいって、朝まで馬鹿みたいにセックスする。それでお別れ。もう二度と会わない」

俊也はごくりと唾《つば》を飲んでいった。

「もうひとつは？」

「このまま夜明けまで歩いて、ずっと話をする。蛇の生殺しのまま」

「その場合は、つぎのデートもあるんだよね」

「そう。それで俊也は不幸になる。わたしの不幸の病気がうつるんだよ。なんてったって、わたしって呪《のろ》われてるからさ」

ナギはそういうと、うししと子どものように笑った。俊也に迷いはなかった。

ナギの頭のつむじにキスをする。女らしい汗の匂いがした。

「だったら、どんな話でもきくよ。このまま足が棒になるまで歩こう。ナギといっしょに歩きたいんだ」

秋の夜風が心地よかった。終わらないように思えた夏も、いつかは終わる。ナギが苦しみや病から、いつかは解放される日がくるだろう。しゃりしゃりと電柱の造花が風に鳴っていた。

「それは今夜だけって意味じゃない。この先もずっと、できたら一生ナギのとなりを歩いていきたい」

足を止めると、ナギは呆然《ぼうぜん》として、俊也を見つめていた。

「なにかへんなことをいったかな」

ナギはシャッターのおりたアーケード街を数歩、踏切板にむかう体操選手のように駆けて、俊也の胸に飛びこんできた。ぶつかるように押しつけられた唇はすぐに開いて、舌が荒々しく俊也の口のなかに侵入してくる。一瞬、尾行や盗撮を心配したが、濡《ぬ》れた舌の熱さに俊也はすぐ夢中になった。舌を絡《から》める長いキスになった。目を閉じて造花の揺れる音をきいていると、自分も原色の花びらになった気がして、俊也はいつまでもナギの身体を抱いていた。

## 35

翌週のランチタイム、俊也は誠司と中目黒の餃子《ぎょうざ》専門店にいた。営業はツープラトンの態勢にして、島波からの要望には最速最短でこたえる。小宮山課長の方針は明らかだった。営業二課の総力をあげて、島波修二郎を落とすのである。

「ここの餃子、なかなかいいよな。ニラとニンニク抜きっていうのが選べるあたり、外回りの営業には助かるよ」

誠司は朗らかだった。ナギとの関係に悩み、島波には神経をつかうので、俊也は疲れていた。チームを組んだのが、誠司でよかった。この男にはいっしょにいる人間をくつろがせる不思議な力がある。

「だけど、おまえも相当な変態だな」

誠司が笑って、餃子を口に運んだ。

「なんでだよ」

同期相手なので、口のききかたもぶっきら棒なものだった。

「だって、彼女、おまえとつきあい始めてからも二桁の男とやったんだろ。普通の若い男だったら、とっくに切れてるよ。俊也のMも相当なもんだな」

自分でもそのあたりがよくわからなかった。嫉妬は確かにある。だが、ナギと会っているときには、そんな気もちがまるで湧《わ》いてこないのだ。

「ほんとにMなのかなあ。相手をありのままに受け容《い》れてるって感じなんだけど」

「いや、だから普通の男じゃ、その彼女はありのまま受け容れられないって。おまえはある意味エラいよ」

誠司にからかわれている気がした。俊也は口をとがらせる。

「どういう意味だよ」

ニンニク抜きの餃子をもうひとつたべて、誠司がいった。口元は笑っているが、目は意外なほど真剣だ。

「壊れた女の人は、こんな時代だからたくさんいるだろ。そういう女性も誰かが、相手をするっていうか、愛さなくちゃいけない。俊也みたいに受けが強い男って、これから案外もてるのかもしれないな。そう思ったんだ」

メンタルに問題を抱えた無数の現代女性たち。俊也は店の反対側でにぎやかにランチをたのしんでいるOLたちに目をやった。昼は明るく働いていても、夜は恐怖に震えている。あるいは自分自身も怪物になる。そんなたくさんの男と女のことを想像してみる。自分の生きているこの時代は、なんておかしな時代なのだろう。大声で笑うか、隠れて泣くか、ほかにどんな顔をすればいいのかわからない。

テーブルの上においてある俊也のスマートフォンが鳴った。島波院長からだった。

「ああ、伊藤くんか」

俊也は餃子の残りをのみこんで返事をした。

「はい」

「今だいじょうぶかな。食事中かね」

俊也は同期を見た。誠司も緊張しているようだ。

「いえ、もう終わりました」

「だったら話は早い。今どこにいるんだ？」

「中目黒です」

「そうか、ならば十五分できてくれ」

島波にはどんな要望にも最速最短で応じるのだ。俊也は意気どんでいった。

「先生こそ、今どちらですか」

「目黒だ。エンペラーというホテルはしっているな。そのまえに停めたメルセデスのＲＶで待っている。すぐにきてくれ。これは重要なビジネスだ」

「わかりました」

俊也は通話を切った。昼食の途中だが、タクシーでも十五分ではぎりぎりだった。千円札を一枚おいていった。

「呼びだしがかかった」

「どこだ」

「目黒エンペラー」

誠司が目を丸くした。

「そいつはラブホじゃないか。あそこのＳＭルームは有名だぞ」

「わかってる。仕事だ」

俊也は黒いバッグをさげて、店を出た。外では夏のような太陽が、空の中央でぎらぎらと熱を放っていた。

## 36

そこは赤い部屋だった。

床も、壁も、天井もぬめるような赤い塗料で塗られている。部屋の中央におかれた分娩台《ぶんべんだい》のような装置と壁に張りつけられた十字架だけが黒だった。十字架の横木の両端から黒いチェーンと手錠がさがっている。赤と黒の処刑用の部屋だ。

なにより強烈な違和感があるのは、赤い部屋の隅にある便器だった。床に埋めこまれているのはステンレスの和式便器で、まわりを囲む目隠しはない。そこでほかの人間に見られながら用をたせというのだろうか。

目黒にあるラブホテルのＳＭルームで、俊也は圧倒されていた。この秋流行のツイードのジャケットに、ニットタイを締めた自分だけが、別な宇宙《ほし》からやってきたようだ。こちらの世界は赤と黒だけでできた異空間だった。

「どうしたかね？　こういうところは初めてかな」

いつもよりかん高い島波院長の声が不気味だった。クリニックではめったに笑うことがない島波が、にやにやと頬をゆるめている。薄手の黒い革シャツに、ブラックジーンズ姿だ。

分娩台には、六本木の店で人間オットマンになっていた女性が、下着姿で両手脚を拘束されていた。太ももは九十度ほどの角度に開かれ、つま先は宙に浮き、赤い天井をさしていた。目隠しは赤い布だ。俊也はまだこの人の名前さえしらない。

「ええ、あまり縁がなくて……」

ナギとハプニングバーや秘密クラブには足を運んだことがあった。けれど、ふたりがラブホテルで選ぶ部屋は通常のものばかりだった。

「悪くないだろう。少々ショックは受けているようだが、伊藤くんはもうここの空気に順応している」

そうなのだろうか。自分が島波のような怪物たちにどんなふうに見えているのか、俊也にはよくわからなかった。ここでもう引き返したほうがいい。頭のなかでは警報に似た声が響いていた。なぜか足が動かない。

「先生はわたしになにをさせたいんですか」

島波は分娩台の脇に立ち、名前をしらない女性のひざから黒いショーツのクロッチ際《ぎわ》まで、すっと指先で撫《な》でた。女性が全身を震わせる。気もちがいいのだ。ナギに同じようにされたことのある俊也には、その反応の意味がよくわかった。

「きみには、この女を犯してもらいたい。それが仕事だ」

「どういう意味です？　だって、彼女は先生の……」

ガールフレンド？　愛人？　どう呼んだらいいのかわからない。人間オットマンになり、同じ姿勢で二時間も耐えていた姿を思いだした。

「……もちものでしょう？」

俊也は汗をかいていた。のどが渇いてたまらない。島波が獰猛《どうもう》に笑った。

「そうだ、もちものというのは正解のひとつだな。好きなようにおもちゃにして欲しいという依頼は受けている」

女性からは返事がなかった。こんな会話をきいていて、なにも感じないのだろうか。胸にはうっすらと細かな汗の粒が浮いている。女性が首を横に振ったので、俊也にもわかった。この人は目隠しだけでなく、耳に栓をされている。目が見えず、耳がきこえない状態で、黒い分娩台に縛りつけられているのだ。島波は日焼けした顔に深いしわを刻んだ。笑ったのかもしれない。

「今の彼女には、誰が自分をさわったのかさえ、わからない。当然、誰が犯したのかもな」

島波は手を伸ばし、それほどおおぶりではないが形のいい左の乳房を、ブラジャーを押しさげてさらした。

「わかるかな、これからがわたしときみとの仕事のほんとうの始まりだ。そろそろより深い信頼にもう一段おりていく時期だと思わないか」

アンチエイジングラボの機種選定について話しているのだろう。初期投資で一億数千万円、毎年のメンテナンス、記憶装置の増設、将来的な買い替え需要……長い目で見れば、十億円単位の売上が見こめる。俊也は気づかれないようにつばをのんでいった。

「なにをすればいいんですか。もう一度お願いします」

声がかすれてしまった。

「なあに、別にむずかしいことじゃない。この女を犯してもらいたい。ただそれだけだ」

島波が乳首をつまんだ。やさしくもみほぐしていたかと思うと、最後に強く指先をひねった。女性は悲鳴をあげた。耳栓のせいで想定していたよりもおおきな声になっている。

「わたしが見ていたら、役に立つようにならないというのなら、最初のうちは席をはずしてもいい。この女とできるかね」

俊也は自分が追いつめられたことをしった。業務上のプロフィットを考えると、ここで逃げだすわけにはいかない。けれど、俊也にもモラルはある。相手が自分を誰であるかしらない状態で、見ず知らずの女性と性交することには、強いためらいがあった。島波というもうひとりの男の存在もある。

「その人はぼくとセックスすることを認めているんですか」

島波は手を打って、笑った。

「そんなことを教えたら、たのしいゲームにならないだろう。彼女はいつものようにわたしとプレイしているつもりなのだ。こんなふうな形で、一時間も放置しておくことなどざらにあるからね」

島波はショーツのなかに手をさしこんだ。眉《まゆ》をしかめていう。

「期待と興奮でもう濡らしている。さあ伊藤くん、準備をしなさい。この部屋からなにもせずに帰るというのなら、機種選定のコンペにきみの会社は呼ばれない」

俊也にとって死刑宣告と同じだった。しかたなくうなずく。

「わかりました」

のろのろとジャケットを脱いで、ネクタイをゆるめた。裸になる気にはなれなかった。肌着のTシャツとボクサーパンツ、靴下に革靴姿で、呆然と分娩台のまえに立つ。奇妙なのは、この場から逃げ出したくてたまらないのに、ペニスが半分硬直していることだった。

「ほう、わたしが近くにいても、きちんと立つんだな。ほとんどの男性は、自分以外の同性の存在に最初のうちはひどくナーバスになるものだが。そのままできそうかね」

「……ええ、なんとか」

「では、これを」

コンドームだった。ホテルにそなえつけの安ものではなく、ポリウレタン製の高級品だ。

「こう見えて、ほかの男に彼女を抱かせるときは、こういうものを使用する約束になっているのだ」

この人は約束に対して、ひどく律儀《りちぎ》なところがあるようだ。ここで念を押しておいたほうがいい。コンドームを受けとると、俊也はいった。

「先ほどのコンペの話、よろしくお願いします」

島波はいつもより高くやさしい声で返事をする。

「わかっているよ」

俊也は島波に背中をむけて、ボクサーパンツのまえ開きからだしたペニスにコンドームを装着した。

「準備はできたようだね」

島波は男性器には興味がないようだった。ちらりと俊也のペニスを見ると、分娩台の横にしゃがみこんだ。俊也をいたずらっ子のように見あげて笑い、唇に人さし指をあてる。黙っていろというつもりだろう。

それから女性の左の耳をなぞるようになめ始めた。肩から背中にかけて、砂を撒《ま》いたように鳥肌が立つのがわかる。女性は腰をうねらせた。名前をしらない相手に、俊也はペニスを最大限に硬くした。島波は指先でつまむように、そっと耳栓を片方だけはずした。耳元で囁《ささや》く。

「おまえはこのまえ、わたしの意思に逆らったな。今回は罰を用意した。渋谷駅のガード下で酒をのんでいたホームレスの男を連れてきた」

悲鳴があがった。島波は耳の穴に舌をいれていった。

「静かにしなさい。いくら声をあげても、外にはきこえない。ここのホテルの壁の厚さは、おまえもよくわかっているだろう」

女性は拘束を逃れようと、必死で身体《からだ》をねじっている。両手首と両足首をきつく縛った黒革のベルトは、まったくゆるまなかった。島波は舌なめずりをしそうな調子でいった。

「男の年齢は六十歳プラスマイナス二歳、髪は白髪まじりの長髪だ。古いカーペットのようにごわついて、波を打っている。顔は日焼けと酒焼けで真っ黒だ。上下の前歯が三本抜けている。歯磨きの習慣がないのだろうな」

島波が目くばせをよこした。キスをしろというのだろう。ここはいくしかない。俊也は覚悟を決めて、上体を倒していった。のけぞるように女性が身体を逃そうとする。俊也は身体に触れないように注意しながら、唇をかすめるようなキスをした。女性は必死に唇を結んで、舌をいれられるのを拒絶している。鼻息だけでむーむーと声をだしていた。きっとやめて、やめてと叫んでいるのだろう。

島波は愉快そうにいった。

「おや、この男はなかなかいいものをもっているな。コンドームはあまり好きではないそうだ。若い女性とするのは、二十年ぶりだといっていた。欲しいか、おまえ」

恐怖のせいか声をあげることもできなくなっているようだ。女性は左右にぶんぶんと首を振った。島波は耳の穴に直接言葉を送りつけるように囁いている。

「これは罰なんだ。おまえに拒否権などないんだよ。さあ、やれ」

最後の命令は俊也にむけられていた。視線だけで何度も島波は俊也に挿入をうながしてくる。女性は腰をねじって逃げようとしていた。贈収賄《ぞうしゅうわい》や汚職を迫られた普通の会社員はこんな気分なのかもしれない。不能になっていればいいのに、俊也のペニスは本人の意思とは無関係に硬直したままだった。

「おや、そうだった。おまえの下着を脱がすのを忘れていたな。動くなよ、肌に傷はつけたくない」

島波は立ちあがると、ブラックジーンズのポケットからちいさな折り畳みナイフをとりだした。ぱちんっと音を立てて、ブレードを開く。女性の黒いレースのショーツの腰骨の部分を切った。おむつでもはずすように、ショーツを開いた。濃厚な女性器の匂《にお》いが夏の海辺のようだった。俊也は島波の肩越しに目撃した。クロッチの部分はべたりと濡れて、性器まで光る線で結ばれている。この人はこんな状況で、でたらめに興奮していたのだ。島波は元の位置にもどり、女性の耳たぶを甘噛《あまが》みした。

「準備は整った。おまえも彼もな。わたしの優秀な生徒なら、きちんとお願いできるだろう。犯してくださいといいなさい」

最初はききとれないほどのちいさな声だった。

「……犯して」

島波はすこしも焦《あせ》っていなかった。

「きこえないな」

「……犯して、ください」

ちらりと俊也を見あげて、島波は勝ち誇った顔をした。

「心をこめていいなさい。二十年ぶりのセックスで、このホームレスはおまえが欲しくてたまらないんだ」

「お願いします……犯してください」

島波がうなずいた。俊也は女性の腰に手をかけて、ペニスの先端をあわせた。ほとんど腰をすすめる必要もなかった。ずるずると呑《の》みこまれるように全長が女性のなかに消えていく。驚くほどの熱さだった。快楽があるのか、ないのかさえわからない。俊也はなるべく早くこの時間を終わらせようと、全速力で腰をつかった。女性の顔はなるべく見ないように、顔を横にそむけておく。

「その調子だ。いいぞ」

島波がどこか遠くでそういっているのがきこえた。そのとき女性の声に甘えるような響きが乗っているのに気づき、俊也は動きをとめた。この人は感じているのか？

島波が鋭くいった。

「どうした、休むんじゃない」

俊也が腰をとめても、分娩台の女性は腰を前後に振っていた。合成皮革のシートには丸い染《し》みができている。俊也はもう迷わなかった。思い切り腰を振る。ナギと出会ってから、初めての性交だった。ナギにはまだ挿入はしていない。女性はもう隠すことなく嬌声《きょうせい》をあげている。

急速にクライマックスが迫ってきた。俊也も首を振って、島波に限界を告げる。うなずいていった。

「父親よりも年上のホームレスに犯される気分はどうだ。そろそろいきそうだといっている。おまえはどこにだしてもらうのがいいんだ？」

女性の声は最初からはっきりときこえた。目隠しされた顔をあげていう。

「外で……外でお願いします」

「それはだめだ。それじゃ罰にならない。わたしの許しもなく、若い研修医と寝たんだろう」

「すみません」

島波の目はとろりと濁るように光っている。この男はおかしいのだ。自分はこんな男に命じられて、見知らぬ女性を犯している。

「わたしが怒っているのは、若い男と寝たことじゃない。許可を求めなかった点だ。つぎからはわかったな」

女性も追いつめられているようだった。何度もうなずいていった。

「気をつけますから、お願いです。外に」

島波が俊也に笑いかけてきた。

「この女のなかにたっぷりとだしてやりなさい」

いわれるまでもなかった。俊也はコンドームを装着している。腰の速度をあげた。エクスタシーの直前でペニスに芯《しん》がとおったのがわかった。女性はダメ、ダメ、ダメと叫びながら、腰を振っている。俊也は口のなかでつぶやいた。

「いきます」

「ダメ……わたしもいっちゃう」

女性が腹を波打つように痙攣《けいれん》させていた。赤い目隠しに涙がにじんでいる。俊也がゆっくりと腰を引くと、島波がやってきた。有無をいわさずペニスの根元をつかむと、コンドームをはがしてしまう。片手に避妊具をもち、分娩台の脇《わき》にしゃがんだ。

「いったのか？」

女性は息が荒いままうなずいた。

「気もちよかったけど……先生、ひどすぎます」

女性が泣き声を漏らした。島波は女性の頭を抱くと、顔中にキスをした。目隠しをはずしてやる。まつげが涙で濡れていた。女性は俊也を見ると、驚きに目をみはった。

「あなたは……」

安堵《あんど》の表情が浮かぶ。還暦のホームレスに犯される。イメージの落差のせいか、俊也に腹を立ててはいないようだ。もっともすべての元凶は島波院長だった。この男とつきあっているのだから、女性はすでに何度か似たような目に遭っているのかもしれない。

島波は笑いながら、片方だけ露出した乳房のうえに、だらしなく伸びた避妊具を斜めにおいた。ポケットを探っている。スマートフォンをだすと、名前もしらない女性の顔を何枚か撮影した。

「伊藤くん、ちょっとシャッターを押してもらえないかな」

あわてて半分うなだれたペニスをボクサーパンツにしまうと、俊也はスマートフォンをかまえた。女性はようやく息をつくゆとりができたようだった。Vサインをしている。島波も調子をあわせて同じサインをつくった。スマートフォンを受けとり、画像を確認する。

「今日の仕事はここまでだ。これでわたしたちの関係も、また一段深まったわけだな」

そういうことなのだろうか。島波院長の言動には読めないところが多すぎる。俊也はあいまいにうなずいた。

「はい、コンペの件、よろしくお願いします」

「ははは、そいつはパンツに染みをつけていう台詞《せりふ》じゃない。伊藤くん、もういってもかまわないよ」

　女性はまだ分娩台に拘束されたままだった。下半身はむきだしで、汗だくである。俊也は部屋の隅に服をもっていき、できるだけ早く身につけた。ネクタイは面倒なので締めなかった。服を整えている途中で、女性の甘い声がきこえた。振りむくと島波が女性とつながっていた。

　黒い革シャツの背中に声をかけた。

「お先に失礼します」

　島波院長は右手をあげると、俊也にVサインを送ってきた。その中指がぬめるように光っている気がして、俊也は赤い部屋のドアを開き、急いでラブホテルの暗い廊下に飛びだした。

## *37*

　営業会議のあと、俊也と誠司だけ残された。平たい筆で描いたような秋雲の窓を背にして、いつもの小宮山課長だけでなく、営業部長と営業担当の専務まで顔をそろえていた。三人とも表情は冴《さ》えない。上司がいるせいだろうか、課長の声は普段以上に真剣だった。効果を計るように重々しくいう。

「話はきいていると思うが、先月うちの担当する東京の南西地区で一件、東地区で二件のターンオーバーが新たに発生した。これはゆゆしき事態だ」

ライバルのアメリカ企業が円高ドル安を背景に、思い切った価格競争をしかけてきたという。日本の医療用画像診断装置のシェアの八割超を、ZEメディカルと俊也の会社が分けあっている。敵の得点はそのまま味方の失点だった。性能ではZEのほうにわずかだが、分がある。得意の価格優位性を失えば、ターンオーバーが重なるのも無理はなかった。営業部長の堀井が専務に目をやってからうなずきかけてきた。

「いいか、やられたらやり返せだ。営業部では全力で、つぎのターンオーバーを狙《ねら》っている。だが、今のところ伊藤くんのところしか有力な筋がない。島波クリニックは個人病院だが、経営状態も素晴らしく、院長は渋谷・目黒近辺の医師のリーダー的な存在だ。あそこをZEから奪うことができれば、おおきな楔《くさび》を打ちこめる」

専務は口元をへの字に曲げているだけだった。この人は親会社の重電メーカーから天下りしてきた、社長のイエスマンだという話だ。小宮山課長は前のめりだった。

「新しいアンチエイジングラボだけでなく、本体の島波クリニックまでターンオーバーできないのか。うちの機器はＺＥのストレージとも互換性があるだろう。今までの画像もちゃんと見られるんだ。両方まとめてとれれば、すごい戦果なんだが」

俊也は正直だった。新規に購入する分はともかく、クリニック本体の診断装置についで島波院長と話をしたことはない。

「そちらのほうまではちょっと手がまわりません。ただ新しい施設の機種選定コンペに、うちも呼んでもらえることが決定しました」

目黒のラブホテルでの一件のあとで、島波からは正式なゴーサインがだされていた。堀井部長がうなずいた。

「よくやった。あそこのコンペには、この十年ばかりうちは声すらかけてもらっていないからな」

小宮山が誠司にいった。

「益田くんのほうは、どんな調子だ」

誠司はちらりと俊也に目をやると、頭をかきながらいった。

「今はこいつの補佐にまわってます。伊藤は島波院長にひどく気にいられていて、わたしがクリニックに顔をだすといい顔をしてもらえないんです。今は伊藤をクリニック専業にして、ほかのクライアントをわたしのほうで手当てしています」

俊也は感心していた。営業部で現在もっともホットな懸案にかかわりながら、誠司は自分を立ててくれる。確かに島波は共犯者として異様なほど俊也を気にいっているようだ。それはうれしい反面、呪わしいことでもあった。一番大切なものをさしだす。あのいかれた医師は、そんなことを口にしていなかっただろうか。堀井部長がいった。

「伊藤くん、来週にでもちょっと島波院長にアポをとってくれ。十五分でいい。わたしと小宮山くんときみたちふたりでいっしょに、コンペ招待のお礼を直接いっておきたい」

「はい、わかりました」

了解はしたものの、島波はきっといい顔をしないだろうと俊也は思った。あの人は形式的な訪問や面会を嫌うのだ。堀井部長がつづけた。

「伊藤くん、益田くん、きみたちの仕事に専務やわたしだけでなく、社長も注目している。しっかりがんばってください」

握手を求められそうな勢いだった。小宮山課長が冷たい表情でいった。

「きみたちはもういい。仕事にもどりなさい」

俊也と誠司は楕円形《だえんけい》の巨大なテーブルを離れた。一礼して会議室をでると、誠司が俊也の肩をたたいた。

「なんだかたいへんなことになったたな。おまえ、だいじょうぶか。ここでしくじったら、会社員生命が絶たれるかもしれないな」

口ぶりは軽いが、顔は真剣だった。誠司のいうとおりだ。サラリーマンには絶対に失敗が許されない仕事が何年かに一度やってくる。俊也は入社して初めて、その波にぶつかっていた。しくじれば、こちらがばらばらに砕け散るだろう。

「わかってる。できる限りのことはするさ」

俊也はしっかりとうなずいて、カーペットを敷きつめた内廊下をすすんだ。


「伊藤さん、お届けものです」

入社一年目のOLが、俊也の机の端に宅配便の封筒をおいていった。差出人を確かめてみる。定規で書いたように直線と直角の文字が几帳面《きちょうめん》に躍っていた。直接、自宅に届けられた盗撮写真の裏側に書かれた文字と同じだった。氷の手で心臓を直接にぎられたようだ。息がとまる。

遠峯《とおみね》ナギ

一行、名前があり、住所はでたらめのようだった。このストーカーはナギのことをよくしっている。遠峯というのは、たぶんナギの本名なのだろう。

俊也はさりげない素振りで、スマートフォンと厚紙製の封筒を手にとった。営業部を離れ、エレベーターホールの脇にある男性用トイレにはいった。よっつ並んだ個室はどれも空いていた。窓際の一番奥にはいり、鍵《かぎ》をかける。震える手で封筒を開いた。なかからでてきたのは、ラブホテルのエントランスの写真だった。最初の一枚は島波院長と名前をしらない女性だった。俊也がセックスを強要された相手である。写真の隅には、写真を撮った日付と時間がデジタルの文字で刷られていた。その十五分後に背中を丸めるようにホテルにはいるのが俊也だ。ほかにも島波と俊也がいっしょに夜の街を歩く、別な日付の写真がはいっている。さすがのストーカーもあのあとSMルームで起きたことまでは、撮影できなかったようだ。

これは明らかに自分の失敗だった。あのとき尾行がついていないかは十分に注意していた。追われる者が自分への尾行の可能性に気づくと、尾行は数十倍も難易度が高くなるという。俊也はあのとき、不審な尾行者がついていないことには確信があった。だがストーカーはなぜか島波のほうを張っていたのだろう。そこまでいくと俊也には手の打ちようがなかった。ナギとつきあう自分が狙われるのは、まだ納得がいく。けれど、そのトラブルにクライアントまで巻きこんでしまったのだ。俊也はエアコンの効いたトイレの個室で深く後悔していた。

目のまえにあるドアを思い切りたたきたいが、ものにあたることもできなかった。ここは会社である。こぶしをにぎり締めるだけしかできない。その代わりに俊也はスマートフォンでメールを打った。宛先《あてさき》はストーカーに名字を教えられたばかりの「遠峯」ナギである。きっと憎むべき相手はナギの名字だけでなく、本名をすべてしっているのだろう。自分がナギというハンドルネームしかしらないのに、ストーカーはナギの全部をしっている。本名も、年齢も住所も、どんな男たちとつきあっているのかも、すべてだ。

どれも自分がしらないことばかりだった。その事実がメールを打つ俊也の指先を荒々しく震わせた。

*38*

「どうしたの、あんなに必死な俊也は初めてだよ」

ナギは丈の短い黒のトレンチコートを着ていた。そのなかは下着だけではないかというくらい胸元の空きが深かった。胸の谷間がのぞいて、俊也は注意を奪われそうになった。なんとか視線を引きはがし、自分のグラスを見つめた。ハイボールの泡が氷を避けながら、涼しげに生まれては消えていく。

麻布十番にあるバーはナギの指定だった。このあと八時からデートだか食事会だかがあるという。相手が男か女か、俊也はきかなかった。それまでの一時間限定でいいから、話をさせてくれと頼みこんだのだ。

「またきたよ。今度は会社にだ」

宅配便の封筒をカウンターに爆弾を扱うようにそっとおいた。ナギの顔色が変わった。

「あーほんとにしつこいな」

「送り主を見て」

ナギが封筒を手にした。今度は表情がなくなる。オンザロックを一気にあけて、お代わりを注文した。俊也はそっといった。

「遠峯って、ナギのほんとうの名字なんだよね」

ナギはスツールに座り、足元を見つめていた。トレンチコートのベルトをほどき、もう一度きつく結び直した。

「そうだよ。結婚していたころのね。遠峯は彼の名字だった」

やはりナギは以前、結婚していたことがあったのだ。離婚したのだろう。もうつきあいは半年になるのに、俊也はようやく新しい事実をひとつ教えられた。世間ではこういうつきあいを交際とも恋愛ともいわないのかもしれない。名字とバツイチであることを、半年間の時間と数しれないエクスタシーのあとでしらされたのだ。

ナギはのろのろと封筒を開いた。周囲に人がいないのを確かめてから、写真をとりだす。大判に引き伸ばされたカラー写真を見るなりナギはいった。

「これ、目黒のラブホテルだよね」

さすがにそういう場所には詳しかった。ナギは性の世界のなかでだけ生きているのかもしれない。じっとプリントアウトを見つめている。真剣になるほどかわいらしくなるというのは、俊也が好きなナギ独特の表情の変化だった。

「わたし、この男しってる。みんな、先生って呼んでるよ。夜の世界じゃ変態で有名なんだ。俊也のしりあい？」

島波の性癖が悪名高くても、俊也はもう驚かなかった。人間オットマンを目撃した。ホームレスだといって俊也に目隠しさせた女性を襲わせている。俊也のつぎに島波は分娩台のような器具に拘束された女性を襲っていた。前後に動くジーンズの引き締まった尻《しり》が目に浮かぶ。頭のなかのイメージを打ち消して、俊也はいった。

「しりあいじゃない。クライアントだ。それもものすごく重要な。この人がうちの会社の診断装置を買ってくれるか、くれないかに、文字どおりぼくの未来がかかっている」

人が口にしたら、馬鹿《ばか》げた台詞だと思ったことだろう。だが、俊也の会社員としての生命が、このコンペの結果にかかっているのは間違いなかった。変態で有名な金持ちの医者に、自分の将来をにぎられているのだ。なんと上品でくだらない世界だろう。

「それは……ちょっとたいへんだね」

ナギの声が急に真剣になった。この人は何年か会社で働いていたことがあったのではないか――俊也はいつもナギの会話から、過去を推測している。

「ホテルでなにがあったか、きかないの？」

あの日から、気にかかっていたことだった。島波の興奮剤として自分がつかわれたのが腹立たしかった。同時にナギへの誠実さに傷をつけられたように感じていた。ナギとはまだ実際の挿入までには至っていないのだ。それなのに仕事とはいえ、島波の命令に従い名前もしらない女性の相手をしてしまった。しかも、自分は確かに興奮していたのだ。ナギ以外の女性に本気で興奮し、性行為を完遂した。そのことが引け目になっている。

「どうして？　あんなスケベホテルにいったら、やることはひとつでしょう。先生は変態だし、顔を見ればわかるくらいの変態女といっしょだし、俊也だって最低でも3Pくらいはやってるだろうなと思うよ」

あっさりと口にする。それも唇の片方の端を愉快そうにつりあげて。俊也は腹が立ち、悲しくてたまらなかった。声を抑えて一気にいった。

「どうして、ぼくがほかの女とセックスしても平気なんだ。そんなの普通じゃない」

ナギが手を伸ばして、俊也の背中をなでるようにたたいた。俊也のなかでなにかがあふれそうになる。

「ぼくは特別だっていったよね。ほかのどうでもいい男とならすぐに寝るけど、ぼくとは寝ないって」

ナギが優しい姉のように微笑《ほほえ》んでいた。背中をなでていた手は、俊也の太もものうえにある。

「今だって、俊也は特別だよ。でも、そういう俊也はほんとうに普通なの？　わたしみたいに汚れまくった女を好きになって、真剣につきあってくれる。それはありがたいことだけど、わたしはほかの男と寝てるよ。そうでもしないと死んでしまいそうだから。俊也がキスをするわたしの唇は、ほかの男のものをくわえてきたばかりかもしれないんだよ」

天気の話でもするように平然とナギはそういった。身体の奥で臓器がひとつかふたつ破れてしまったようだった。全身から力が抜けて、目のまえが暗くなっていく。それはいつも俊也が考えていたことだった。ナギという女性が哀れでたまらなくなった。人並みの生活を送るうえで欠かせないなにかがひどく壊れたまま、ナギはなんとか生きているのだ。男たちをむさぼり、男たちにむさぼられながら。性の刺激の強度に依存して、日々をやり過ごしているのだろう。

「ぼくも変態なのかもしれない。ナギがほかの男と寝るのは、すごく嫌だ。悔しくてたまらない。でも、ナギがほかの誰かに抱かれているのを考えると、いてもたってもいられなくなる」

ナギがいたずらっ子のようにうわ目づかいで見あげてきた。

「興奮しちゃうの？」

俊也はうなずいた。この目だった。この人の乳房でも、背中でも、尻でも、脚でもなかった。欲望が直接世界に向かって開いたようなこの目に俊也はさらわれてしまうのだ。

「ごめんね。わたしとつきあったばかりにストーカーに狙われて、変態にもなって」

このままではいつものナギのペースだった。俊也はなんとか主導権をにぎろうと抵抗した。

「ほんとに悪いと思ってるなら、ストーカーが誰か教えてくれ。そいつをとめなくちゃ、ぼくだけでなく会社やクライアントにまで迷惑がかかるんだ」

さっとカーテンをおろしたようにナギの顔から笑みが消えた。

「それはできない。無理に話せというなら、わたしとの関係は今夜でおしまいだよ。ただし、相手は……」

俊也の声はついおおきくなった。バーテンダーが穏やかに驚きの表情をつくっている。

「どうしてだ。ナギになにがあっても、ぼくは驚かないいし、絶対に引いたりしない。なぜ、話をしてくれないんだ」

ナギはとなりのスツールに腰かけたまま、すっと離れていった。ほんの五十センチほどの距離がおおきな河の対岸に感じられる。

「ほんとにごめんね。俊也を信じていないんじゃなくて、わたしが耐えられないんだ。思いだすだけで叫んだり、泣いたりしたし、何度も死のうとしたよ」

なんと返事をしたらいいのか、俊也は迷った。気休めしかいえないのなら黙っているほうがましだ。

「ストーカーさんはわたしのことを殺してやりたいくらい憎んでいる。いっそのことほんとに殺しにきてくれたらいいんだけどなあ。そうしたら楽になれるんだけど」

夢見るように微笑んで、ナギがうなずいていた。俊也はたまらなくなっていった。

「もういい。今の話は忘れてくれ」

「わたしのほうでも、ストーカーさんに話をしてみる。変態の先生はともかく、俊也の会社が面倒なことになるのは嫌だから」

俊也はナギの肩に手をおいた。

「ありがとう。でも、絶対に危険なことをしたら駄目だよ。くれぐれも慎重に。ひとりでいくのが危険なら、ぼくもつきあうから」

ストーカーは自己中心的で、他罰的、思いこみが強烈な人間が多いという。話をしにいったナギが刺されたりしたらたまらない。

「ありがとう。俊也はやっぱりいいやつだ」

太もものうえの手がパンツのファスナーを目指してゆっくりと這《は》うように動きだした。

「ねえ、さっきの嫉妬《しっと》もするけど、すごく興奮しちゃうっていうの、ほんとなの？」

俊也がうなずくと、ナギは腕時計を確認した。アンティークのブレスレットウォッチだ。

「じゃあさ、つぎの約束までにあと二十分あるから、このバーのトイレでしてあげようか」

ナギは自分の唇をさわっていた。それだけで俊也のペニスは風船をふくらませるように硬直した。ナギに続いてトイレにいくと、ナギはしゃがんで口を開いて待っていた。ナギはその夜、約束に遅れなかった。俊也は十分とすこしで、ナギの口のなかでエクスタシーを迎えている。ナギは苦くておいしいといって、笑ってすべてをのみこんでしまった。



## 39

「いいかな、伊藤くん。ああいう茶番はこれからはやめてくれないか」

院長室の島波修二郎はいきなり不機嫌だった。

「申し訳ありません。部長がどうしてもコンペ参加のお礼を先生に直接お伝えしたいというものですから」

俊也は深く頭をさげた。島波はデスクのうえにあるスノードームを手にとると、手首でひと振りした。細かな白片の嵐《あらし》に手をつないだ新婚のふたりがかき消される。

「妻といったハネムーンの土産だ」

どんな会話でもかまわなかった。俊也は仕事の話から逃れたくて、さして関心のない質問をした。

「ハネムーンはどちらにいらしたんですか」

スノードームの白い嵐を見つめたまま島波は微笑んでいた。めずらしくやわらかな表情だ。

「ウィーン、ザルツブルク、ベルリン。彼女はヴァイオリニストの卵だったのでね。音楽の都をふたりで旅したというわけだ」

それでこの部屋にも古いアナログプレーヤーがおいてあるのか。スピーカーはブックシェルフ型というのだろうか、医学専門書のほとんどない書棚に端正に収まっている。俊也には家庭生活を送る島波の姿がうまく想像できなかった。子どもがいないらしいのはわかっていたが、これまでほとんど家族の話はきいていなかった。俊也はためらった。さらに踏みこんだほうがいいのか、あるいはこの医師は私生活に立ちいられるのが嫌なタイプなのか。間違ったひと言で島波の逆鱗《げきりん》にふれる可能性がある。

「もう十七年も昔のことだ。あのころは若かったというのは常套句《じょうとうく》だが、わたしも妻も若かった」

目をあげて、俊也に笑いかけてきた。人間ドックとアンチエイジングを兼ねた医療センターを開こうという島波である。よく日焼けした顔は年齢がわからなかった。ときに三十代にも見えるが、もう四十代なかばである。

「いい思い出ですね」

無難な返事をしておいた。俊也はハネムーンときいて、なぜかナギを思いだしていた。ナギといくのなら、どこがいいだろう。

「ああ、そうだな。どんなものでも壊れるまえが一番美しいものだ」

雪が静まってきたスノードームをもうひと振りして、島波がいった。目は雪嵐に隠されたドームのなかの新婚のふたりを見つめている。俊也は居心地が悪くなり、ひとりがけのソファで座りなおした。

「彼女の父親と母親は熱狂的なクラシックファンでね。もの心ついたときには巨大なステレオのまえで、ドイツ古典派の音楽をきかされていたそうだ」

きっといい家の生まれなのだろう。俊也の家はつねにクラシックが流れているような家庭ではなかった。

「子ども用のヴァイオリンを与えられたのは四歳のときだったという。音楽教師は生まれつき彼女にそなわっていた絶対音感をすぐに見抜いた。親は才能があると大喜びだったという。それから厳しい練習が始まった。毎日三時間、小学校にあがるとそれが四時間になった。課題がうまく弾ければ、親は彼女を溺愛《できあい》した。うまく弾けなければ、彼女を叩《たた》いた。練習と同じように徹底的にな」

息をのんで、俊也は黙りこんでしまった。溺愛と虐待《ぎゃくたい》。世間では英才教育の成功例ばかり華々しくとりあげられているが、すべてのものには裏側がある。なぜ、不幸には人の関心を惹《ひ》きつける力があるのだろう。

「でも、奥さまはヴァイオリニストとして成功されたんですよね」

卵というのはプロの音楽家の卵という意味だろう。そこに至るまでに、ほとんどの音楽教室の生徒たちはふるい落とされているはずだ。スノードームを見つめたまま、島波はいった。

「成功とまではいかなかったが、すくなくともそこに手がかかるところまでいったんじゃないかな。海外の有名なヴァイオリンコンクールで一位なしの二位を獲《と》って、所属事務所もすんなり決定した。わたしがいうのもなんだが、彼女はきれいな顔立ちをしていたのでね。音楽の世界では、ポップスでもクラシックでも、デビューのときにはルックスがものをいうんだ」

この人の笑顔からは、どこか果実が腐ったような臭《にお》いがする。俊也はうなずきながら、つぎにくるはずの転落にそなえた。島波が微笑みながらする話が単純なハッピーエンドのはずがない。

「デビューが決まって、彼女はますます猛烈に練習したよ。指から血を流しながらね。睡眠時間以外のほとんどを、楽器を弾いてすごした。きみはヴァイオリニストの左手を見たことがあるかな」

俊也の身近にプロの演奏家はいなかった。熱狂的なクラシックファンもいない。

「いいえ、普通となにか違うんですか」

「指先の腹がね、ヘラのように薄くつぶれているんだ。ずっと弦を押さえているからね。職業によって、人は肉体まで変わるものなんだ。わたしやきみはどんなふうに変わってしまったんだろうな」

医師になると人はどう変わるのだろうか。人の病と死を見続けるとどうなるのだろう。すくなくともそれは医療用の画像診断装置を売る営業職よりは、過酷な仕事に違いない。学校の成績がいいとか、収入が高いといった条件だけでは、とても選べない職種だと俊也は思う。自分ならきっとプレッシャーでつぶれてしまうだろう。

「デビューはうまくいったんですか」

島波は雪の嵐が静まるたびに、スノードームを揺すった。ガラスの半球のなかで手をつないで立つ正装した新婚カップルを見るのが嫌なようだ。

「いや、デビューまではいかなかった。もうそのころはわたしとつきあっていたんだが、レコーディングが半分まですすんだところで、彼女の精神は崩壊した」

「…………」

居心地が悪いのに好奇心を抑えることができなかった。

「奥さまはどうされたんですか」

「よく晴れた冬の日だった。彼女はスタジオを抜けだし、裸足《はだし》でうちのクリニックにやってきた。果物ナイフを、このデスクに放りだしていうんだ」

俊也は思わずのけぞりそうになった。目のまえにあるアンティーク調の机、そこにおいてあるナイフを想像してしまう。島波はスノードームを振って、微笑んでいる。

「これで、わたしを殺して。そうでないと、わたしが誰かを殺してしまう。もう誰でもいいから、殺したくてたまらないの。泣いたらいいのか、笑ったらいいのか決められないという顔をしていた。目ばかり異様にぎらぎらさせてね。心の病の発作だった。デビューの重圧に耐えられなかったのか、幼いころからの虐待が成人になって表面化したのか、あるいはつきあっていたわたしのせいか。理由はわからない」

俊也は音がしないようにつばをのんだ。そっときいてみる。

「それから、どうなさったんですか」

島波は短く笑った。心につかえているなにかを吐きだすような笑いだった。

「友人がやっている精神科に緊急入院させた。心臓や脳と同じように、人の心も急性の発作を起こすことがある。彼女はそこに三週間入院した。デビューの話は立ち消えになった」

気になっていることが、俊也にはあった。この人はいつ結婚したのだろうか。自分なら殺人衝動を抑えきれないような女性とは、決して結婚を望まないだろう。

「先生はその時点で奥さまと婚約されていたんですか」

島波は微笑んだ。

「いいや」

「じゃあ、なぜ結婚を」

「わからない。彼女のことを愛してはいた。私は医者だし、自分なら治せると思ったのかもしれない。だが、結婚というのは自分の意思というより、運命に近いものなんじゃないかな。すくなくとも精神崩壊を起こした彼女を見捨てるという選択肢は、そのときのわたしにはなかった」

賢い選択ではなかったのかもしれない。だが、この人にも立派なところがあったのだと、俊也は思った。自分にはとてもそんな結婚は無理だろう。

「彼女に結婚を申しこんだのは、その入院から帰って、事務所から解雇通知が届いたころだった」

なるほど、この話は意外にもいい展開をするのかもしれない。心に傷を負った恋人に、その病を了解したうえで助けの手を差しだす青年医師。俊也はすこしだけ安心して、背もたれに身体をあずけた。

「それで結婚なさったんですね」

「ああ、結婚は彼女が精神的に安定した、その半年後だった」

よかった。俊也は日々報道される際限のない不幸なニュースに疲れていた。島波は確かに性的なモンスターかもしれないが、自宅は幸福な場所であってもおかしくない。医療不況の現在でも、病院の経営手腕は抜群だし、つぎの時代をにらんだ新しい拠点をつくりあげようとしている。俊也はつい気もちをゆるめてしまった。

「奥さまは今もお元気なんですよね。ヴァイオリンを先生に弾いてくださったりすることもあるんですか」

島波はスノードームを机にもどした。にやりと片方の頬をつりあげて笑う。

「結婚して最初の七年ほどはよかった。人なみという訳にはいかなかったけれどね。だが、また強烈な発作に襲われた。彼女は今、静岡の病院に入院している。もう十年になるよ。最初のころは毎週、週末に見舞いにいっていた。今はもう月に一度くらいのものかな。ヴァイオリンは弾いてくれない。薬で安定しているときは、だいたいぼんやりと窓のむこうの海を眺めている。調子が悪いときは、父親とわたしを間違えて部屋の隅に飛んでいって丸くなり、恐怖に震えている。あるいは同じように父親と間違えて、わたしを殺そうとする。いや、あれは間違いではなく、ほんとうはわたしを殺そうとしているのかもしれないな」

じっと俊也の目を見つめてきた。口元には笑いが浮かんでいる。先に目をそらしたのは俊也だった。島波の境遇が悲惨だったせいではない。医師の目が、自分を殺してくれといったときのその妻の異様に輝いた目のように見えてしかたなかったからだ。

「まあ、どんな医者にも治せない病気がある。そういうことなんだろうな。神の手だ、画期的な治療法だというけれど、医者にできることは限られている。彼女は生きているだけで、精いっぱいなんだ。心も、身体も、演奏技術も、もう二度ともどらない。体重は投薬のせいもあって、二十キロ近く増えてしまった。むくみがひどくてね。これが妻とわたしの物語だ」

島波はスノードームをもう一度手にとると、やさしく揺すった。花嫁のベールに白い雪が降り積もる。俊也は言葉をなくして、島波といっしょにちいさなガラスの半球に降る雪を見つめていた。


島波とクリニックの近くにあるイタリアンに移動した。同じ場所でもう四十年は店を開いているという老舗《しにせ》だった。店内のあちこちに帆船の模型が飾られている。帆に張り渡したロープにも、ほこりが分厚く積もっていた。島波はパスタのランチを選ぶと、生ハムとイチジクを頼み、俊也の顔をちらりと見る。

「きみはアルコールがすぐ顔にでるほうかな」

ナギや島波のように強くはないが、弱いほうでもなかった。昼のビールくらいなら問題はない。なんといっても、島波は最重要クライアントだった。この医師のすすめなら、たとえ酔っ払っても会社から文句はいわれないだろう。

「いいえ、いただきます」

「では、追加でスプマンテをグラスでふたつ」

イタリアの発泡ワインである。ウエイターがいってしまうと、島波はおもしろがっているような表情で、俊也に笑いかけてきた。

「先ほどから、ひどく深刻な顔をしているよ」

無理もない。俊也は岩の塊のように重い秘密を、受け渡されたような気分だった。十年間入院したままの妻、今でも毎月そこに見舞いにいく夫。映画でならきれいな女優が、壊れた妻を悲惨に見えない程度に美化して演じてくれるだろう。感涙の夫婦ものだ。だが、現実はそこで終わらない。人間オットマンに足をのせる島波を、俊也は忘れられなかった。

「すみません。先生のお話に圧倒されたものですから」

あまり踏みこまないほうがいい。評価もしないほうがいいだろう。島波はなにかの相談で、あんな話を打ち明けたのではなかったはずだ。この人はどんな問題でも、自分のなかだけで解決する人だ。

「驚いたな。わたしは伊藤くんも、わたしと似たタイプだと思ったから、話をしたんだが」

どういう意味だろう。俊也は口を開けてしまった。億万長者の辣腕《らつわん》院長、性的モンスター、妻の闘病を支える夫、どの顔をとっても欠片《かけら》さえ俊也と似ているところはないはずだった。

「いや、とんでもない。わたしなんて、先生の足元にもおよびません」

スプマンテが届いて、グラスをあわせた。島波がじっと俊也を見つめてくる。

「そんなことはない。きみもわたしと同じように、壊れたところがあるんじゃないか。すくなくとも、きみは壊れた女性が好みのはずだ」

俊也はナギの話を島波にしていなかった。図星だと思った瞬間、冷や汗がでた。

「そういうことが、どうしてわかるんですか」

「医者の勘だよ。あれこれ診てみるまえに、部屋にはいってきた瞬間、七割がたの患者の病気は直感的にわかるものなんだ。毎日何十人も見続けているとね。別に超能力はなくとも、普通の医者はみんなそんなものだ」

島波はそういうけれど、それは職業が生みだすある種の超能力に等しいのではないか。一日に三十人の患者を診療して二十年なら、十万人を超える患者を診ることになるのだ。

「でも、病気と、つきあう女性の好みは違いますよね」

「いや、わたしはそんなに違いはないと思うよ」

生ハムでイチジクを器用に巻いて、島波は口に運んだ。

「わたしはメロンより、イチジクのほうが生ハムにはあうと思うな。あちらはちょっとジューシーすぎる。イチジクのほうが甘みも強いしね」

俊也もフォークにさして、口に運んだ。生ハムの塩気と脂《あぶら》に、イチジクの酸味と甘さがよくあう。スプマンテがすすんだ。

「最初に会ったときにわかりましたか」

島波はあたりまえのようにうなずいた。

「ああ、わかったよ。同類がここにもいたってね。ところで、今度はきみの番だ。伊藤くんはどんな女性とつきあっているのかな。あるいは昔の大恋愛の顛末《てんまつ》でもかまわないが。わたしには人の恋の話が一番のつまみでね」

俊也は一瞬迷った。この相手に秘密をもらすのは危険だ。同時に島波の懐《ふところ》に飛びこむチャンスでもあった。妻の話をしたことで、ふたりのあいだには秘密を共有した者にだけ流れる親密感が生まれている。この親しさも島波が相手では、次回には消え去っているかもしれなかった。迷った末に俊也はいった。

「困ったことになっています。実はストーカーに追われていて」

ナギとストーカーの問題は、まだ誠司にしか話したことはなかった。一度秘密の部屋の扉を開けてしまうと、もう抑えることはできなかった。

俊也はスプマンテで唇とのどを潤《うるお》すと、この半年間のナギとの物語を話し始めた。

レストランをでるころには、ランチタイムは終了していた。すべてを話してしまった。俊也は後悔よりむしろ、晴ればれとした気分で島波と別れた。秋の日ざしがななめに落ちて、目黒の街は黄金色にくすんでいる。枯葉が足にまとわりつく歩道を、ゆっくりと歩いていった。

## *40*

松濤美術館は、渋谷駅から徒歩で十五分ほど離れた静かな住宅街にある渋谷区立の施設である。建物自体も有名な建築家の作品で、なかなかの見ものだという。俊也は前日のうちに所在地と評判だけはネットで調べていた。すべてがスマートフォンでかんたんに検索可能であるのは確かに便利だった。だが、その便利さのかげで意外な驚きや出会いといった生のスリルはずいぶんとみすぼらしいものになってしまった。

俊也は石畳の前庭に立ち、ディスプレイ上の写真とは異なり、重量感あふれる花崗《かこう》岩《がん》の城塞《じょうさい》のような建物を見あげていた。石工が鑿《のみ》で割ったような荒々しい肌の石材が垂直に積みあげられ、そのうえに平らな傘のような屋根がのっている。古代の裁判所か、監獄のように見えた。改装中のアンチエイジングラボを視察するために、何度もこの高級住宅街に足を運んでいるが、美術館にきたことはなかった。会社員の生活というのは、そういうものだ。仕事場近くの名所や美術館・博物館をまめにチェックしている優雅なサラリーマンなど、この国にはほとんどいないだろう。

目のまえに黒塗りのタクシーが停まり、ナギが澄ました顔でおりてきた。秋もなかばを過ぎて、ようやく涼しくなってきた。ナギは初めて見る黒いマント風のコートを着ている。コートの裾《すそ》からスカートは見えなかった。フィッシュネットのストッキングには細かなリボンが縫いつけられている。今年は柄ものや飾りつきのストッキングが流行だ。

「俊也、ここは初めてだっけ」

「そう」

なぜだろうか。ナギとのデートの最初の十五分は、毎回緊張してしまう。ほかの女性とではそんなことはなかった。俊也は島波の言葉を思いだした。自分と同じように、壊れた女性がきみは好みだろう。最初に会ったときから、わかっていた。

俊也は黒髪をアップにしたナギをじっと見つめた。この人は、十年も入院しているという島波の妻と同じくらい壊れているのだろうか。

「どうしたの、そんなにじっと見て。俊也、たまってる?」

なんでもすぐに性的な話題に結びつけるナギだった。確かに少々壊れているところはあるのかもしれない。けれど、裸足でいきなりやってきて、ナイフを放りだし自分を殺してくれと願ったりはしないだろう。それほど壊れているはずがない。秋の熟れた午後の日ざしを浴びたナギは、しっとりとした三十代の女性の落ち着きを感じさせる。

「なに笑ってるの。なんか、やらしいこと思いだしたでしょ。まえにいった恵比寿でのこととか」

ガーデンプレイスでのできごとをいってるのだろう。俊也は笑って否定した。

「いいや、違う。ぜんぜん別なこと。ナギは普通でいいなと思って」

入口でチケットを買った。大人二枚。この言葉が俊也は好きだった。大人はいつだって、ふたりのほうがいい。自分に決定的に欠けているものがあり、それはひとりでは絶対に埋められないのだ。そんなことを感じさせる単純な言葉である。

美術館の内部はさして広くはなかった。あちこちに三十年以上の時間が積もった古さがのぞき、それが最新の建築とは違った魅力だった。俊也が名前をしらない画家の回顧展が開催されている。繰り返し東京大空襲を描いているらしい。それも阿鼻叫喚《あびきょうかん》の地獄絵図ではなく、ひどくポップで軽やかな絵柄である。最初の展示室でピンクやオレンジや黄色の描線を見て、俊也は引きこまれた。十万人以上の死者・行方不明者をだした3・10の空襲を、この画家は秋葉原の家電量販店の壁面でも飾りそうなタッチで作品に仕立てている。題材と表現手法のギャップに目がくらみそうだ。俊也のうしろをついてきたナギがいった。

「ふーん、おもしろいね、この絵」

「ナギはこの画家をしっていて、それでここに決めたんじゃなかったのか」

ナギは身長の倍ほどもあるキャンバスを見あげていた。両手はマントのなかにしまわれ、ぽつりと立つ横顔は少女のようだった。

「しってるはずないじゃない。現代美術とか興味ないし。でもこの絵はおもしろいな。悲惨なことがあったとき、それを悲惨なまま表現しなくてもいいんだね。それがよくわかった。あとで画集を買っていかなきゃ」

展示室には均等に白い照明があたり、完璧《かんぺき》なエアコンディショニングが施されていた。この部屋には時間がないのだ。時の流れは作品とともに凍りついている。人間はせわしない生活時間をとめるために、美術品とむきあうのかもしれない。

「だったら、どうしてここでデートすることにしたの」

ナギは周囲をチェックした。作品は素晴らしいが、画家はそれほど有名ではないようだ。平日の午後、区立美術館には数えるほどの来館者しかいない。ナギはマントをめくった。黒いガーターベルトから、網のストッキングがつられている。にやりと笑うと、ナギはその場でゆっくりと俊也に尻をむけた。丸い尻のあいだに、いつものようなショーツの線が見えなかった。ナギはすぐにマントの裾をつまんだ手を離したが、俊也の目にはナギの円みを帯びたW字型のバックショットが焼きついた。ナギはここまでスカートはおろか、下着もつけずにやってきたのだ。

はずかしげに目の縁を赤く染めて、ナギがいった。

「まだあったかいかと思ってたけど、けっこう涼しいよね。わたし、したから風邪引くかと思った」

俊也はまっすぐにナギとの数メートルの距離をつめた。背にしたその絵はちょうど監視員からも死角になった場所にある。抱き締めたいほどの愛《いと》しさと興奮を感じたが、パブリックな場所では、そのまま表現できなかった。すぐ近くまでいき、急ブレーキをかけてしまう。俊也は自分の臆病《おくびょう》さがうらめしかった。

「手を貸して」

ナギがそういって、見あげてくる。俊也もナギの目を見つめた。目尻と涙袋のしたに、三十代らしいやさしいしわが刻まれていた。展示室の光はすべてを平等にさらす光だ。

「わたしの目を見たまま、さわっていいよ」

ナギが俊也の冷たい手をマントのなかに導いた。網のストッキングのざらりとした感触のあとで、脂肪を包んだ一枚のやわらかな皮にふれた。冷たい水のなかから、熱い湯のなかにてのひらを移したようだ。俊也の指先は熱っぽいやわらかさに埋まりそうになる。

「まえもさわっていいよ」

頰を紅潮させたナギがかすれた声でささやいた。俊也には、そこが美術館なのか、二時間単位で貸しだされる道玄坂の密室なのかわからなくなった。黙って荒い息でうなずき、手をナギのまえにまわした。

「じっとわたしの目を見て。それでヘアをさわってみて」

明るい美術館の展示室で、相手の目を見つめながらふれる体毛には、驚くほどの爆発力があった。ざらざらと指にふれるヘアが指先の神経を脳に直結させる。大脳のしわの深みまで、ナギの黒々としたものにからみつかれたようだった。そのまま黒いもので、身体《からだ》の内側をすべて乗っとられてしまいたい。俊也は興奮に震えた。

となりの展示室から足音がきこえてくる。ナギは笑って、俊也の手を押しもどした。

「はい、そこまで。でも、人がいないときはいつでも、手をいれていいんだよ。今日は、わたしをおもちゃにしてね」

身体を離すとき、ナギはさっと俊也のペニスをしたから撫《な》であげた。その手の動きでじわりと先端ににじみだしてくるものがある。

「へへ、そんなに硬くして、歩きにくくない？　つぎの部屋、人がいないといいね」

俊也は乱れ打つ心臓を抱え、ジャケットのボタンをとめながら、ナギに続いてつぎの展示室にむかった。

## 41

ナギは白木のカウンターで画集を開いていた。美術館をでたふたりは、近くのスペイン・バルでひと休みすることにした。のども渇いているし、すぐにラブホテルにいくのがもったいなかった。ごく近い未来、確実な快楽が約束されているのなら、それまでの一瞬はすべてが生きいきとした生の時間になる。そのとき性は、そのまま生きることと同義語だ。

ナギは画集のなかほどの一枚を見つめている。花火のように軽快に飛び散る赤い線は、たぶん焼夷弾《しょういだん》の雨なのだろう。無数の火花と炎のうえを、子どもが描いたようなゆがんだ飛行機が星のマークをつけて飛んでいる。おそらくB29だろう。史上もっとも大量の爆弾を落とし、最大の死傷者を産んだ戦略爆撃機だ。

ナギは酔ったようにいう。

「なんだか、きれい。どうしてかな、戦争とか災害とか、最近起きたやつって、みんな変に深刻な顔してあつかうよね。でも、当事者にしたら、ベスビオ火山の噴火も、十字軍の遠征も、元寇《げんこう》も、おんなじようにきっとたいへんだったはず……」

ナギは白ワイン、俊也はエスプレッソを注文していた。島波とのときのように昼からアルコールを口にするわけにはいかない。

「そうだね。距離と時間が遠いほど、悲惨な出来事ってロマンチックになるんじゃないのかな。ベスビオ火山なんて、高校の世界史で習ったとき、ちょっとたのしくてドキドキしたよ」

俊也は覚えていた。西暦七九年、ベスビオ火山の噴火による火砕流で、最盛期二万の人口を数えたポンペイは、一昼夜で全滅した。避難する途中で火山灰に埋まった人々の発掘写真などは、恐ろしかったけれど目が離せないものだった。十分な距離をおき、時間をへだてれば、すべての悲劇は興味深い歴史のエピソードになる。

ぱたりと画集を閉じると、ナギが店員に注文した。

「白をもう一杯」

届けられたグラスをひと息でのんで、さらに注文を重ねた。

「もう一度、もう一杯」

こんなに荒れたのみかたをするナギを見たのは初めてだった。ピッチが速すぎる。まだ日の高い時間だった。

「なにかあったの、ナギ」

目の色がおかしかった。深く澄んで、どこまでも覗《のぞ》きこめそうなのに、空っぽになっている。今日は何月何日と問う混乱した電話を寄越したときの目に似ていた。あのときのナギは、自分がどこにいるのかも、判然としていなかった。ナギは陽気に叫んだ。

「別になにもないよ。おしゃれな美術館で、空襲の絵を見ながら、お尻をさわられただけ」

カウンターの画集を俊也のほうに押しやるといった。

「この本、俊也にあげる。俊也がもってて」

「どうして、すごく気にいってるみたいだったじゃないか」

ナギはつぎのグラスを半分、空けていった。

「うん、好きだけど、この本はうちにおいておけない」

「どうして」

「怖いから。明るいけど、すごく怖い絵だよ。夜中になったら、本が燃えあがりそう」

そこまでいうのなら、しかたがなかった。今のナギには逆らわないほうがいいだろう。俊也は自分のショルダーバッグに画集をしまった。フラップを開いたバッグのなかの暗闇《くらやみ》で、スマートフォンのLEDが点滅していた。誰かから着信があったようだ。美術館にはいるときに、マナーモードにして着信音は鳴らないようにしている。

「ちょっと待って。電話があったみたいだ。会社からじゃないといいんだけど」

着信履歴を確認する。会社からではなく、島波院長からだった。ほんの十数分まえのコールである。

「ごめん、仕事の電話を一本すませてくる」

スツールをおりて、カウンターだけのバルをでた。ガラス越しにナギが手を振り、ストッキングの足をわざとらしく組み替えた。『氷の微笑』はずいぶん古い映画だが、あの作品のクライマックスは主演女優が足を組み替える場面だった。ナギも女優と同じように下着をつけていない。

俊也は心臓をとがったフォークの先で内側から突かれた気がした。ちくりと痛んだ胸の奥から送りだされた血液が、うなだれていたペニスに勢いよく流れこむ。

島波の番号を選び、画面にタッチした。二度目の呼びだし音で、島波の声がする。

電話をとおすと金属的な響きが増して、人工音声のようだった。

「ああ、伊藤くんか」

「お電話いただいたのに、申し訳ありません。ミーティングの最中で、マナーモードにしていました」

島波は上機嫌のようだった。

「ほう、ミーティングねえ。昼間からどこかの壊れた女とデートでもしてたんじゃないか。声が高いし、変にあせっているな」

スマートフォンをにぎる手が汗ばんだ。ナギも島波も、ときにひどく鋭敏な閃《ひらめ》きを見せることがある。それもたいていは異性に関する隠しごとについてだった。

「いえいえ、だいじょうぶです」

自分でもなにがだいじょうぶなのか、わからなかった。押しこまれそうな質問には、質問でなんとか切り返す。営業の奥の手をつかった。

「それより、島波先生からお電話いただくなんて、目黒以来ですね」

いきなり島波のガールフレンドのひとりと性交を迫られたときだ。あれ以来、電話はなかった。すべてこちらからかけている。

「いや、たいした用ではないから、別段かまわないのだがな。今、時間があるのなら、お茶でもしないかと思ってね。もし伊藤くんが誰かといっしょなら、連れてきてもらってもいい。まあ、わたしのような人間でも、話し相手が欲しくなるときがあるんだ」

入院中の妻とのなれそめを語ってから、島波は俊也に一段と親密さを見せるようになっていた。

「どうだね、すこしだけ顔を見せないか」

俊也は迷った。ここで誘いを蹴《け》るのは、今後の営業上好ましくない。だが、こちらにはナギがいる。今のナギを放置しておくのは危険だった。どこの男と消えてしまうか、わからない。

「先生は今、どちらですか」

「渋谷、公園通りのカフェにいる」

そこなら松濤から十分もあれば着けるだろう。ナギを連れていき、近くの別な店で待たせておけばいい。時間はせいぜい……。

「わかりました。すぐにいきます。ですが、あとの予定が詰まっているので、三十分だけでもいいでしょうか。たいへん申し訳ありませんが」

「ああ、かまわない。待っている」

通話を切ると、俊也はバルの店内にもどった。ナギは何杯目かわからないワインをのんで、自分のスマートフォンをいじっていた。画面をこちらにむけていった。

「ねえ、見て。俊也の女装。やっぱり一番似あってるなあ」

俊也はナギの手首をつかんだ。熱い。だいぶ酔っているようだ。

「ナギ、ちょっと例の先生に呼びだされた。三十分ですむから、いっしょにきてくれ」

ナギは眉《まゆ》をひそめた。そんな顔をすると十歳は若く見える。

「あのヘンタイ先生かあ。俊也にはあわないと思うよ。あの人にオカマ掘られないように気をつけてね」

「わかった、わかった。いいからいくよ」

カウンター越しに支払いを済ませ、俊也はナギの手をつかんだまま店をでた。ナギは二車線のアスファルトに仁王立ちになって叫んだ。

「今ここでキスしてくれなきゃ、一歩も動かない」

ガラス越しに店の人間が見ない振りをして、こちらを見ていた。しかたがない。一度いいだしたことを、ナギは決して変更しない。あきらめることはないし、断るとさらに一段難易度の高い要求をしてくる。また尾行がついているかもしれない。俊也は周囲を確認していった。

「わかったよ」

ようやく日が傾き始めた秋の夕だった。俊也はナギの細いあごの先をつまむと、唇にふれるだけのキスをした。つぎの瞬間、ナギの熱い舌が俊也の唇を割り、洪水のように口内を荒れまわった。

*42*

そのカフェは初めてナギと待ちあわせした思い出の店だった。赤いタイル張りの建物が妙に懐《なつ》かしかった。俊也は地下のテラスを覗きこんだ。あの春の午後と同じように噴水がふきあがっている。水面には枯葉が数枚寄りそうように浮かんでいた。

「三十分で終わる。すくなくとも島波院長はそういった。ナギはこのあたりで待っていてくれ。いっておくけど、誰かに声をかけられても、絶対についていったらいけないよ」

幼い子どもにでもいいきかせるようだった。ナギの場合、気がむけばデートの最中でもほかの男についていってしまうのだ。ひとりでいるのが不安で、恐ろしくてたまらない、男といっしょでなければ生きている気がしないという。ナギは口をとがらせていった。

「わかった。いっとくけど、わたしだって三十分くらいなら、男なしでも平気だよ」

年上の人が急にかわいらしく思えて、俊也はからかってみる。

「一時間なら？」

「それも平気」

「二時間なら？」

深刻そうに眉をひそめて、ナギはいった。

「考えさせて。そのあとでちゃんと俊也とデートしてエッチできるなら、なんとかもつかも。じゃあね」

俊也は笑って、ナギを見送った。階段をおりようと振りむいたところで、全身が固まってしまった。なぜか地下のテラスに島波修二郎が立ち、こちらを見あげている。さっきまでは、誰もいなかったのに。

俊也は笑顔を固定して、おかしな汗をかきながら、階段をおりていった。ナギをこの人に見られていないだろうか。それだけが気になる。

「遅くなってすみません。先生がそこにいらしたなんて、ぜんぜん気がつきませんでした」

島波は日焼けした顔に涙滴型のサングラスをかけていた。表情が読めない。

「ちょっと電話をかけるために、カフェをでたところだった。もう用はすんだ」

先に立って、ガラス張りの店のなかにむかった。俊也は外のテラスにだされたテーブルを眺めた。秋も深まって、こちらのほうに客はいなかった。初めてナギとむかいあったテーブルの脇《わき》をとおり過ぎていく。俊也は胸騒ぎを押し隠した。島波の背中にきいてみる。

「先生、今日のお話というのはなんですか」

「いや、別になにか話がある訳ではない。つぎの約束まで時間が空いたので、伊藤くんの顔でも見ておこうかと思ってね」

「ありがとうございます」

大切なクライアントにこれだけ心を許してもらえるというのは、普通ならよろこぶべきことだった。島波クリニックはZEメディカルからのターンオーバーを狙《ねら》う営業二課の最重要クライアントである。だが、俊也の不安は治まらなかった。この人といると、なぜか自分自身の足元が崩れていくような気がする。課長の小宮山には、この感覚が伝わるとは思えなかった。どれほど無茶な要望でも、すべて相手のいうことをきけといわれている。

カフェのテーブルで、俊也は島波のむかいの席に座った。背筋を伸ばしたまま姿勢よく座る。島波のまえでくつろぐことは困難だった。いつも隙《すき》を狙われている。そんな気がするのだ。島波は仕事とは無関係の世間話をのんびりと続けた。最近でかけた芝居やオペラの評価。アンチエイジングラボに飾る南米原産の植物の話。つぎに買い替えようかと迷っている英国製のスポーツカーについて。俊也に関心がないことがわかっていて、じらすように話をつないでいく。

俊也はつい腕時計を見てしまった。届けられたコーヒーはすでに冷めている。もう小一時間がたっていた。たのしげに島波はいった。

「そうだ、最後に伊藤くんの商売敵のことも報告しておこう。ZEの新しい担当者が猛烈にプッシュしてきている。施設への新製品納入については、きみのところに負けない値引きをするそうだ。あれこれと接待も考えているといっていた。どうやら、わたしのことをいろいろと調べてきたようだ」

接待？　この医師への接待は月並みなものでは意味がなかった。むこうの営業マンは、そこまで探りあてているのだろうか。

「心配かね、伊藤くん」

不景気で全社的に売上が落ちているだけではなかった。俊也もノルマ未達が続いている。このまま年度末まで不成績を記録すれば、地方へ飛ばされる可能性もあった。

「うちのほうも価格については、もう一段がんばらせていただきます。そこでZEに負けるわけには、絶対にまいりませんので」

わずかながら性能で劣るＣＴや超音波の装置を売るのだ。きめ細かなサービスと値引き率で勝てなければ、勝負にならなかった。小宮山課長も赤字覚悟でいけというだろう。ＺＥメディカルは本社から採算割れの価格競争を禁じられているという噂《うわさ》だ。

「そうかね、楽しみにしている」

島波はサングラスをはずし、じっとこちらの目を覗きこんできた。なにかを探るような深い視線だった。

「ところで先ほど見かけた女性が、伊藤くんの恋人なのかな。以前話をしてくれたストーカーに追われているという人だな」

背中に冷たい震えが走った。やはり島波はナギを目撃していたのだ。

「そんなところです。むこうにとって、ぼくがどういう存在なのかはよくわかりません」

島波の目が澄んで、不気味に深さを増していくようだった。俊也には目のまえの医師がなにを考えているのか、まったく読めなかった。

「彼女は、夜は別人になるのだろうな。精神的に不安定な分、ある特定のものごとへのこだわりが強く、熱狂の度合も強烈だろう。全身全霊で性に没頭するというか。伊藤くん、わかるかな」

島波がなにをいいたいのか、まるでわからなかった。それでも俊也は魅せられたように黙ってうなずいた。

「多くの男たちは、女性の魅力をとり違えている。顔立ちが整っているとか、乳房がおおきいとか、脚がきれいだなどというのは、ただの遺伝にすぎない。表面の皮一枚と骨格の出来不出来だ。問題はその女性のなかにどれほどの欲望と熱量が潜在しているか。その欲望がどんな形でねじれ、表現されるときにどんなゆがみを生むのか。異性としての女性のおもしろさは、そこにある。彼女はどんなふうに曲がっているのかな」

この相手にナギの情報を渡すのは危険だ。俊也は無邪気な笑顔を装《よそお》った。島波のように賢い人間のまえでは、愚かな振りが一番である。

「先生が興味をもたれるほど変わった女性ではないと思います。普通の子ですよ」

ナギが普通なはずがなかった。普通の女性が、いきつけのバーにいる男全員と約束して、全員と寝てしまうだろうか。それなのに俊也との関係だけはこばんでいるのだ。島波はゆっくり笑った。不機嫌を抑えこんで、なんとか笑顔をつくった悪魔のような笑いだ。なにかをたくらんでいるようだが、俊也には予測もつかなかった。

「なるほど。伊藤くんから取材するばかりでは不公平だ。なんなら直接彼女の口からでもいいな」

島波はそこでなにかを思いついたかのように、にやりと笑った。これがアニメーションなら口が耳の近くまで裂けたことだろう。

「なにせ、わたしも伊藤くんや彼女と同じように、ストーカーに盗撮された被害者のひとりだ。いつか対策を立てるためにも、全員で話しあいの場をもたないかね」

島波にストーカーの話をしたのが、最悪の一手だった。後悔してもすでに遅い。医師はまた異様に澄んだ目で問いかけてくる。

「彼女の名前はなんというのかな」

もう隠しておくことはできないだろう。嘘《うそ》もつけない。この人とはクライアントとして、長いつきあいになる。絞りだすようにいった。

「……ナギ。まだ名字はきいていません。彼女のほうも教えてくれません」

島波は愉快そうに笑った。

「恋人同然で半年以上もつきあって、名字も謎《なぞ》なのか。きみたちはおもしろいカップルだなあ。急に呼びだしたんだ。ここはわたしが払っておく。きみはもういっていい」

俊也は伝票に手を伸ばそうとした。先につかんだのは島波だった。

「先生に払わせてしまったことを上司にしられたら、わたしが叱《しか》られます」

「いいんだ。きみはさっきから腕時計を気にしていたね。待ちあわせなんだろう。先にいきなさい」

痛いところを突かれた。俊也は一応形だけ抵抗してみせた。

「ですが、こちらはどうせ経費で落としますから……」

伝票をつかんだまま、島波が唇の片方をつりあげた。

「それともそちらが支払うことにして、いっしょに店をでるほうがいいのかな。ナギさんはどこで待っているんだい」

氷水を浴びせられたようだった。この医師をナギと会わせるわけにはいかない。俊也は腰を浮かせながら、頭をさげた。

「今日はごちそうになります。先生、またなにかありましたら、お気軽に声をかけてください。わたしはすぐに飛んできますから」

もういっていいというように、島波が手を振った。俊也が席を立ち、バッグを手にすると、医師はいう。

「そうだ。以前話したことを覚えているかな。一番大切なものをさしだすという約束だ」

俊也は口ごもってしまった。

「いや、それは……」

「まあ、いい。すこし考えておいてくれ」

この場にとどまるのが嫌でたまらなかった。空気がどんどん悪くなっていくような気がする。島波は火山性ガスでも噴きだしているようだ。しばらく近くにいるだけで気分が悪くなる。俊也はもう一度頭をさげた。

「お先に失礼します。では、また」

背中にもてのひらにもおかしな汗をかいている。俊也は自然に早足になり、地上へ続く階段を駆けのぼった。

*43*

窓のむこうには、東京の十一月の空が広がっていた。今年は気温がほとんどさがらなかった。秋の終わりになっても残暑のような陽気が続いている。きっと人間たちと同じように、空も壊れつつあるのだろう。

俊也は小宮山課長の視線に耐えていた。島波が人を根本から不安にさせるとしたら、小宮山には周囲を不機嫌にさせる特殊な能力があるようだった。会議室にふたりだけでいると、息苦しくてたまらなくなる。小宮山課長は爬虫類《はちゅう》のように静かな目でじっと俊也を見つめてくる。女子社員の多くはこの目つきが大嫌いだという。

「こんなところに呼びだしたのは、伊藤くん、きみ自身のためだ」

人のまえでは叱らないという方針でもあるのだろうか。だが、営業成績が悪いのは、俊也だけではなかった。多くの病院の財布のひもはかつてないほど引き締められている。営業部員の七割以上はノルマ未達という状況だ。小宮山課長が勝ち誇ったように、宅配便の封筒を会議テーブルにすべらせた。俊也宛《あて》に送られてきたものと同じ運送会社だった。全身の血がゆき場をなくして、身体の中央に逆流していく。手足の先が冷たくしびれてきた。

「これはうちの営業二課宛に送りつけられてきた。中身はわたしが確認した」

小宮山がなかから大判の盗撮写真をとりだした。ナギとの女装デート、もつれあうように路上でキスをする場面、目黒のラブホテルにはいる俊也、島波院長と人間オットマンになっていたガールフレンドの一枚もある。

「これはいったい、どういうことだ？　きみはなにをしているんだ」

メイクをして、ワンピースを着た自分の写真をつきつけられた。となりには手をつないだナギが写っている。白いシャツが汗を吸って重かった。シャワーを浴びたように、全身が汗で濡《ぬ》れている。俊也は力なくいった。

「それは……プライベートなこと……なので……その」

なにもいい返せなかった。この相手に秘密をにぎられたのが痛かった。課長は仕事用の顔で、内心の暗い愉悦を隠しているようだ。

「プライベートだけではないだろう。この一枚には島波院長も写っているじゃないか。あの先生ときみはどういう関係なんだ。きみはこのホテルに確かにいったのか」

写真の隅には蛍光管のように浮きあがる文字で、日付がはいっていた。俊也ひとりがエントランスをくぐる写真も、島波院長と若い女性の写真も、同じ日付だった。どんな形で言い逃れたらいいのだろうか。頭は猛烈な勢いで回転しているが、すこしも解答が浮かんでこない。説得力はないけれど、返事だけしておいた。

「たまたま同じ日にホテルにいっただけです。わたしのほうは別の人とホテルで待ちあわせをしていました。島波先生は無関係です」

小宮山課長がちらりと写真の隅に目をやった。

「この日は平日で、勤務時間内であるのは日が高いから明らかだな。きみは勤務時間中に、いつもいかがわしいホテルにいっているのか」

ナギとは何回か仕事の合間をぬってホテルにいっていた。俊也は背を伸ばして、腹から返事をした。会社員として生きるうえで、嘘は大切だ。

「いいえ、そんなことはありません。そのときが初めてです」

在宅勤務になったときから、社員のあいだではあたりまえだった。勤務時間中に風俗にいく者も、映画を観《み》にいく者も、なかにはアルバイトで収入を得ている者もいる。厳密に業務だけに縛りつけたいのなら、全員にGPSでももたせて所在地を確認すればいい。

「そうか、まあいい。この差出人はどういう人物なんだ。遠峯ナギ？　このふざけた名はどういうことだ」

また定規で引いたような直角と直線で書かれた文字だった。住所も電話番号もでたらめで実在していないのは、前回確かめている。俊也はとっさにナギの存在を隠すことにした。

「わかりません。ただわたしと交際している相手に、ストーカーらしき人物がついているようで、こちらの自宅にも脅迫状と盗撮の写真が届きました。警察に届けるかどうか、わたしも交際相手も迷っています」

ナギはなぜか被害届をだすのを嫌がっていたが、俊也は自分の立場を崩すわけにはいかなかった。全身に力をいれて、

「被害者はわたしと彼女です。ストーカーは嫌がらせで、こういう写真を盗み撮りして、送りつけています。こちらが動揺すれば、相手の思うつぼだとわたしは思います。犯罪行為をしているのはストーカーのほうです」

小宮山課長が肩から力を抜いたのがわかった。すこしは俊也の弁明が効いたようである。

「まいったな。きみはそういうが、会社としての体面というのは、犯罪とは別なところにある。いくらきみが被害者でも、うちの社の名前に泥を塗るわけにはいかない。そこのところをよく考えるように。今のところ、この写真はわたしひとりしか目にしていない。上にはまだ見せていないんだ」

ということは会社員としての未来と生命を、この爬虫類のような課長ににぎられたということだった。俊也は超高層ビルの窓のむこうに目をやった。となりのビルとのあいだにロープを張って、命がけの綱渡りでもしているようだ。小宮山課長がひどくやさしい声でいう。

「今後なにもなければ、この写真はわたしのところで葬《ほうむ》り去ろうと思う。だが、これ以上問題がおおきくなるようなら、上に報告をあげて全社的な問題にせざるを得ない。きみの交際相手の女性にストーカーがついているなら、もう会わないようにしたらどうだ。それとも、将来をかけるほどの相手なのか」

俊也は奥歯を嚙《か》み締めた。こんな上司にそんなことをいわれる筋あいなどなかった。歯の隙間から漏らす。

「考えてみます」

小宮山課長は、大判の封筒を手にとると、テーブルを叩《たた》いていった。

「それから、伊藤くん。きみの査定には、この写真も当然、判断材料としてふくまれる。今のままでは、今年のきみはいいところはゼロだ。絶対に島波クリニックのターンオーバーを獲《と》るんだ。それができなければ、来年は東京にはいられないと覚悟しておけ」

俊也は返事もできずに、まばゆい秋空を見ていた。この空から自分は果てしなく落ちていくのだろうか。身体のなかでなにかが崩壊するような音をききながら、俊也は小宮山課長に黙ってうなずき返していた。

## 44

俊也は一日に一度、必ず島波クリニックに顔をだすようになった。用があってもなくても関係なかった。島波院長にうるさがられても、捨てられた子犬のようについていく。そんな古くさい営業手法で、アンチエイジングラボのコンペに勝てるはずがなかった。けれど、俊也は毎日が不安でたまらなかったのである。

営業ノルマの未達だけでなく、小宮山課長にはストーカーからの盗撮写真までにぎられていた。表面上はなにごともなく過ぎていくが、社内での俊也はぎりぎりの立場に追いこまれている。島波のコンペに敗れるようなら、来年には都落ちして地方の小都市へ担当替えになるだろう。

俊也の会社は実力主義で、成功報酬が高い分、成績のあがらない者には厳しかった。毎年営業部の一割弱が首切りに近い形で退職に追いこまれている。その多くは市場のちいさな地方都市の営業マンだった。高価な医療用画像診断装置のマーケットは、都市部のある程度の規模の病院が中心である。売上のあがる大都市担当は、前年の成績のいい順に割り振られていく。よほどの幸運がない限り、一度地方にまわされた人間が東京にもどってくることはなかった。俊也にとって島波院長が命綱になったのである。

その島波はポーカーフェイスに徹していた。もとよりなにを考えているか、計りがたい人間である。俊也は毎日顔をあわせ、酒食をともにしながらも、島波の人間像をつかめたと確信をもてたことはなかった。島波が目のまえにいても、そこに存在する感覚がないのだ。この医師の精神は底知れないほど深く、なにかささいなひと言でへそを曲げ、光のささない深海に潜航されると、もうお手上げだった。

俊也は院長がもどってくるまで、背筋を伸ばしおかしな汗をかきながら、ひたすら待ち続けることになった。

この時期、ナギと会う機会は自然に減っていた。俊也にとって初めての大人の恋だったが、生活の保証さえ危うくなった今、デートどころではなかった。会わなくなって六日目の夜だった。電話が鳴ったのは、真夜中よりも朝に近い午前三時半。俊也はベッドサイドのスマートフォンをとり、着信を確かめた。ナギからだ。

「寝てた？　俊也」

酒に酔い、はしゃいでいるようだった。背後にバーかクラブのノイズが流れている。ため息をつきそうになったが、俊也はこらえた。

「ああ、こっちは明日も仕事だからね」

声に不満があらわれてしまう。

「どうせ、わたしは仕事なんてぜんぜんしてないですよ」

ひとり暮らしをしているらしいナギの生活費がどこから出ているのかは、いまだに謎のままだった。

「こんなに長く放っておくと、わたしだって遊んじゃうからね。カウンターの向こうに、さっきからこっちをチラ見してくる外国人がいるんだ」
あるバーにいた男十一人とデートの約束をして、全員と関係をもったことがあると
ナギからきいたことがある。横になったままの俊也の胸に嫉妬《しっと》のちいさな炎が燃え立
ったが、同時に無暗《むやみ》な怒りも湧《わ》いてくる。明日は出社日で面倒な会議もある。島波は
このところコンペの話をしようとすると急に不機嫌になることが多かった。
「いやらしい目で見られるのが、そんなにうれしいのか。ナギは男とセックスなしで
ひと晩も過ごせないのかよ」
気がついたら、声がおおきくなっていた。頭に血がのぼり、ベッドで上半身を起こ
した。
「…………」
「ちょっと会えないくらいで、なんなんだよ。普通なら相手の仕事がいそがしいとき
くらい、デートは我慢するもんだろ。どうせ、ぼくとつきあってるあいだも、ほかの
男とばんばんやってたんだろ。したければ、勝手にすればいいじゃないか。第一、ぼ
くたちはまだちゃんと最後までしてないんだ。彼女面《かのじょづら》するな」
真っ暗な寝室でそう叫んでから、俊也は後悔していた。仕事の不安をナギにぶつけ
てしまった。けれど、それはこの半年以上、ずっと胸のなかにたまっていた怒りでもあ

る。しばらく夜の酒場の音がきこえた。ナギの声は、俊也が不安になるほど静かだった。

「俊也と出会って、三カ月はほかの男と寝てたよ。でも、夏の終わりからはしてない。信じてくれないかもしれないけど、俊也だけだった」

泣いているのだろうか、すすりあげるように息を吸って、ナギは笑った。

「わたしもまだまだ駄目だね。甘い夢見てたよ。男がいなくちゃ一晩だって過ごせないセックス中毒で依存症の癖に、若い男の子とちゃんとつきあおうなんてさ」

あわてたのは俊也のほうだった。熱をもったスマートフォンをにぎり締める。こんな薄い板のようなもので、人と人がなんとかつながっているのが恐ろしくも不思議だった。

「ちょっと待って……」

「わたしは今夜、久しぶりにほかの男と寝ることにする」

なにをいっているのか、俊也にはわからなかった。自分でも驚くほどの声が出てしまう。

「ナギ、待ってくれ」

怒りよりもあきらめを感じさせる穏やかな声が返ってきた。

「待たないよ。寝るのは俊也のためだから。そうすれば、わたしみたいな女とはすぐに別れられるでしょう。俊也はもっと普通の人と幸せな恋をしたほうがいい。わたしなんかとつきあったら、やっぱり、あなたも地獄に堕《お》ちることになる」

おかしな胸騒ぎが収まらなかった。ナギのいう地獄とは、どんなところなのだろうか。

「今夜だけは待ってくれないか」

俊也はとっさにその場を切り抜ける方向に切り替えた。ナギの感情は、振り幅はおおきいが、周期はひどく短かい。なんとか通話を切らずに、三十分もたせれば、カウンターのむこうにいる男と夜の街に消えることはないだろう。

「無理だよ。誰かと寝なくちゃ、怖くて眠れないもん」

俊也も必死だった。

「薬はないの？」

精神安定剤と睡眠導入剤は、ナギにとってリップクリームやポケットティッシュのようなものだった。がさがさとなにかを探る音がきこえた。

「あー、ある」

「じゃあ、それ、全部のんでいいから、ほかの男についていくのはやめてくれ。もう二度と、危険な目にあって欲しくないよ」

自分はひどい男だと思った。ほかの男とのセックスを避けさせるために、薬物のオーバードースをすすめている。セックスと過剰摂取、身体《からだ》に悪いのは当然大量の薬だ。しかも、ナギの身の安全を心配する振りまでして。最低だ。

「うーん、わかったよ。今夜は男はやめて、薬にする。その代わり、近いうちに会ってね。ちゃんとデートしてくれないなら、つぎはほんとにとおりすがりの誰かと寝るからね」

どうして、こんな相手を好きになったのだろうか。俊也の理性はこの電話でもいいから別れてしまえと忠告しているが、心と身体がナギを恋しがっていた。別れるのは皮をはがれ、肉をえぐられるようにつらい。

「わかった。つぎはちゃんとする」

がりがりと錠剤をかみ砕く音が耳元で鳴った。

「苦ーい。約束だからね」

「約束するから、ちゃんと水といっしょにのんで」

ナギはもう笑っていた。

「はいはい。明日も仕事なんでしょ。寝かせてあげるよ。おやすみ、俊也」

「ああ、おやすみ、ナギ」

電話を切った。ディスプレイにあらわれた時刻はまもなく午前四時だった。ナギとつきあう限り、こんな朝がこれからも続くのだろうか。どうして、頭と身体は別なものを欲しがるのだろう。俊也はスマートフォンを胸に抱えたまま、再び眠りについた。

## 45

翌朝は、十一月というのに奇妙に蒸し暑い陽気だった。小春日和《びより》というより、夏がまたぶり返したようである。俊也は冬もののスーツで、西新宿を歩いていた。寝不足のせいか、足元が頼りなかった。アスファルトが雲にでもなったように、ふわふわとした踏み心地だ。

「おはようございます」

となりの部署の二十代のＯＬ三人組が挨拶《あいさつ》を送ってきた。朝がた耳にしたばかりのナギの声と比べてしまう。年齢のせいか声にも張りがあるようだ。

「ああ、おはよう」

俊也は会社が入居している高層ビルの入口までやってきた。排水溝に枯葉がのまれるように、サラリーマンが自動ドアに消えていく。見あげるとガラスの塔が、秋の終わりの空に冷たく刺さっていた。俊也の嫌いな建物だ。

ビルをとりまく花崗岩《かこうがん》を敷きこんだテラスやツツジの植えこみに、白い紙切れが舞っていた。風に転がり吹き寄せられていくところは、サクラの花びらのようだ。あれはいったいなんなのだろう。百枚以上あるのではないか。

俊也の黒い革靴のつま先に、そのうちの一枚がやってきた。拾いあげようとした瞬間、紙切れは風で裏返った。

俊也は呆然《ぼうぜん》として、中腰のまま硬直した。女装した俊也とナギがピンクの明るいネオンサインのしたでキスをしていた。ナギの手が俊也の胸元にはいっている。俊也のペニスはワンピースのまえをもちあげていた。

ストーカーに盗撮された写真だった。高層ビルのテラスに散っていたのは、花びらでも普通の紙でもなかった。手のひらサイズの写真プリントである。

「これ、なにかしら」

三人組が写真を拾いあげた。俊也は息がとまりそうになる。

「これって、うちの会社の人?」

「営業二課の伊……」

最後のひとりが俊也に気づき、名前を口にしかけた同僚の袖《そで》を引いた。

「やめときなよ」

三人のＯＬは早足でいってしまった。あちこちで写真を拾う者がいた。俊也は這《は》いつくばるようにして写真を集め、バッグのなかに詰めこんだ。目に涙がにじむ。この姿を同期や同僚に目撃されているのだ。顔が真っ赤になっているのはわかっていたが、写真を拾うのはやめられなかった。

「だいじょうぶか、俊也」

誠司の声が頭上からふってきた。同じチームの仲間が、すぐに写真を集め始めてくれる。俊也には誠司の顔が見られなかった。その朝、ふたりそろって会議に四十分遅刻した。

集められた写真は全部で二百三十七枚だった。それはガードマンの目を盗んでエレベーターホールにばらまかれた二百数十枚とはまた別である。

ストーカーも動かずにいるはずがなかったのだ。島波クリニックに営業をかけていたこの十日ほどを、俊也は振り返っていた。写真に新しい素材がないのは、ナギと会っていなかったからだろう。

営業会議のあとで、小宮山課長に呼びだされた。今度は課長だけではなかった。部長と営業担当専務もいる。小宮山はもう俊也をかばうことはあきらめたようだった。自分の管理責任を問われたくないのだろう。かさにかかって責めてくる。

俊也はそれでも自分の知りえたナギという人物については口を閉ざした。つきあっている相手に、ストーカーがついている。これまでも何度か脅迫状や盗撮写真を送りつけられてきた。交際相手は警察に訴えるのは嫌だといっている。会社に迷惑をかけたことは心苦しいし陳謝するけれど、こちらもストーカーの被害者だ。

小一時間たっても俊也の主張が変わらないとみると、まず専務が会議室を離れた。部長はプライベートも社会人らしく身を慎まなければならないと一般論を口にしていってしまった。残されたのは、直属の上司の小宮山だった。

「やられたな、伊藤くん」

専務や部長がいたときとは口調が変わっていた。今度は部下の心証を悪くしたくないらしい。

「さすがに今回は、きみのフォローはできなかった。弱ったな。このままではよほどの大逆転ホームランでも打たなければ、東京本社にきみの席はなくなるだろう」

いわれなくてもわかっていた。島波クリニックの新規プロジェクトを獲得する。起死回生の一打は、それしかない。

「あの先生はきみが気にいっていて、わたしからの連絡には応じてくださらない。ただし、今回のようになにか事故があった場合は別だからね。きみの仕事振りがもの足りないわけではないが、こちらでも動いてみることにしよう」

自分がはずされたあとでも、島波院長とのパイプを残しておきたいのだろう。あの不気味な医師にとりいられるというのなら、やってみればいいと俊也は思った。

「申し訳ありませんでした。仕事は全力でがんばります」

俊也が会議室を出ようとしたところで、小宮山がいった。

「きみは写真の人と別れるつもりはないのか」

一会社員としても、一社会人としても、ナギと別れるのが正解なのだろう。それは明け方に自分なりに考えたことでもあった。

「はい。今のところは別れるつもりはありません」

課長の目に憐《あわ》れみに近い感情が浮かんでいた。もう助からない患者を見つめる医者の目のようだった。俊也はなにもいわずに一礼して、地上百数十メートルの会議室を離れた。


その午後は会議が二件と提出する文書の作成がいくつかあった。俊也は定時まで懸命に働いた。ここで隙を見せるわけにはいかなかった。心は麻痺《まひ》して、なにも感じなくなっている。普段の倍の集中力で、ばりばりと仕事を片づけた。その日は同じ営業部の誰ひとり、あの写真について口にしなかった。

日が暮れるころになり、誠司がコーヒーとドーナツをもってやってきた。

「ほら、さしいれ」

俊也の席から夕日が見えた。赤い日が東京のすべての建造物の西側を、一段と鮮やかに照らしている。

「ありがとう」

会社で頼れるのは、この同期ひとりだけだった。誠司は立ったままコーヒーに口をつけた。

「驚いたな。俊也の彼女があのナギだったなんて。なかなかやるな。おまえの女装けっこういけてたよ」

俊也は顔をあげた。目があうと誠司が力強くうなずき返してくる。

「いよいよだな」

「ああ、わかってる」

島波クリニックの新プロジェクトには、ふたりであたっている。運命共同体だ。

「悪かったな、こんなことに巻きこんじゃって。そっちにも傷がつくかもしれない」

誠司はにやりと笑った。

「今さら、遅い。だけど、勝てばいいんだろ。それで全部チャラだ」

誠司のいうとおりだった。営業は勝てばいい。数字がすべてだ。ストーカーも、盗撮写真も、脅迫状も関係ない。女装しようがしまいが、成績をあげるのがいい営業マンだ。俊也は絞りだすようにいった。

「誠司のためにも、このコンペ、絶対に勝つから」

「ああ、せいぜいがんばってくれよ。こっちは側面支援しかできないんだからな」

島波院長には俊也だけがパイプをもっていた。誠司のためにも、自分の未来のためにも、そして別れろと言外に上司にいわれたナギのためにも、この勝負に勝たなければいけなかった。

俊也のスマートフォンが、机の隅でうなりだした。仕事中はマナーモードにしている。ディスプレイに浮かんだのは、赤いシルエットを背にした島波院長という四文字だった。軽く深呼吸してから、通話を始めた。

「はい、伊藤です」

「ああ、話はきいたよ。ストーカーのほうがたいへんな騒ぎになっているらしいな」

小宮山の爬虫類のような顔が浮かんだ。さっそくご注進したのだろう。あの男は素知らぬ顔で、デスクよっつ離れた場所で書類を読んでいる。

「ご心配をおかけして、申し訳ありません」

島波の声が奇妙に明るく、恐ろしかった。

「そんなことは別にかまわない。それより今夜、時間をとれないか。話がある」

俊也は飛びあがりそうになった。この人は助け船を出してくれるのだろうか。

「仕事の話ですか」

「それもある。だが、大の男が仕事の話だけですむはずはないだろう」

「わかりました」

胸騒ぎを抑ええて、俊也は六本木のバーの名前をメモした。それは島波が女性を人間オットマンにした薄暗い店だった。

## 46

バーの薄暗いフロアには黒い柱が何本も立っているようだった。半透明のカーテンに包まれて、俊也は島波院長とむかいあっていた。狭い檻《おり》にでも閉じこめられたような圧迫感がある。今回、島波の足元には無言で四つん這いになる若い女はいなかった。

シャンパンのグラスをかかげて医師がいった。

「同士に乾杯」

同志といえば志を同じくする者、同士なら同じ種類の仲間である。俊也のグラスは空中でとまっている。

「同士の士は、武士の士のほうですか」

島波は満足そうに高価なシャンパンをすすっていった。

「そうだな。きみとわたしは同じ種類の人間だ」

こんな怪物と同じにされたくなかった。それでも俊也は営業職である。顔色をまったく変えずに、シャンパンに口をつけた。島波のおごりだというヴィンテージものの酒は、蜂蜜《はちみつ》のように濃厚な甘い香りがした。

「お話というのは、なんでしょうか」

さっさとこの不安に方をつけてしまいたかった。島波といっしょにいると時間の感覚がおかしくなる。数十分が数時間に延びたり、逆に一瞬のように短く感じられたりする。ブラックホールは膨大な質量で、光どころか時空間も歪《ゆが》めてしまうという。俊也にとって島波は逃れられない圧倒的な重力を有する相手だった。じりじりと吸い寄せられ、呑《の》みこまれていく恐怖がある。島波は自分の笑みが相手におよぼす効果を計るようにゆっくりと笑った。

「まえにも話したが、すこし昔のアニメーションで、等価交換の法則というアイディアが提起されていたね。人はなにかを得るには、同じだけの価値をもつものをさしださなければならない。エネルギー不変則あたりからヒントを得たのだろうが、なかなかいいアイディアだ」

うなずいておいた。この人はときどき謎かけのようなことをいう。

「ああ、そうだ。わたしのクリニックにもこんなものが届いたよ」

ソファの背もたれから身を起こし、クリアファイルをとりだした。見覚えのある封筒に定規で引いたような直角の文字の宛書。俊也の全身から血の気が引いた。ストーカーからだ。

「もうなかを見る必要もないだろう。きみのところにきたものと同じ内容の盗撮写真だ。まだ誰にも見せていないがね」

扇子でもつかうように、顔をあおいで島波は笑っている。

「仮にだ、この封筒をもって伊藤くんの会社に乗りこんだら、どうなるのだろうな。わたしの名誉が著しく傷つけられた。わたしまで巻きこむような社員がいる会社とは、二度と仕事はできない。今後の取引はいっさい認めない。担当者は出入り禁止だと」

心臓が不規則に倍のテンポを刻んでいる。自分の顔はこの暗がりでも蒼白《そうはく》に見えるだろうと、俊也はぼんやりと考えた。

「それだけは……」

言葉が続かなかった。息をするのがやっとだ。

「きみのところの凡庸な課長が、ながながと謝罪の電話をかけてきたよ。このストーカーはなかなかやるね。きみの会社のエントランスで、何百枚も写真をばら撒《ま》いたそうじゃないか。伊藤くんは社内的にたいへん困った立場にある。先生のお力をぜひお貸しください。未来ある若者をなんとか助けてやってください。わたしが伊藤くんをかわいがっていて、同士だと考えていることを、彼なりにしっかりとわかっているのだな」

のどが渇いて張りつくようだった。シャンパンをのんでも、ひりつくような渇きは癒《いや》されない。にやりと笑うと、島波はいった。

「それは正解だよ。わたしたちは同士なんだ」

この先にはなにか腐った臭《にお》いがするものが待っている。俊也はそう気づいていたが、質問をしないわけにはいかなかった。

「同士……というのは、どういうことでしょうか」

島波はクリアファイルから女装した俊也の写真を抜いて、テーブルに放った。ネオンサインを浴びて、秋葉原の路上でナギと口づけしている写真だ。

「同じ趣味、嗜好《しこう》をもつ仲間だよ。仲間という言葉は美しいね」

一寸刻みになぶられている気がした。

「わたしはきみの社会人としての生命を助けられる立場にある。わたしたちは同士だから、ぜひきみを苦境から救ってあげたい。そこで……」

島波はゆっくりと笑った。斧《おの》をもって自分の子を追いまわす『シャイニング』の父親のようだった。

「等価交換の法則だよ。きみの将来を、今もっている一番大切なものと交換しないか」

医師の目に黒い炎が揺れた気がした。エアコンの風で黒いカーテンが動いたのだろうか。俊也の血液は体幹に集中して、手足の先が妙に冷たかった。

「わたしの一番大切なもの……ですか」

「そうだ。そこに写っている彼女だ。課長はいっていた。きみは社内のポジションを危険にさらしてでも、その人と別れるつもりはないといったそうじゃないか。見事な覚悟だ。会社のために女性を捨てるなど、男の風上にもおけない。彼女のほうでも、きみのことを心から愛しているのだろうな、きっと」

ふっとなにかを吐きだすように笑うと島波はいう。

「正直なところ、わたしにはどの会社の画像診断装置をつかうかなど、どうでもいいことなんだ。きみのところでも、ZEメディカルでもまったくかまわない。いかに高度なテクノロジーでも、あんなものはただの機械だ。心と身体という謎をもつ人間にはとてもかなわない」

俊也はようやく体勢を立て直した。島波はただナギが欲しいのではないだろう。大切な相手だとわかっている女性を自分から寝取るのがたのしくてしかたないのだ。

「どうなさるおつもりですか」

島波は余裕たっぷりだった。このグラスの中身をかけてやれたら、どれほどせいせいするだろうか。俊也はフルートグラスの細い脚を強くにぎった。

「そうだな、一度きみのほうから頼んでもらえないか。営業なんだ。説得は得意だろう。わたしとのセッティングをお願いする」

そこで医師は黙りこんだ。なにかを思いついたようだ。笑いがおおきくなった。谷底でも覗《のぞ》きこんだ気がする。

「伊藤くんがわたしのガールフレンドを犯したように、わたしがきみの恋人を抱くのも、興味深いな。同じ部屋で見ていて欲しい。立ち会いを希望しよう」

待ってくれと叫びだしそうになった。この男はどこまで歪んだ想像力が働く人間なのか。

「生殺与奪。いい熟語だな。伊藤くんの会社員としての生命は、わたしの手のうちにある」

グラスの残りを口にふくむと、島波はゆっくりと味わった。

「鼻から空気をすこし抜くようにすると香りがよくわかるな。このシャンパンは甘口ではないのに、蜂蜜とかマーマレードのような匂《にお》いがする。わたしは演技が得意だ。きみの会社にどなりこんで、きみを辞めさせることくらいなんでもない。彼女といっしょによく考えてみなさい」

そういうと俊也に興味をなくしたようだった。ピンクゴールドの腕時計で時間を確認している。

「もういいよ。話は終わった。そろそろつぎの客がくる」

黒いカーテンのむこうで、空気が動いた。ウエイターの低い声がする。

「失礼します。お客さまがお着きになりました」

半透明のカーテンが割れて、二十代後半にみえる女性がはいってきた。前回の人ではなかった。俊也を見て、驚いた顔をする。医師が声をかけた。

「そこの人にご挨拶しなさい」

おずおずと頭をさげて、女性がいった。

「はじめまして、わたしは榎本《えのもと》……」

島波の鞭《むち》のような声が飛んだ。

「名前をいえとはいっていない。約束どおりの格好をしてきたんだろう。スカートをあげて見せてやりなさい」

大人しそうな女性だった。二十代も終わりのようだが、女子大生でもとおりそうな清純さのある人だった。顔を真っ赤に染めて、膝丈《ひざたけ》のフレアスカートをゆっくりとたくしあげていく。

「そうだ、いい子だ」

島波は舌なめずりをして、そういった。見ないほうがいい。見ればまたこの医師のペースになる。共犯者に仕立て上げられるのだ。うつむいた女性は肌色のストッキングしか、身につけていなかった。下着ははいていない。ストッキングの下で、淡い体毛が煙りのようによじれ、平らに張りついている。

島波は満足げに女性の下半身を観察するといった。

「伊藤くん、きみの時間は終わりだ。いきなさい」

「……失礼します」

俊也は力なく挨拶して、ソファ席を立った。閉じたカーテンの背後で、島波がそのままの格好でしばらく立っていろと女性に命令する声がきこえた。

## 47

間もなく師走《しわす》を迎える六本木の街にでた。気の早いクリスマスツリーが店先にならんでいる。ダンスビートにアレンジされたクリスマスソングが頭上を流れていく。俊也はあてもなく酔っ払いと客引きで混雑する道を歩き続けた。吐く息は白く伸びるが、寒さはまったく感じなかった。

このままナギにはなにもいわずにすませたほうがいいのかもしれない。会社はいつか辞めることになるだろうが、自分の誇りは守れる。だが、二十年以上続く蟻地獄《ありじごく》のような不況についても考えた。転職はより規模がちいさく、より給与の低い会社へ下方修正せざるを得ないだろう。退職の理由を調べられたら、どの会社も腰が引けてしまいかねない。正社員として働くことはもう困難かもしれない。そう思うと目のまえが真っ暗になった。

俊也は歩き続けた。気がつけば時刻は真夜中をすぎていた。六本木のにぎわいはますます盛んになっていくようだ。足は棒のように硬くなり、かかととふくらはぎが痛みと熱をもってきた。これ以上いくら考えても、自分では結論をだせそうにない。

何度もにぎり締めてきたスマートフォンを、もう一度みつめた。裏通りの路地の暗がりのなか、液晶の明かりが俊也の横顔を照らした。結局、自分は弱い人間だった。自分の未来も、島波の等価交換へのこたえも決められない。祈るような気もちで、ナギの番号を選んで、そっと冷たいパネルの表面にふれた。

「こんな時間にめずらしいね、俊也」

すこし酔っているのだろうか、底抜けに明るい声が返ってくる。ナギのこの明るさが救いだった。

「眠れなくてもやもやしてるの？　テレフォンセックスなら、つきあってあげるよ」

いつものナギだった。俊也もわずかだが元気がでてきた。

「そっちのほうはいらない。困ったことになったんだ」

明かりの届かない路地の奥の暗がりに立ったまま、俊也は一連の騒動を語り続けた。ストーカーからの盗撮写真が会社と島波クリニックに送りつけられたこと。社内でのポジションを失いそうで、すべてはアンチエイジングラボのコンペにかかっていること。そして、島波医師からの呪《のろ》わしい申し出。ナギはすべてをきくといった。

「あのヘンタイ先生がわたしとやりたいっていってるんだ？」

俊也はなんとか平静を装《よそお》って返事をした。

「そうだ。それもぼくの立ち会いのもとで」

「ふーん、いかにもヘンタイ親父《おやじ》が考えつきそうなことだね。で、俊也はどうしたいの」

人影が見えない路地の頭上では古びたネオンがジッジッと音を立てて点滅していた。淋《さび》しい青のネオン管だった。

「ずっと考えたけど、自分では決められなかった。ナギを守りたい。でも、会社を辞めることになったら、どう生きていったらいいのかわからない。もう二時間も歩いてる」

スマートフォンのむこう側から、ナギのやわらかな息づかいだけがきこえてきた。確かにこの時間を分けあっているという感覚が、強く迫ってきた。この場にナギがいるなら、抱き締めて許しを請《こ》うだろう。足にすがってしまうかもしれなかった。男は弱かった。組織のなかで生きる道を断たれそうなとき、男ほど弱い生きものはいないかもしれない。

ナギはふっとそよ風が吹き寄せるように笑い声をあげた。

「いいよ。ヘンタイと寝るのは慣れてるから。もとはといえば、全部わたしについてきたストーカーのせいだもんね。わたしがその医者と寝れば、すべて解決するんでしょう。ただし……」

浅ましいと俊也は思った。自分はナギがそういいだすのを待っていたのだ。二時間も歩き続けたのは、すべてこの電話をかけるのを迷っていたせいだった。ナギなら島波に身体を与えるだろう。それは最初からわかっていたことだった。

「ただし、なあに？」

驚くほどやさしい声になった自分を、俊也は恥じた。都合が悪くなると、男は果てしなくやさしくなるものだ。

「先生とするのはかまわないけど、俊也に見られるのだけは嫌だなあ。なんか照れるよ」

「ナギ……」

申し訳なさとナギのいじらしさで胸が一杯になった。目に涙がにじんでくる。青いネオンが目の縁で揺れている。

「……ほんとにすまない」

「ううん、謝るのはわたしのほうだよ。こんな女につきあわせちゃって、ごめんね。最初から、俊也はわたしにはもったいないくらいの人だった」

俊也はスマートフォンをにぎり、声を殺して数粒だけ涙を落とした。

「そうと決まったら、さっさと片づけよう。先生に電話して。来年まで引っ張るのは嫌だから、年内に終わりにしようよ」

贊成だ。新しい一年の始まりを、島波に汚されたくない。

「わかった。予定がわかったら、あとで電話する」

「うん。ねえ、俊也。自分を責めたら駄目だよ。わたしの身体なんて、俊也の未来に比べたら、ほんとに安いものだから」

じわりと目の奥で動くものを感じたが、俊也は必死で押し返した。

「ありがとう、ナギ」

通話を切って、すぐ島波医師にかけ直した。けだるげな声が耳元で響いた。

「どうもセックスのあとはすぐに動けないな。伊藤くん、返事はどうだった？」

先ほどのストッキングしかはいていなかった女性と、ホテルの一室にでもいるのだろう。島波には支配を望む女性をどこからか見つけてくる天性の嗅覚《きゅうかく》があるのだろう。

「彼女が了解しました。場所と日程を教えてください」

島波は意外そうにいった。

「ほう、ずいぶん早いな。わたしとしてはもうすこしもめてくれたほうが、たのしみが増すんだが。やりたいといったのは、彼女のほうだな。きみが頼んだわけではないのだよね」

唇を噛んで、俊也は漏らした。

「そうです。彼女の意思です」

鼻で笑って、島波は抜けぬけといった。

「けなげだねえ。伊藤くんはいい恋人をもったものだ」

その恋人を寝取ろうというのは、どこの誰だ。俊也は叫びそうになった。

「折り返しかけるから、ちょっと待っていなさい」

通話が切れても、俊也はそこで身動きできずにいた。この路地の湿った暗さと、点滅する青いネオンを自分は一生忘れないだろう。それは自分が人間として最低であると気づいた夜の光景だった。

数分後、スマートフォンが震えだした。

「渋谷、セルリアンタワーに予約がとれた。十二月七日金曜日の夜九時にしよう。わたしは先にいって待っている。三十五階だ。部屋番号は３５１２。繰り返しなさい。

部屋番号は？」

俊也は機械的に返事をした。

「３５１２。十二月七日九時」

すべてを数字にすれば、ナギの犠牲も自分の心の痛みもすこしだけ軽くなるような気がして、通話が切れたあとも俊也はその数字を繰り返し胸のなかで反復していた。

３５１２……３５１２……３５１２。

*48*

目のまえにドアがあった。暗い木目に銀のプレートが浮かんでいる。番号は３５１２。島波が予約した部屋だ。俊也がインターフォンを鳴らそうとすると、ナギがいった。

「ちょっと待って」

ナギはカーペットが敷きこまれた内廊下の左右を確認した。夜のホテルに人の気配はない。

「今夜の最初のキスは、俊也がして」

両腕をあげて、俊也の首に抱きついてきた。ナギの底が見えない目が迫ってくる。俊也は目を閉じると、ナギの身体をしっかりと抱いた。この人が自分の目のまえで、島波のものになるのかと考えただけで、気が狂いそうになる。

ナギの舌が躍るように俊也の口のなかで跳ねて、最後にやわらかな唇で唇をつまむようにして長いキスが終わった。

「すまない」

とうとうここまできてしまった。俊也の会社員生命を守るために、ナギはあの男と寝るのだ。

「気にしなくていいよ。俊也もよくわかってるでしょう。わたしにとって男と寝るのは、Tシャツを着替えるようなものだから。汗かいたら、さっとつぎのに替えるって感じ」

俊也がインターフォンに震える指先を伸ばすと、ナギがいった。

「ちょっと待って」

今度はなんだろうか。ナギはバッグからオレンジピンクの口紅をだすと、鏡も見ずにぐりぐりと唇に塗った。粘膜の輪郭から雑にはみだしている。

「いいよ。さっさとやっつけよう」

呼び鈴を押すとき、ナギは俊也の尻《しり》を撫《な》でていた。自分を勇気づけてくれているのだろう。ナギは確かにセックス依存症かもしれないが、人間としての器は自分より遥《はる》かにおおきいのかもしれない。病だけで人を計ることはできない。俊也は目を閉じて、ドアが開くのを待った。

「待っていたよ、いらっしゃい」

島波院長が黒いバスローブ姿で出迎えた。日焼けした胸元に大型犬でも引けそうな金のチェーンをさげている。島波は俊也の視線に気づくといった。

「ああ、このバスローブか。私物だよ。どうも備えつけのものは、硬くていけない。わたしは肌が敏感でね」

短い廊下をすすんだ。キングサイズのベッドがひとつ、右手にソファ、左手にはデスクと椅子《いす》がおいてある。奥は一枚の巨大な額縁のようなはめ殺しの窓だった。震災後暗くなったとはいえ、まだ東京の夜景が豪勢に広がっている。俊也にはまばゆい光のすべてが薄汚れているように見えてしかたなかった。

「はじめまして、ナギさん。話はきいていると思うが、覚悟はいいかな」

島波は俊也には見せたことのないような笑顔を浮かべ、デスクの椅子を片手で軽々と部屋の隅に運んだ。ナギは硬い表情でうなずいている。

「伊藤くん、きみの場所はここだ。わたしたちがなにをしても、わたしの許可なくここから動いたらいけない。わかったかね」

俊也がうなずくと、日焼けした医師の鞭のような声が飛んだ。

「いきなさい」

俊也の背に震えが走った。部屋の隅にいき、薄い詰めものをした椅子に腰かける。照明は部屋の中央のスタンドだけで、俊也の革靴の先までしか届かなかった。島波はベッドに足を投げだして座り、ヘッドボードにもたれた。

「ここからは呼び捨てでいいだろう。ナギ、こっちにきて、ゆっくりと脱ぎなさい」

ナギはベッドの脇《わき》まで移動した。黒いコートを脱いで、ソファのひじかけにおく。黒いワンピースは、肩から上が透ける素材でできていた。裸の肩から両腕が黒い煙にでも包まれたように、すんなりと伸びている。ナギとはまだセックスはしていないが、裸なら何度も見たことがあった。この人はこれほど美しかっただろうか。ナギはちらりと俊也に目をやると、細いあごの先だけ沈ませた。

「いけないな、ナギ」

バスローブ姿の島波が笑いながら目を光らせていた。

「今後、伊藤くんのほうを見てはいけない。身体《からだ》をこちらにむけなさい」

ナギがゆっくりと医師のほうをむくと、俊也には背中しか見えなくなった。

「悪くない。裾《すそ》をまくりあげてごらん」

ナギが手をいれて、さっとまくろうとすると島波がいった。

「ゆっくりと。急いだら、すべて台なしだ。十数えながらまくりなさい」

黒い布がゆっくりとまくられていく。ストッキングのうしろ側には、黒い線が脚の曲線をなぞりながら走っている。その先にあるのは、ナギの尻を包む黒いショーツだった。島波はあせることなく、数分間かけてじっくりとナギの姿を観察した。

「きちんと準備はしてきたようだな。今度はうしろをむきなさい。伊藤くんと目で会話してはいけないよ」

ナギはマネキンが回転するようにゆっくりとまわった。俊也とは目をあわせない。ワンピースの裾を腰までまくりあげたナギから、俊也も視線を切り、目を伏せた。足元にナギの丸みをおびた影が落ちている。

「伊藤くん、彼女は正面よりも、後ろ姿が素晴らしいな。そのまま身体を前に倒しなさい」

ナギが深くお辞儀をするように身体を倒すと、医師はいった。

「もっと深く。倒せるところまでだ」

俊也はナギの身体が柔軟なことはわかっていた。学生時代に新体操をしていたときいたことがある。ナギは自分の足首をつかむと、身体を完全に半分に折りたたんでしまった。医師は黒いショーツとストッキングに包まれたナギの尻を眺めながらつぶやいた。

「いや、素晴らしい。こんな形のテーブルがあるなら、ぜひほしいものだ」

「あっ」

ナギが声をあげた。俊也はあわてて視線をあげた。いつの間にか島波はベッドを離れ、ナギの背後に立ち、尻を撫でている。俊也の座っている椅子から、ベッドまでは二メートルほどの距離だった。三歩あればいい。それで島波を殴り倒せる。だが、俊也の身体は金縛りにでもあったように動かなかった。

島波は笑いながら、ストッキングに手をいれた。爪《つめ》を立てると、一気に引き裂いてしまう。ナイロンの裂ける音とナギの悲鳴が重なった。

「お気にいりだったのに、すまないね、ナギ。あとで伊藤くんを通じて弁償するよ。さて、こちらはどんな調子かな」

島波が中指を顔の前に立てて、いたずらっぽく俊也を見つめてきた。

「ああっ……」

黒いショーツの底を割って、ナギの性器を確かめたようだ。身体をたたんだままのナギの首筋が真っ赤になっていた。島波はショーツから指先を抜くと、短い笑い声をあげた。

「なぜかね、わたしの経験では、この状態になると、ほぼすべての女性がバルトリン腺液《せんえき》を分泌《ぶんぴつ》している。性的興奮の第一段階だ」

医師は中指の先の匂いをかいで、口にいれた。

「キャスパー・バルトリンは十七世紀デンマークの解剖学者だ。自分の名をこの液体につけて永遠に残すというのは、うらやましい業績だな。ニュートンやワットやパスカルなんかより、ずっと素晴らしい」

島波は中指の腹をなめまわしている。自分の世界にはいりこんでしまったようだ。

「ほとんどの男性は、バルトリン腺液と膣《ちつ》分泌液の違いに気づかない。その両者がそろうと、興奮の第二段階ということになる。試してみよう」

むっとうなるような声をあげたが、ナギはそれだけでこらえた。島波の中指はナギの性器のなかを探っている。それは荒々しくないゆったりとした動きだった。感じさせるためではなく、なかに病変でもないか検査しているような手つきだ。

「潤《うるお》い始めている。いい傾向だ」

十分にナギのなかに滞在させると、医師は中指を抜いた。匂いをかぎ、なめる。

「膣分泌液のほうは、この酸味のある匂いが特徴だ。弱酸性なんだな」

島波はゆっくりとローブの前を開いた。下着はつけていなかった。俊也の位置からは、島波のペニスは見えない。医師が尻を撫でながら、優しい声をだした。

「ナギ、そのままの格好で、まだしばらくだいじょうぶかな」

自分のひざを抱きながら、ナギがうめくようにいった。

「……だいじょうぶ」

医師が俊也に会釈《えしゃく》して見せた。

「では、お先に」

ショーツの底を横にずらして、島波がゆっくりと挿入していく。ナギの口から漏れたのは、苦痛のため息にもあえぎにもきこえた。

「ああ、素晴らしい。きみはこれを毎回味わっているんだな。伊藤くんは女性を選ぶ目がある」

医師はそういいながら、ゆっくりとこすりつけるように腰をつかっていた。決して急ぐことのない動きだった。ナギの声がだんだんと切なさを増していく。息づかいだけで、ナギがエクスタシーを迎えたのがわかった。

ナギは三十代の成熟した女性だ。この倒錯した状況で、自分に見られていたら感じるのも無理はない。俊也はそう胸のなかで繰り返した。嫉妬の黒い炎が胸の底で燃えている。だが、おかしいのは、ナギが濡《ぬ》れているとしったときから俊也のペニスも最硬度の興奮に襲われていたことだった。目を閉じ、耳をふさぎたいのに、性器だけが別な生きもののように猛《たけ》っていた。

島波はナギの頂点を確認すると、ゆっくりとペニスを抜いた。ベッドの端に腰をおろす。ナギはその場にくずおれた。

「第一ラウンドは終了だ」

ナギがのろのろとティッシュに手を伸ばすと医師がいった。

「そんなものをつかう必要などない。ナギ、口できれいにしなさい」

一瞬だけナギが疲れた目で俊也を見た。這うように医師の足元にいくと、ナギはまだ濡れ光っている性器を口にした。

「奉仕しながら、脱ぎなさい」

背中のファスナーをおろし、身体を左右にくねらせるようにタイトなワンピースを落としていく。俊也は背骨に沿って深くうねる影だけを見つめていた。

暗いベッドのうえで、裸の男と女がからみあっていた。ナギの白い肌と島波の黒い肌が、蛇柄のように波打っている。医師が挿入を開始してから、一時間は過ぎているだろう。俊也には時間の感覚が完全になくなっていた。この夜がいつで、ここがどこなのか、見当がつかなくなる。ただひたすら恐ろしくてたまらなかった。震えながら電話をしてきて、今日は何月何日と俊也に質問したときのナギは、きっとこうした状態だったのだろう。

医師はナギの性器と口腔《こうこう》を交互に使用した。俊也が覚えている限り、五種類ほどの体位で性交している。悪魔のセックスにも終わりがやってくるようだった。男の腰の動きと、吐く息の切迫感で、俊也にもそのときがわかった。

島波はナギの髪をつかむと、俊也のほうに顔をむけさせた。後背位でつながり、腰を振りながらいった。

「どうだ、わたしと彼はどちらがいいんだ？」

ナギはその夜ここまでに二桁《けた》の頂点を迎えているはずだった。自分はまだその人としていないと、俊也は叫びたかった。ナギは虚《うつ》ろな目で、目くばせをよこした。にやりと唇の端で笑っている。

「先生のほうが……いいです」

ナギはこんな状況でも、自分に気をつかっていた。すこしでも早く俊也をこの事態から解放するために、島波がきくままにこたえている。それに気づいたとき、俊也の全身に震えが走った。ナギは闘っている。自分もしっかりとこの場を見届けなければならない。

「そうか、伊藤くんよりもいいのか」

島波の腰の動きが速くなった。こうしたことを過去に何度かおこなったことがあるのだろう。ライバルメーカーの営業を想像した。

「はい、先生」

「このままなかに出すぞ」

「待ってくれ」

俊也は叫んだ。医師は避妊具をつけていない。

ナギが顔をあげて、俊也を見つめた。

「だいじょうぶ」

島波は自分の快楽に夢中でなにもきこえていないようだった。

「出すぞ……欲しいといってくれ……おれが欲しいと……いってくれ」

「先生が欲しい」

島波の身体の動きがとまった。腰が小刻みに震えている。ナギは目を閉じて、島波の手を撫でていた。男と女というより、母と子のようだ。ナギは決して穢《けが》れることのない人なのかもしれない。俊也はいつの間にか椅子をおりて、床にひざまずいていた。

セックスを終えたあとの島波は素早かった。さっさとシャワーを浴びにいき、ジャケットにパンツ姿でもどってくる。精液を放出した直後の男のつねで、日焼けした顔もどこかしなびて見えた。

床にへたりこんでいた俊也に声をかけた。

「ナギさんは、よかったよ。久々に最高点をあげてもいい。やはりきみは同士だ。女性を見る目がある」

肩にショルダーバッグをかけると、ドアのほうをむいた。

「ここの部屋代は支払い済みだ。朝までふたりで好きにつかうといい。わたしは、これで失礼する。コンペのほうは期待してもらってもいい」

島波は去っていった。快楽とスリルが終わってしまえば、この場にはなんの興味もないのだろう。裸の身体をシーツでくるんだナギが、顔だけ起こしていった。

「よかったね、俊也」

俊也は這《は》ってベッドまでいった。ナギに抱きつくと、男と女の汗の匂いがした。

「すまなかった、ナギ。ほんとにごめん。ぼくのためにこんな……」

あとは言葉にならなかった。涙があふれてとまらなくなる。ナギには感謝していた。ナギの強さに感動もしていた。それなのに、この部屋にはいってきたときから、俊也のペニスは硬直していた。島波の性交が終了したあとでも、俊也の興奮は去らなかった。ペニスは硬いのではなく、痛いのだ。先ほどまで島波を撫でていた手が、俊也の頭にのっている。指先で男の髪をすきながら、ナギはいった。

「わたしなら、ほんとにだいじょうぶ。先生だって二百何十人目か、三百何十人目かの誰かってだけの話だから。それより俊也が会社でちゃんとやっていけそうでよかった」

保身のために恋する女性をさしだした。嫌々そうしたはずなのに、自分は今も浅ましいほど興奮している。男としての誇りなど、欠片《かけら》もなかった。最低の男で、最低の恋人だ。

「俊也、もう我慢しなくてもいいかもしれないね。きて……」

俊也は服を着たまま、ナギのとなりに横たわった。ナギが幼い子どもにでもするように、ゆっくりと服を脱がせてくれる。興奮している自分がはずかしくて、俊也はボクサーパンツのまえを押さえた。ナギはその手をはずすと、笑っていった。

「それは男なら立つよ。あの先生、なかなかうまかったもん。ちょっと待っててね。シャワー浴びて、汗とあいつの臭いを流してくるから」

俊也はナギの手首をつかんだ。抱き寄せて、形のいい乳房に顔を押しつける。

「駄目だ。いかないでくれ。このままでいい。ぼくがナギをきれいにするから」

「そんなの駄目だって」

俊也はナギをベッドに押さえつけ、全身にすき間なく口づけしていった。髪と額、眉《まゆ》と目、頬と唇。上半身が終わると、次は下半身だった。腰骨と脚のつけ根、太ももの内と外、尾骶骨《びていこつ》と尻。俊也の鼻がナギの体毛にふれたとき、ナギが叫んだ。

「そこは駄目。先生のが残ってる」

俊也は動きをとめなかった。ナギの性器はうっすらと口を開き、男性のものか女性のものかわからない白い液体で濡れている。俊也はためらわずに口をつけると、ナギを清めるためにすべてなめとっていった。ナギが肩を叩《たた》いている。

「俊也の馬鹿《ばか》。もういいから、ちょうだい。ひとつになりたいよ」

なぜナギが涙声なのかわからなかった。俊也はナギとつながった。ほかに心をつなぐ方法がわからなくて、性器と性器をつなぐ。俊也は泣きながら動いた。これ以上、気もちがよくて、切ない行為が人間にあるだろうか。ナギのなかでペニスが溶けていきそうだ。これほど満足なのに、ナギの名を呼びながら、なぜ自分は泣いているのだろう。なによりナギは、なぜ自分よりも大泣きしているのだろう。俊也は自分がなにをしているのか、もうわからなかった。

## 49

ナギと結ばれて、俊也は幸せだった。これまでも恋人同士としてつきあってきたとは思う。だが、身体の壁は厚かった。男性と女性として完全に結ばれたことで、俊也のなかには新たな安心と覚悟が生まれていた。この人を自分と同じように幸福にしたい。それも現在だけでなく、遠い将来まで。三十年ほどの短くはない人生で、そう思わせてくれた人はナギが初めてだった。いつか結婚するのもいいかもしれない。

俊也の思いが深まるにつれて、なぜか逆にナギは距離をおくようになった。メールにも返事がもどってこない。数通に一度の返信は、ほんのひと言ということが多かった。絵文字もめったに使われなくなった。黒っぽい二行ほどの、用件を伝えるだけのメールに、俊也の胸は冷えこんだ。

電話も同じだった。渋谷のホテルでの一件以来、毎晩のようにかけるのだが、ナギは俊也ときちんと話そうとはしなかった。どこかのバーかクラブにでもいるのだろうか、夜の街のノイズを背景に酔っ払っていることが増えたのである。

これはいったいどうしたのだろう？　自分はナギと結ばれて、精神的にも肉体的にも安定したと思う。ようやく普通の恋人同士への最初の一歩を踏みだせたような気がする。逆にナギは安定を失っていくようだった。明けがたに電話をかけてきて理由もなく泣いたり、電話の途中でいきなり怒りだしたりする。俊也にはナギがよくわからなかった。それでもこの人を大切に思う気もちに変化はない。俊也のそれまでの恋愛は足し算だった。きれいだから、スタイルがいいから、よく気がきくから……利点を積みあげ、人を好きになっていた。それがナギで変わったのだ。無数の男と寝る性依存症の傾向がある、精神的には極端に不安定だ、約束を土壇場《どたんば》で容易に破る。数々のマイナスがナギの笑顔やキスひとつで、すべて穴埋めされてしまう。

恋する人はプラスでなくてもよかった。自分とあっているのなら、損得はゼロでまったくかまわない。俊也はそんなふうに考えるようになった。ナギと出会ったこの半年で、この部分だけはすこし成長できた気がする。十二月になり急に冷えこんだ冬の日ざしが、朝の新宿をゆく俊也には、例年になくあたたかだった。

島波院長のアンチエイジングラボのコンペを翌週に控えた金曜日だった。在宅勤務が多い会社だが、その週はプレゼン資料の準備で、俊也は毎日西新宿にある東京本社に詰めていた。あの医師に売りこむのは、最高グレードのMRIとCTが各一台、最新型の超音波画像診断装置が二台で、億を軽く超える商談だった。ナギまでコンペの成功のためにさしだしたのだ。俊也はなんとしても勝つつもりだった。社内的なポジションとナギと自分の未来のためには、絶対に勝たなければならない。

遅い昼食に誠司と会社をでたのは午後一時半すぎだった。ガラスの自動ドアのエントランスをでると、日ざしの割には風がひどく冷たかった。白っぽい石張りのテラスが砂漠のように乾いて見える。

「おい、誰だ、あれ」

先に気づいたのは誠司だった。トレンチコートを着た女性がエントランスの正面に立っている。狙撃手《そげきしゅ》のような目で俊也をにらんでいた。初めて見る顔だった。けれど、その女をひと目見た瞬間、俊也にはわかった。この女がストーカーに違いない。ストーカーは男だとばかり思っていたが、違ったのだ。まっすぐにトレンチコートのまえを襟元《えりもと》までしめた女に近づいていった。三歩てまえで立ち止まると声をかけた。

「写真を撒いたのは、あなたですよね」

女はにこりともせずにうなずいた。年齢は三十代なかば、ナギと同じくらいだろう。顔つきも表情も、削《そ》ぎ落したように鋭くとがっている。美人であるのは確かだ。

「そうよ」

俊也は声を抑えた。

「なぜ、あんなことをした？」

「ナギという女を罰するため」

誠司がうしろから声をかけてきた。

「だいじょうぶか？　なんなら警察を呼ぶぞ」

俊也は振りむかなかった。警察に通報するまえに、きいておきたいことがある。

「どうして、顔を見せたんだ？」

ストーカーは闇《やみ》に潜んで正体を隠しているほうが、断然有利なはずだった。相手が確定できなければ、捜査機関も手のだしようがない。絶対的に有利な態勢を捨ててまで、なぜ自分に会いにきたのだろう。女は吐きだすようにいった。

「あの女がおかしくなったからよ」

まったく意味がわからない。すくなくともこの女がナギを殺してやりたいくらい憎んでいるのは確かなようだ。それなのにナギが不安定になり、苦しんでいるといってあせりだしている。俊也の表情を読むと、女は笑った。

「あんた、鈍感な男ね。あの女はね、自分は幸せになってはいけないって信じてるの。

だから、本気で恋をしてうまくいきそうになると、勝手におかしくなるの。だから、会いにきた。あんな女が誰かと恋をして幸福になるなんて、絶対許せない」

女の投げる言葉のいちいちが、とがったガラスの破片のようだ。ナギは自分と幸せになるのが怖くて、荒れていたのか。俊也は呆然《ぼうぜん》としたが、ここで引きさがるわけにはいかなかった。

「いくら嫌がらせをされても、ぼくはナギと別れるつもりはない」

トレンチコートの女が薄ら笑いをうかべた。強い風に女の髪が黒い炎のように巻きあがった。手で押さえることもなく女はいった。

「あいつは魔女なの。わたしの話をきけば、あんたもあいつとはやっていけないとわかるはずよ。ちょっと時間をちょうだい」

誠司が肩をつついてきた。耳元で囁《ささや》く。

「やばいんじゃないか。この女がナイフでももってたら、どうするんだ」

俊也は女から目を離さずにいった。

「一時間たって連絡がなかったら、警察に電話してくれ。いつものカフェにいく」

「わかった」

俊也は女にいった。

「ナギのことをすべて教えてくれ、こっちだ」

「きっと後悔するよ」

いつものカフェにむかって、俊也は歩きだした。女とはすこし距離をおく。いきなり襲われるのはごめんだった。ふたりのあいだを高層ビルで増幅された北風が氷の刃《やいば》のように吹き抜けていく。


ビルの谷間のカフェだった。夏のあいだにぎわっていたオープンテラスのテーブルに客はいない。俊也は万が一を考えて、レジ近くの窓際《まどぎわ》に席をとった。トレンチコートを脱がない女とむかいあって座る。右手にはガラス越しに空っぽのテラスが広がっている。コーヒーと紅茶をそれぞれ頼むと、女が口を開いた。

「わたしは逃げも隠れもしない。久保田《くぼた》藍子《あいこ》、生まれも育ちも仙台市よ。あの女の名前は遠峯夏帆《かほ》、旧姓は広瀬《ひろせ》。あの女がわたしの夫を殺したの」

ナギが殺人犯？　衝撃が全身を駆け抜けたあとで、疑問に襲われた。では、ナギはあの年で十年近く女子刑務所ですごしたのだろうか。

「あの女が生まれたのは、世田谷の桜上水よ。高校は私立女子高で、都下にある美大に入学した。卒業後は広告会社に就職して、デザイナーになった。そこで将来結婚することになる遠峯裕介《ゆうすけ》と出会った。それがすべての間違いの元だった。いい、あの女はわたしの夫の浩章《ひろあき》だけでなく、自分の夫も殺したのよ」

ふたりの男性を殺害した？　それが事実ならメディアを騒がせるニュースになっていたはずだ。

「ちょっと待ってくれ……」

俊也は混乱していた。ナギの男狂いはわかる。不眠や鬱《うつ》状態のせいで、睡眠導入剤や向精神薬をのんでいることもしっている。だが殺人犯であるとは初耳だった。

「待つ必要なんてないでしょ。あんたはあの女のすべてをしりたいのよね。だったら黙ってきいてなさい」

久保田藍子は紅茶に手もつけずに、目をぎらぎらと底光りさせて語り続けた。握り締めた指先がかさかさに乾いている。よく見ると化粧もおざなりのようだった。精神の荒廃が肌にあらわれている。荒い砂でも撒《ま》いたように頬がざらついていた。

「遠峯裕介は仙台生まれだった。あの女と結婚して、地元にもどって友人とデザイン会社を起こしたの。今から四年まえのことになる。あの女も裕介といっしょに仙台の青葉通り沿いにあるマンションに引っ越してきた。うちの三階上の907号室よ。うちは分譲だったけど、むこうは賃貸だった」

マンション住民の意識は、俊也にはよくわからなかった。夫が殺されたのに、住まいが賃貸か分譲かは重要なのだろうか。

「わたしにはあの女の事情はよくわからない。でも、ありふれた話だと思う。夫について、友人も土地勘もない初めての街にやってきた。夫は会社を軌道に乗せるのに忙しくて、ぜんぜんかまってくれない。淋しくて不安。男好きな女は手近なところで、別の男を探した。誘惑が得意で、男をたらしこむのが大好きっていうあの女の本性は、あんたならわかるよね。誰とでもすぐに寝るんだから、あたりまえだけど」

久保田藍子はそこで深呼吸をした。冷めて濁った紅茶をひと口のむ。声が震えていた。

「うちの浩章はあの女の誘惑に、引っかかった。それが今からちょうど二年まえのことよ」

トレンチコートの女が、誰もいないテラスに目をやった。白いテーブルと白い椅子のあいだをビル風が抜けていく。

「あの日、わたしの夫は遠峯裕介から呼びだされていた。嫉妬深い嫌な男ね。あの女の携帯電話のロックナンバーを徹夜で何百回も打ちこんで開けたらしい。それでうちの浩章とあの女の不倫がばれた。遠峯はあの日、名古屋で自動車会社のPRの打ち合わせがあった。前泊して、朝イチからの会議を終えて、仙台空港に到着したのが、十二時五十七分だった。わたしの夫は……」

久保田藍子の手が目に見えて震えだした。唇が青い。

「……その航空会社の地上職員だった。夫はあの日、わたしに黙って午後に半休をとっていた」

ひどくよくないことが語られようとしている。それだけはわかった。繰り返されるあの日とは、いったいいつだろう。俊也まで叫びだしそうだ。

「遠峯裕介とうちの夫は、ふたりだけで会って、話をつけるつもりだった。人のいない静かなところでね。遠峯の車、赤いボディで黒い革の内装のアルファロメオに乗せられて、仙台空港をでたのが二時すこしまえ。会社の同僚が目撃している。ふたりはそのまま閖上浜《ゆりあげはま》にいった。あんなに寒い曇りの日に、ほんとに馬鹿みたい。その浜はあの女と遠峯裕介がよくデートをしていた場所だった」

吐き捨てるように続けた。

「あの女も、うちの人も最低」

怒りで身体全体を震わせる人を、俊也は生まれて初めて見た。テーブルまでかすかに揺れている。俊也のコーヒーカップのなかにちいさな波紋が生まれ、カップの縁にあたり干渉を起こした。ちいさな波が高くなる。

「地震が起きたとき、わたしの夫と遠峯裕介は海岸にいた。たぶん急いで、車にもどったんでしょう。でも避難渋滞に巻きこまれてしまった」

目を閉じた。あの日のことは東京にいた俊也も忘れられない。いや、日本中のすべての人が記憶に刻みつけている。

二〇一一年三月十一日、午後二時四十六分十八秒。

数字まで鮮明だった。宮城県牡鹿《おしか》半島東南東沖百三十キロの海底を震源とする地震が起こった。東日本大震災、あのときはその名もまだついていなかった。大地が裂けるように震え、巨大な津波が海岸を襲った。

久保田藍子はあの日を、もう一度生きていた。目が真っ赤で、血がにじむほど唇をかみ締めている。

「うちのマンションはだいじょうぶだった。仙台も青葉区まで水はこなかった。わたしはあの人のことが心配で、何度も何度も電話して、メールもした。でもぜんぜんつながらない。心配でたまらなかった。だけど、きっと浩章はだいじょうぶだって信じていた。会社の同僚は空港のビルの上階に逃げて、みな無事だとしらされていたから」

俊也は詰めていた息をようやくすこしだけ吐いた。カフェのなかの空気が薄くなったようだ。息苦しくてたまらない。

「浩章の会社の人がRVをだしてくれることになって、仙台空港に着いたのが二日後だった。わたしはそのあいだまったく眠れなかった。事務所にいくと、うちの人だけが行方不明だと上司がいう。あの日の午後は半休をとってどこかにいってしまった。そのときの絶望感が、あなたにわかる？　わたしは泥の鏡みたいになった空港を、凍えながら真夜中まで探し歩いた」

言葉もなかった。目のまえのひどく傷ついた人を見ていることしかできない。自分はあの日あの場にいなかった。それが人として足りないことに感じられる。

「赤いアルファロメオが牛野の田んぼのなかで見つかるまで三日かかった。横倒しになった漁船に突き刺さるように、後輪を浮かせていた。うちの人と遠峯裕介は絡《から》みあうように車内で亡《な》くなっていた。この人は誰だろう。顔を見た記憶がかすかにあったけれど、夫といっしょに死んだ人が誰なのか、わたしにはわからなかった。あの人は、水をのんで溺死《できし》したのではなく、のどに泥を詰まらせ窒息死していた。きっと苦しかったでしょう」

そのとき久保田藍子の身体が燃えあがったようだった。顔をそむけずにいられないほどの熱が、やせこけた女から放射される。憎しみの炎だ。

「すべてがわかったのは一週間後だった。あの人の携帯電話は水没して壊れたけど、残されたメモリーカードからメールとアドレス帳はとりもどせた。専門の業者に頼んでね」

女の顔に恐ろしい笑みが浮かんだ。鬼とはこの人のことではないのか。

「わたしは何百通というメールを読んだ。うちの人の骨壺《こつつぼ》のまえでね。あの女との嫌らしいメールをたくさん。やりたくてたまらない、きみが最高だ、うちのセックスはつまらない。秘密のデートの約束のあいだに、あの女と浩章は、そんなやりとりをしていた。わたしは気が狂うかと思った。あの女が素知らぬ顔で生きていくのを、なにもせずに見ていたら、わたしのほうがおかしくなってしまう。この苦痛と悲しみの何十分の一でいいから、あの女に返してやりたい。だから、ストーカーになったのよ」

久保田藍子は冷めたカップを一瞥《いちべつ》するとウエイターを呼んだ。新しい紅茶を頼む。俊也の目を見つめたまま、ゆっくりとゆっくりと笑った。

「いい、わたしはストーカーになったことをまったく恥じていないし、申し訳ないとも思わない。警察でもなんでも呼びなさい。わたしはすべてを失《な》くしたの。犯罪者になるのは、ぜんぜんかまわないのよ。あの女を破滅させられるならね」

なにかをいわなければならなかった。届くはずがないとわかっていたが、俊也は口を開いた。

「いつまでも過去にこだわっていたら、あなたは不幸から脱けだせない。彼は決してそんなことは望まないと思う」

「不幸？　それがなに？　あの日から不幸とか幸福とか、わたしたちにはないのよ。あの女の夫も、わたしの夫も生命保険に加入していた。何千万というね。わたしたちには金も時間もたっぷりとある。わたしはあの女を不幸のどん底に落すために生きるし、あの女は根っからの淫乱《いんらん》だから、死んだ夫の保険金でつぎつぎと男をくわえこんで生きる。不幸だ、不安だと嘆いてね。どっちにしてもわたしたちは最低で、これ以上落ちようなんてない。わかる？　今ここが地獄なのよ」

目のまえに新宿の高層ビル群と明るいテラスが広がっていた。地獄はなんと清潔で、うまくデザインされているのだろうか。久保田藍子が強靭《きょうじん》に笑っている。

「あの日、うちの人と遠峯裕介が閖上浜にいかなければ、ふたりとも今も生きていたでしょう。浩章は空港ビルで、遠峯裕介は土手のうえの仙台東部道路を走行中か、青葉区にある事務所に無事帰れたはず。あの女がふたりの男を殺した。すくなくともそのきっかけをつくったのは確か。法律で裁けないなら、わたしが裁いてやる。あんたがあの女と本気でつきあうなら、あんたも狙《ねら》うわよ。あんたの両親や友人や会社に、今の話をすべてぶちまけてやる。遠峯夏帆は人殺しの淫乱女だってね」

紅茶が届いた。こんなときでも香りのよさは変わらなかった。久保田藍子は両手でカップをとりあげると、唇をとがらせ息をかけ、すするようにのんだ。この人はあの日さえなければ、かわいらしい女性だったのかもしれない。

「久保田さんは、ずっと続けるつもりなんですか」

「そうね、あの女が死ぬか、わたしが死ぬかするまで。ねえ、伊藤さん?」

名前を呼ばれて、俊也は身体のこわばりをほぐした。ナギとつきあう限り、この人を避けることはできないのだろう。

「あんたはわかっているの? 夏帆は悪魔みたいな女で、とてもあんたの手になんか負えない。悪いことはいわない。あの女と別れなさい。あんたの将来のためを思っていってるのよ。わたしがあんたの友達か家族だったら、絶対にあの女とはつきあわせない」

離れて暮らす親について考えた。事情をしれば、きっと久保田藍子と同じことをいうだろう。俊也の父と母は常識人である。

「まさか結婚とかするつもりはないんでしょう?」

俊也はうなずくことも、首を横に振ることもできなかった。波にさらわれたあとの荒《すさ》んだ泥の景色が、胸に広がっている。車のなかで絡みあうように窒息死しているふたりの男を想像した。ひとりの女を愛したために死んでいった男たち。想像のなかで、なぜかどちらも自分の顔をしていた。開いた口は泥で黒々と埋まっている。久保田藍子と同じように身体が小刻みに震えていることに、俊也は自分でも気づかなかった。

## 50

ナギは今も荒れ狂う水に襲われている。

灰色の泥水に巻きこまれ、あてもなく流されている。

あの日、ふたりの男が死んだことでナギの心も死んでしまった。

俊也は久保田藍子と別れ、会社にもどったが、そのあいだの記憶がまったくなかった。別れ際に彼女がなにかいったようだが、その言葉も覚えていない。さまようように新宿のビル街をとおり抜け、気がつけば三十四階のオフィスにいた。午後の日が気だるくすんだ副都心を照らしている。東京の街がなぜか洪水のあとに見えた。

「俊也、だいじょうぶか。顔色が悪いぞ」

プレゼン資料を直していた誠司がパソコンから顔をあげ、こちらを心配そうに見ていた。

「ああ、だいじょうぶ」

ほかになんと返事をすればいいのだろう。爆弾でも渡されたようにストーカーからきかされたナギの秘密は、誰にも口にできなかった。俊也はデスクにむかい、機械のように仕事を開始した。心はそこになかった。この時間もあの波に流されて、眼下の街のどこかを漂流するナギのことしか考えられなかった。


その日の仕事が終わるまでに、俊也は電話を七回かけた。そのうちの三度は留守番メッセージを残した。久保田藍子から、すべてをきいた。会って話がしたい。だが、ナギからの返事はなかった。

俊也はその夜、スマートフォンをにぎりしめたまま眠りに就いた。ナギの住所はわからない。本名はわかったが、家族も友人もわからない。ちいさな薄い板のような通信機器が、今も流されるナギとつながるただ一本の糸だった。

メールはこれまでどおり、ランチタイムと夜寝るまえに送った。ときには千字を超える長文になるときもあれば、今どこにいる？　連絡を待ってると一行だけのこともあった。こちらも返事はもどってこない。ナギは俊也の目のまえから完全に姿を消してしまった。

俊也は鳴らなくなったスマートフォンをぼんやりと見つめ、なにも届いていないとわかっていても、何度もメールの画面を開いては閉じた。これまでのナギのメールを読み返して、身を切られるような冷たい淋《さび》しさに打たれる。ナギは自分といっしょにいるときも、あの水から逃れることはできなかったのだ。水面に手を伸ばし、必死で助けを求めていたのかもしれない。だが、自分にはその手をとることも、気づいてやることさえできなかった。この半年いったいなにをしていたのだろう。ナギの強烈な魅力に振り回され、常軌を逸した行動のかげにある傷に目をむけることさえしなかった。

恋人失格だ。俊也はそう判断した。着信拒否にされていないだけ、まだましなのかもしれない。けれど、このままナギとの関係を終わらせるつもりはなかった。この仕事を終えてひと息つけたら、そのときはきちんとナギとむきあってすべてに決着をつけなければいけない。そのためにも島波クリニックの仕事を、なんとか勝ちとらなければならなかった。俊也はもう一度、目のまえにある仕事に集中した。

## 51

アンチエイジングラボのコンペを翌日に控えた木曜日は、朝から重い曇り空だった。

真夜中には雨になり、明けがたには東京に初雪が舞うかもしれないと、気象予報士は告げていた。資料の準備が完了したのは夜十時だった。夕食はピザのケータリングで済ませている。帰り際に誠司が声をかけてきた。

「俊也、お疲れ。一杯だけ引っかけていかないか。このまま帰っても気が立って、すぐには寝られないだろ。明日のコンペのプレゼンテーションは、島波先生のじきじきのご指名で、おまえが担当するんだからな」

離れたデスクで小宮山課長が帰り支度をしていた。誠司は声をひそめる。

「それにさ、先週からおまえ変だぞ。毎日あんなにナギ、ナギってうるさかったのに、彼女の名前を一度も口にしなくなった。まさか振られちゃったんじゃないだろうな」

俊也は力なく笑った。誰にも明かせない暗い秘密を胸に抱えて暮らす困難が身にしみている。自分でさえこれほどしんどいのだから、当事者のナギはあの日からどれほど苦しんできたのだろうか。

「まだ振られていないさ。今日は疲れたし、明日が大切だから、早く帰って寝ることにする」

誠司はじっと俊也の顔を見つめていた。

「そうか、ならいい。だけど、今回のコンペが終わったら、すこし休みをとれよ。最近ずっと様子がおかしいぞ。おまえ、この一週間で十歳も老《ふ》けたみたいだ」

秘密が人を大人にし、老いを早めるのだろうか。

「ああ、こっちも急に大人になった気分だよ」

「おまえ、ほんとにだいじょうぶか」

俊也は黒いカシミアのマフラーを首に二重に巻きつけ、鼻を埋めた。寒い夜の帰り道だった。俊也はこのマフラーをナギに貸してやったことがある。深く息を吸いこむと、ナギの匂《にお》いが残っていた。ほのかに甘い女性の体臭と香水の名残だ。それだけで涙ぐみそうになった。

「いこう」

同僚にうながされて、夜景の美しいオフィスをでていく。翌日に大舞台を控えていても、俊也の胸に高揚感はまったくなかった。

スマートフォンが鳴ったのは、夜中の十二時近くだった。いつでもナギからの連絡にこたえられるように、着信音のボリュームは最大にしてある。暗い寝室で俊也は液晶画面を確認した。ナギではなく、島波修二郎だった。落胆とかすかな怒りがこみあげてくる。

「はい、伊藤です」

島波院長は上機嫌だった。

「ああ、起きていたか。よかった。明日のプレゼンはうまくいきそうかね」

ため息をつきそうになったが、俊也は冷静だった。

「おかげさまで準備は万端です」

「そうか、上司のまえでいいところを見せるチャンスだ。伊藤くんもせいぜいがんばってください。きみの社内的なポジションがいいほうが、こちらもなにかと都合がいい」

どの口でそんなことがいえるのだろうか。ナギをさしださなければ、ストーカー被害を訴えに会社に怒鳴りこむとすごんだのはひと月ほどまえのことである。俊也の胸のなかでぐらりと動くものがあった。怒りを抑えこんでいった。

「はい、精一杯がんばらせてもらいます」

医師の声の背後にかすかに音楽が流れていた。無伴奏のヴァイオリンが荒れ狂っている。俊也は入院中だという島波の妻を思いだした。理由はないが、この演奏はきっと彼女のものだろうと直感した。島波のような善悪の彼岸にいる男でも、若き日の妻を偲《しの》ぶことがあるのだ。

「そういえば、ナギさんの様子はどうだね。あのあとできみたちもしたんだろう？」

俊也がナギと初めて結ばれたのは、島波のあとだった。その事実はなんとしてもしられたくなかった。島波がどれほどよろこび、どれほど後々まで話の種にするかしれたものではない。

「ええ、まあ」

「きみもなかなか女性を見る目が確かだな。彼女とのセックスは素晴らしかったよ。最近、わたしのところの女たちがつまらなく感じられてしかたない」

この男はそんなことがいいたくて、真夜中に電話をかけてよこしたのだろうか。

「そうでしたか。でも、彼女は普通の女性ですよ」

ナギが普通のはずがなかった。欲望と運命に関しては、嫌々非凡なものを背負わされてしまっている。

「きみは経験が浅いから、そんなことをいうんだ。彼女は素晴らしいよ。なんならわたしの手元の女三人ととり換えてもいいくらいだ」

若い女を売り買いする奴隷《どれい》商人のような台詞《せりふ》だった。

「先生、明日も早いですし、大事なコンペがありますから、そろそろ失礼してもよろしいでしょうか」

ベッドサイドの目覚まし時計は午前零時を回っていた。島波の話にはつきあい切れないものを感じる。

「ああ、すまなかったな。だが、コンペが終わったら、その後のことを話しあうために、ディナーでもいっしょにどうかな。伊藤くんには決して悪いようにはしない。そのときなんだが……」

島波がにやりと笑う顔が、スマートフォンのむこうに見えたような気がした。悪魔が舌なめずりをしている。

「またナギさんを呼んでもらえるかな。あのホテルの最上階にあるフレンチは、景色も料理もなかなかだ」

俊也は冷たい汗をかいていた。コンペに勝てば、営業ノルマを達成すれば、それですべてがうまくいくというわけではなかったのだ。島波がクライアントである限り、理不尽な要求に振りまわされることだろう。目のまえが真っ暗になった。俊也はなんとか返事をしぼりだした。

「……考えておきます」

「ああ、ゆっくりと考えなさい。わたしがついている限り、きみの会社での地位は安泰だ。明日はのびのびとやってくれれば、それでいい。では、おやすみ」

「失礼します。おやすみなさい」

スマートフォンを握る手が嫌な汗でぬるぬるしていた。

「ふざけんな！」

そう叫んで、スマートフォンを羽根枕《はねまくら》に投げつける。二度とナギをおまえなんかには会わせない、そういえたなら、どれほどよかっただろうか。自分の小心さとふがいなさに涙がでる。

胃と頭が痛くなり俊也はぬるま湯で鎮痛剤をのみ、ベッドにはいった。頭の芯《しん》に脈打つような熱の塊がある。とにかく明日をどうにか乗り切ることだ。俊也は痛みを無視して目を閉じた。

二度目の電話が鳴ったときには、純粋な怒りしか感じなかった。なんとか浅い眠りに落ちかけたところだった。目覚まし時計の針は暗闇のなか青白く午前三時を示している。こんな時間に誰だろうか。液晶画面にナギの名前が浮かび、俊也はベッドで跳ね起きた。

「もしもし、ナギ？」

どこかのバーかクラブだろうか、静かにピアノトリオが鳴っている。ねばりつくようなスローバラードだ。

「あー、俊也だ。元気？」

酔っ払ったナギの声は、いつもよりかん高かった。ご機嫌なようだ。

「元気だよ。毎日仕事してる」

「そうなんだ、それはよかったですねえ。男はやっぱり仕事しなくちゃね」

これが深夜にたたき起こされてする会話だろうか。俊也は一気に切りこんだ。つぎに電話で話せるのがいつになるか予想もつかない。

「久保田藍子さんから、話はすべてきいた。あの日、仙台の浜辺でなにがあったか。どういう事情で、ふたりの人が亡くなったか。もうナギはぼくに隠すことはないんだ」

一瞬の間が空いた。店内のざわめきが遠くなる。

「全部、きかされちゃったのかあ。じゃあ、わたしがどんなに悪い女かも、俊也はよくわかったでしょ。わたしは最低の女で、幸せな恋なんて絶対にしたらいけないんだよ」

液晶画面が割れそうなほど、俊也は力をこめてスマートフォンを握っている。パジャマ一枚の背中に冬の夜の冷えこみを感じる余裕もなかった。

「そんなことはないよ。起きてしまったことは、とり返しがつかないし、変えられはしない。でも、未来は別だろ。ナギが幸せになっちゃいけないなんて、誰が決めたんだ？」

ぞっとするほど低い声で、ナギが笑っていった。

「たくさんの人だよ」

ゆっくりと指を折って数えるようにあげていく。

「わたしの夫のお父さんとお母さん、それに妹さんと弟さん。彼のお父さんとお母さんとお姉さん。親戚《しんせき》の人たち。それぞれのお友達が何十人か。久保田藍子さん。最後に亡くなった人がふたり。遠峯裕介と久保田浩章」

俊也はなにもいえなかった。死という絶対の虚無のまえで、なぐさめの言葉は無力だった。

「裕介と浩章はもう仕事もできない。お酒ものめない。息をすることも、年をとることもできない。白くてきれいな骨になって、そのまま固まっちゃったんだよ。ねえ、しってる?」

俊也はなんとかナギをこちらの世界にとりもどしたかった。思い切り優しい声をだしてみる。

「わからない。なあに」

「藍子さんにはいってないけど、裕介と浩章が最後に抱いたのは、わたしだった。今もあのときの胸の熱さや声を覚えてる。もうふたりは誰かとつながることも、抱き締めることも、けんかすることもないんだよ。わたしひとりが幸せであっていいはずがない。そんなこと許されない」

息の調子がおかしかった。低くすすりあげるようだ。ナギはどこかの店で声を抑えて泣きながら電話している。俊也の胸の奥でやわらかなものが破れ、血が流れだしていた。

「ぼくがいても駄目なのか」

ナギの泣き声だけがきこえてきた。

「ナギがいくら不幸でもかまわない。でも、いつも近くにぼくがいて、ナギを支えていても駄目なのか」

泣きながら笑って、ナギはいった。

「ありがとね、ほんとにうれしいよ。でも、わたしはふたりの男を殺しちゃった。だから、なにがあってももう駄目だと思う。わたしなんかとつきあってくれて、ありがとね。半年間ほんとにたのしかった。あの日からあんなに笑ったのは、俊也といるときが初めてだった。こんな最低の女のためにありがとね」

嫌な予感がした。俊也はあわてていった。

「ちょっと待って……」

「待てないよ。これがさよならの電話だもん。わたしはこれから俊也を忘れるために、初めに声をかけてきた男と寝ることにする。そう決めたんだ」

悲鳴のような声が自分から漏れて、俊也は狼狽《ろうばい》した。

「お願いだから、やめてくれ。自分を傷つけるために男と寝たって、ナギの傷はふさがらないんだよ」

「そんなことわかってるよ。でも、すくなくとも俊也を幻滅させることはできるでしょう。相手なんか誰でもよくて、誰にでも脚を開く女、それがわたしだよ。さよなら、俊也、大好きだったよ」

電話はきたときと同じように、いきなり切れてしまった。何度再ダイヤルしても、ナギが電話にでることはなかった。俊也は眠れないまま数時間を過ごし、明けがたに盗むように浅い眠りをとった。いつの間にか雨になっていたようだ。やわらかな冬の雨音が室内まで濡《ぬ》らしている。俊也は強く目を閉じて、ナギがどこかの男に抱かれている場面をなんとか想像しないようにした。

コンペの朝、俊也は疲れ切って目を覚ました。身体《からだ》が重く、頭のなかには濃い霧がかかっている。いつもより早い時間だったので、熱いシャワーと冷たいシャワーを交互に浴びて、なんとか身体を起こそうとした。

食欲はまったくない。機械的にトーストを焼き、カフェオレを一杯つくった。砂を噛《か》むような味のパンと泥水のようなコーヒーは半分ほど残してしまった。

クリーニングから戻ったばかりの一番高価な白いシャツに袖《そで》をとおし、スーツと同系色のネクタイを締めた。ニュースでは北関東の山間部で雪が降っていると報じていた。

島波クリニックのコンペは、午後一時からだ。俊也の会社に割り振られた時間は五十分間だった。このコンペは俊也が島波に従順で、ナギをさしだしている限りは、絶対に安全な出来レースだった。そのナギが、自分の目のまえから消えていこうとしている。

コートを羽織り、ナギの匂いが残るマフラーを投げやりに首に巻いて、俊也は自分の部屋をでた。最低の一日が始まろうとしている。マンションのエントランスから、冬空を見あげると雨は重く湿った雪に変わっていた。俊也はあの日、東北で降ったという雪を思いだしていた。

52

ランチは昼休みの三十分まえにとることにした。午後一時から始まる学芸大学の島波クリニックでのプレゼンを考えると、正午過ぎには会社を出発しておきたい。俊也は小宮山課長と誠司と三人でエレベーターに乗りこみ、同じビルの地下にある居酒屋にはいった。七百五十円の和定食は、焼き魚や鶏《とり》の唐揚げに小鉢二品がつく。営業部のいきつけの店である。

先頭の小宮山がのれんをくぐったところで、俊也のスマートフォンが鳴った。見知らぬナンバーだった。大切なプレゼンが待っている。このまま無視してしまおうか、俊也は迷った。課長は怪訝《けげん》な顔で、こちらを振りむいている。しかたなく俊也は電話にでた。有無をいわさぬ男の声が耳元で鳴る。

「伊藤俊也さんですか。こちら新宿署の松永《まつなが》といいます。遠峯夏帆さんが入院されています。ご家族の連絡先を教えてくださいといったのですが、伊藤さんの電話番号しかいいませんでした。これからおいでいただくことはできますか」

遠峯夏帆？　ナギのことだ。明け方に話をしたばかりのナギが、なぜ病院にかつぎこまれているのだろうか。

「ナギ……いえ、遠峯さんは無事ですか。なにがあったんですか」

誠司が心配そうな顔で見ている。小宮山課長がいった。

「なにをだらだら話してるんだ？　さっさと昼めしを済ませないと、プレゼンに遅刻するぞ」

俊也は片手をあげて、課長を制した。

松永と名のった警察官がいう。

「遠峯さんは事件に巻きこまれたようです。命に別状はありませんが、かなりひどい状態です。覚悟をなさってください。伊藤さんからもお話をききたいので、できるならすぐこちらにきていただきたいんですが」

俊也の声は自分でも悲鳴のようにきこえた。身体が熱い。

「場所はどこですか」

「東新宿中央病院です。一階奥にある救急外来の病室にいます」

「事件って、どういうことですか」

しばらく松永は無言だった。

「その話はお会いしたときにさせてもらいます。電話では話しにくいことがありまして」

小宮山が近くにやってきて、電話相手にもきこえるようなおおきな声でいった。

「仕事が切羽詰まってるのに、なにをだらだら話してるんだ。いくぞ、伊藤くん」

俊也は会社員生命がかかったプレゼンを考えた。ナギのうえに乗る島波院長との、将来も続くクライアントと営業マンとしての関係を考えた。あの日ふたりの男を黒い波で亡くし、壊れてしまったナギを考えた。電話でナギは最初に声をかけてきた男と寝るといっていた。俊也に自分をあきらめさせるために。損得などいくら計算しても、どうしたらよいのかわからなかった。

つぎの瞬間、俊也はこたえていた。

「すぐにいきます。遠峯さんにそう伝えてください」

通話を切った。小宮山課長が爬虫類《はちゅう》に似た目を吊《つ》りあげている。この人でもこんなふうに感情をあらわにすることがあるのだ。しびれた心で俊也は冷静に相手を観察していた。

「すみません。友人の女性が事件に遭って入院しました。今日のプレゼンは休ませてください」

小宮山の声が跳ねあがった。

「自分でなにをいってるのか、わかってるのか、伊藤くん」

俊也はうなずいた。うなずいたあとで、これでよいのだという確信が遅れてやってくる。

「はい。処分はあとでいくらでも受けます。今はすぐにいかせてください。プレゼンはずっといっしょに資料をつくっていた益田くんでだいじょうぶです。わたしなんかよりずっとできるやつですから」

俊也は同僚に目をやった。誠司はそれだけでわかったようだ。うなずいていう。

「ナギさんに、なにかあったんだな。わかった、あとはまかせておけ」

その言葉をきけばもう安心だった。

「失礼します」

そういうと同時に身を翻《ひるがえ》して、風のように地下のレストラン街を走りだす。

「この仕事をとれたとしても、きみにはペナルティだからな」

背中に石つぶてのように課長の声が飛んできた。

## 53

その病院は新宿駅をはさんだ反対側だった。駅まえで小雪が舞っている。俊也はタクシーに飛び乗り、十分足らずで到着した。かなりのおおきさの病院で、受付は空港のチェックインカウンターのように混雑している。案内板を確かめながら、小走りで救急外来の病室にむかった。明る過ぎる廊下のベンチに男がふたり座っていた。俊也が近づくと、男たちは立ちあがり、黒い手帳を見せた。ふたりとも化繊のコートを着ている。髪を短く刈った小柄なほうがいった。

「伊藤さんですか。新宿署刑事課の松永です」

俊也は勢いよくうなずくと、荒い息できいた。

「遠峯さんになにがあったんですか」

松永が沈痛な表情をつくった。自分が遺族にでもなった気がする。もうひとりの刑事は無言で、手帳にメモをとっている。

「遠峯さんは今日の午前十一時に歌舞伎町のラブホテルで、従業員に発見されました。顔面を殴打《おうだ》され、肋骨《ろっこつ》二本が折られ、首をタオルのようなもので絞められています。重傷ですが、命に別状はありません」

俊也の身体のなかが空っぽになった。足元から病院の冷たい廊下に血液がすべて流れだしていくようだ。

「……話はできますか」

「はい。意識を半分とりもどした状態で、あなたの名前を呼んでいたそうです。ご家族の連絡先は教えていただけませんでした」

「わかりました。顔を見てきます」

俊也はガラスの小窓がついた病室の扉に目をやった。遠峯夏帆、ネームプレートの手書きの文字が鮮明だった。新宿署の刑事がいった。

「犯人の男は先ほど歌舞伎町のゲームセンターで緊急逮捕されています。この男は婦女暴行の常習犯で、この夏出所したばかりでした。三回の懲役の合計は十六年。年越しの金もなくなったので、事件を起こしたといっています。相手は誰でもよかったそうです」

新宿の警察官にとっては事件ともいえない事件なのかもしれない。その説明は簡潔で手慣れたものだった。

「わかりました」

それ以外になんと返事をすればいいのだろう。常習犯は厳しい冬を食事つきの留置場で過ごすのが目的だった。女なら誰でもよかった。ナギも相手は誰でもよかった。皮肉なことに、両者の利害は一致していた。

引き戸に手をかけると、松永刑事がいった。

「のちほど遠峯さんの昨夜の行動について、お話をきかせてください」

うなずく。個室の扉を開けた。なかに広がっているのは、すべてが流された後の寒々とした灰色の景色だった。

雪のせいか、耳が痛くなるほど静かだ。

ベッドは白いカーテンで包まれていた。死者を安置してあるかのようだ。外側からそっと声をかけてみる。

「ナギ、ぼくだ。だいじょうぶ？」

老女のような潰《つぶ》れた声がなかからきこえる。

「なんとか。急にごめんね」

俊也はカーテンを引いて、ベッドサイドに立った。ナギはベッドを起こし、正面をむいていた。顔面の左側半分が青黒く腫《は》れていた。手ひどく殴られたようだ。首には赤くこすれた跡が残っている。心電モニタが規則正しい波形を無音のうちに更新していく。点滴の透明なバッグはふたつだった。仕事柄、俊也は中身をさっとチェックした。鎮痛剤とブドウ糖だ。

「残念だけど、死に損ねちゃった。座って。仕事だいじょうぶだったの？」

腫れていないほうの目が笑っていた。ナギは強い人だ。島波クリニックのコンペの話はしていなかった。目に涙がにじんだが、俊也はうなずいた。

「だいじょうぶだ。それよりナギ、昨日の夜なにがあったんだ」

「つまらないことだよ。いつもの話」

俊也は手を伸ばして、点滴を刺していない右手をにぎった。冷たく薄い手だった。

ナギはまったくにぎり返してこなかった。

「電話したのは新宿三丁目のバーだった。何人かの男に声をかけられたけど、そのなかから最低のやつを選ぶことに決めたの。罰ゲームみたいなものかもしれない」

ナギは吐くように笑った。

「なにされても、どうせ死ぬことはない。そう思ってた。でも、今度のやつは正真正銘の病気だった。今までもわたしは何人か会ったことがあるんだよね。相手を痛めつけなきゃ興奮しない男にさ。ただエッチするだけでなく、殴ったり、蹴《け》ったり、噛んだり、血をのんだりする」

俊也は息をのんだ。成人してからの歳月の半分以上を、その男は塀のなかで生きてきたのだろう。罪を犯すたびに刑は重くなるので、つぎにこの世界に放たれるのは十年後かもしれない。だがそういう人間も、いつか必ずこちらにもどってくる。

「なぜ、ぼくだったんだ?」

ナギの身体のどこかから目の粗い紙やすりのような笑い声がした。

「家族とは縁を切ったんだ。わたしが生きてることをしらせる相手は、俊也しかいなかった。死んでいたら、ほんとによかったなあ。あなたにこんなひどい顔を見せなくても済んだし」

　サイドテーブルに手鏡が見えた。ナギは自分の顔を見たのだろう。

「そろそろあの日のことは忘れないか」

　避けてとおることはできなかった。俊也はまっすぐに切りこんだ。ナギとつきあう限り、あの地震と津波からは逃げられない。

「無理だよ。だってわたしはみんなと違うもの」

　俊也はにぎった手に力をこめた。

「ナギだって、被害者だろ。なにが違うんだ」

　ナギは俊也の手から、そっと自分の手を抜いた。

「わたしは被害者じゃなく、加害者なんだ。あの日のことをきかれても、なにも話すことができなかった。泣くことも、亡くなった人を追悼することもできなかった。思いだすのさえ、怖くてたまらないよ。だってわたしがふたりを殺したんだよ」

　ナギの時間はあの日あのときに止まってしまった。この人は永遠の二時四十六分に閉じこめられているのだ。

「絆《きずな》とか、復興とか、ボランティアとか、みんなきれいでいい話だよね。テレビでも雑誌でも、頭のいい人たちがものすごく同情してくれて、つらさを分けあおうとしてたでしょう。そのたびに思っていた。わたしもあんなふうになれたらよかった。みんなと同じ被害者ならよかったって」

ナギが切れた唇の端を吊りあげてにやりと笑った。

「でも、今じゃああいう立派な人が憎らしくなった。被災者なんて簡単にニュースにまとめられるような人ばかりじゃない。アルコール中毒になった人も、自殺した人もたくさんしってる。心の傷だって治るやつならいいけど、心を裂いて殺してしまう傷もある。どんなに同情しても、ボランティアしても、復興支援しても、死んでしまった人のまえじゃ意味ないよ。わたしはあの日から、心が死んだまま生きてる。わたしの心は仙台の冷たい海の底に沈んだままなんだ」

ナギが泣いていた。その涙の冷たさに、俊也は言葉を失った。

「わたしのなかにあるいいものは、あの日全部、夫と彼といっしょに波にのまれてしまった。わたしがずっとなにを怖がっていたか、俊也にはわかる?」

自分が愛する女が心の底でなにを恐れているか、男たちは生涯わからずに死んでいく。人を愛するというのは、そういうことかもしれない。

「あの日から、わたしはずっと思っていた。地震はプレートとはなんの関係もなくて、ほんとはわたしが起こしたんじゃないか」

「……そうだったんだ」

返事の必要などないが、俊也は自分がそこにいることをナギに伝えたかった。そうでもしなければ、ナギは孤独なままあの泥の海に沈んでいくだろう。ひとりの女性の暗い願望がマグニチュード9の地震を起こすことがあるのかもしれない。この世界はそういう場所だ。

「不倫がうちのダンナにばれてすごい騒動になって、もうめんどくさい、みんな終わっちゃえばいいのにって思っていた。あの地震が起きたときも、怖かったけどわたしはちょっとうれしかったんだよね。これでみんなもわたしと同じように不幸になる、しばらくは不倫のごたごたも忘れられるって」

あの日の海に降る雪を思った。今日、新宿に降る雪となにが違うのだろうか。

「でも、そんな気分もふたりが行方不明になって、吹き飛んでしまった。あの日の午後、ふたりが会って話をするのはわかっていた。もし海辺にいったとしたら……」

ナギは唇を噛み締め、泣き声を漏らさなかった。腫れてふさがった左目ときれいなままの右目から、涙がいく粒も転げ落ちていく。ナギは手でぬぐおうともしない。

「涙なんて、くだらない。いくら泣いても、死んだ人は帰ってこない。わたしがふたりを殺したことも変わらない。なにもかもとり返しがつかないんだ。なにをしてもおんなじ、最低のまま。それで、わたしは毎週見しらぬ男と寝るようになった。何百人という男と寝た。そうしてるときだけ、ほんのすこしあの日が遠くなるような気がしたから。そんなの全部錯覚なんだけどね」

心を亡《な》くした人が泣きながら笑っていた。俊也は自分がカウンセラーのようで嫌だった。でも、いうべきことはいわなければならない。

「もうセックスに依存するのは止《や》めたほうがいい。今回みたいなこともあるし、つぎは命が危ないよ」

ナギが正面をむいたまま流し目で、俊也を見つめた。

「そうだね。そうしたら、この苦しさに終わりがくる。誰かわたしを殺してくれないかな」

俊也は必死に考えた。このままいかせてしまったら、自傷行為に似た男遊びをナギは果てしなく繰り返すだろう。いつか再び怪物に出会うまで。

「ナギが急に不安定になったのは、ぼくとつきあったからだよね。ぼくのことが好きなんだろ。いっしょにいたいと思っているんだよね」

身体がまえのめりになっていくのが、自分でもわかった。この人を流させたりはしない。自分が錨《いかり》になって、ナギを止めるのだ。

「俊也のことは好きだよ。でも、わたしは幸せになってはいけない人間なんだ。自分のいい加減な恋心で、ふたりの男を殺してしまった。わたしが人を好きになると、恐ろしいことが起こる。わたしのそばにいるせいで、俊也にもきっとよくないことが降りかかる。わたしは俊也を死なせたくないよ」

胸が締めつけられるようだった。この人は自分を死なせたくないと、怪物と寝たのだ。俊也は近い将来を思い描いた。島波クリニックのコンペに勝ったとしても、都落ちは避けられないだろう。どこか海から離れた内陸部の地方都市で、ナギと静かに再出発するのも悪くないかもしれない。そこには悪魔のような医師はいないし、黒い波が押し寄せてくることもないだろう。

「ナギ、いや、遠峯夏帆さんかな……あなたがどういう人なのか、やっとすこしだけわかった。傷ついていても、心が死んでいてもかまわない。ナギがもう嫌だというまで、ずっとぼくがそばにいてもいいかな」

泣き腫らした目の奥に、別な光が見えた。ナギが不思議そうにいった。

「信じられない。俊也は不幸になるよ」

「だいじょうぶだ。ナギのいない不幸より、いる不幸のほうがいい」

「わたしはこれからも、きっとひどいことをしちゃうよ」

俊也はナギの手を軽く叩《たた》いた。

「わかってる。昨日の夜もひどいことをして、ひどいことをされたんだよね」

「俊也は馬鹿《ばか》だ」

そういうとナギは声をあげて泣きだした。涙の量は先ほどをうわまわっている。俊也は中腰になって、折れているという肋骨に気をつかいながら、ナギの熱い身体を抱いた。

誰もが今、洪水の跡を生きている。俊也はナギの涙で頬を濡らされながら、そう思った。この時代のすべてが一面泥を塗られている。その空虚で平らな泥の大地のうえでしか、未来は始まらない。いかなければならないだろう。ナギも自分も、人を愛することを最初から学んでいかなければならないだろう。終わりの見えない果てしない旅になりそうだ。最後までこの人と歩いていけるのだろうか。確信など欠片《かけら》もなかった。それでもふたりで泥の道を歩いていくしかない。

俊也はナギの背中をさすり、身体を離した。

「ちょっと外で話をしてこなければいけないんだ」

廊下のベンチで刑事が待っている。俊也は脱いだコートを折りたたみ椅子《いす》にかけた。

肩口が雪でまだ濡れている。病室の扉を引き、廊下に出た。

ナギと自分の短かくはない物語を語り始めなければならない。

# 解説

壇　蜜



私が初めてカップル喫茶に行ったのは、23歳の時だった。

大学を卒業しても就職先が見つからず、見つける気にもなれず、どうしようもなかった私を見かねて両親が通わせてくれた、料理の専門学校生だった。授業と調理実習を繰り返し、それなりにクラスメイトとも交流し、学級長なんかも勤めたりして充実はしていた。しかし心のどこかで「就職できなかったくせに」という呪詛《じゅそ》の言葉を吐く「もう一人の私」も抱えていた。執行猶予《ゆうよ》のような2年間だった。高校を卒業し、調理師を目指して真面目《まじめ》に通っていた人からすると最低な女に見えたかもしれない。

そんな日々に出会ったのが年上のサラリーマン、「マニ」だった。もちろん仮名である。マニとは私がホステスのヘルプのバイトをしていたときに知り合った。客の客だったマニに対してヘルプの私。指名がどうとかノルマがどうとか縛りのない私に「店の客にならずとも会える女」として目をつけたようだった。私もマニのエンジニア気質を憎からず思っていたので、私たちは店の外で会うようになる。

マニとは食事、カラオケ、ゲームセンター、ホテル……とごく一般的なデートを繰り返していたのだが、仲良くなって半年ほどして突然誘われたのがカップル喫茶だった。いつものように夜待ち合わせをして居酒屋へ行き、マニはビールを片手に、烏龍《ウーロン》茶に手を添えたばかりの私と乾杯し、その後すぐに、

「面白い所があるって噂《うわさ》に聞いたからさ、よかったらこれから行かない？」

と言ってきた。

まるでテーマパークへと誘うような口調で言われたのを覚えている。居酒屋ではメニューを良く見ぬままオムレツを頼んでいた。当時の私はマニのいう「面白い所」より「オムレツの中味が何であるか」のほうが「気がかりなこと」の度合いをほんの少し上回っていた。なので私は、

「ご飯食べてからでいいの？」

と聞き返した。マニは、

「もちろん」

と嬉《うれ》しそうだった。

食事の最中もマニは「面白い所」が「カップルしか入れない喫茶店」であり「知る

人ぞ知るお楽しみの場所」でもあり「会社の先輩が行ったのを聞いて行きたくなった」のだと興奮ぎみに語っていた。普段は大人しくて受け身のマニがいつも以上に楽しそうなので、行くと言って良かったな……位にしか思っていなかった。

初めてのカップル喫茶は異様な雰囲気だったが、あっちでもこっちでも愛の語らいを楽しむ人々を見て、また、それを真面目に見ているマニを見て、

(何だかかわいい人たちなんだな。大人なのに皆こんなことをして)

と感じた。薄暗いうねうねと動く数組の姿はどの者達も私より年上に見えたから余計にそう思ったのかもしれない。皆が同世代だったらまた違った印象を持っていただろう。

「大人が仕事で疲れたらこういうことして息抜きするんでしょ？　……仕方ないよね、仕事は大変なんだし」

シートに座りマニに言うと、マニはそこでも嬉しそうに、

「そうなんだよね。大人ってのは大変なんだよ」

と繰り返した。今ならマニが嬉しくなった気持ちも分かる。私が目立った拒絶反応を表さなかったからだ。就職したことが無かった私は、社会に貢献する者を「激務持ちの偉大な人々」として見ていた。会社の仕組みを知らないからこそ、大人って大変

なんだなの一言でカップル喫茶で見たものを処理できたのかもしれない。元からおかしな子供ではあったが、こういう所は今も昔も変わらない。マニはそんな私を「話が早い女」として認識するようになったようだ。

その後も私たちは数回カップル喫茶に行き、話中でナギが俊也《としや》を連れていったような場所にも赴いた。決してハマるほど頻繁ではなかったが、「愛を交わし」、「愛を眺める」時間を過ごし、時には興じて……約2年ほどこんな日々が続いた。終わりはあっけなかった。

「そんなこと言うならもういいよ」

「どうしてそんな風にとっちゃうかなぁ？」

と些《さ》細《さい》な喧《けん》嘩《か》の末に怒って電話を切ってしまい、その後も意地をはって修復できないままという「いかにも」な出来事で、若い二人の恋路は終わった。喧嘩の理由は思い出せない。私のわがままだったのか、マニの鈍い態度だったのか……。

良い仲だった。私が冗談でプレゼントした100円ショップの爪《つめ》ブラシを「爪が綺《き》麗《れい》な男が好きなんだね」と嬉《き》々《き》として使うようなヘンテコマニ。もう会うことは出来ないが、私といた時間は紛れもない現実として今でも受け入れていてほしい。

マニとの一件以降、カップル喫茶等「他人の愛を覗《のぞ》ける場所」へ行かなくなった。交際相手がそのような場所へと誘ってこないし私も自ら勇んで……という程の気持ちもない。交際相手の飲み仲間には「愛を覗く者」がいた事もあり、

「また見に行ったらどんな気持ちになるだろう」

と赴いては見たが、マニとの時のように「大人のちょっと歪《いびつ》な時間」として向き合うことは出来なかった。あの時だったから向き合えたのだろう。マニと、就職に挫折した私と、カップル喫茶の大人達にしか作れなかった、「向き合えるやさしい歪《いびつ》」が確かにあったことを思い知らされた。

その後私は壇蜜となり、愛を覗けば週刊誌に報道されるような生活をすることになった。こんな経歴をここで書く私の姿が読者にどう解釈されるのか分からない。ある者は色狂いと思うかもしれないし、男に合わせていただけと言う者がいてもいい。見てきたものを可能な限り体温の高い描写をせずに伝えたかった。当時は激しい感情を抱いて愛を覗いてなかったのだから。

「オトナハオシゴトタイヘンダカラシカタナイ」

ただ、それだけ。

多くの人が背景は異なるだろうが「ナギと俊也」になる瞬間があると思う。何かをきっかけに（私のようにきっかけがきっかけっぽくない場合もあるが）性に敏感になり、翻弄《ほんろう》され、それでもどこか「異世界を知った優越感」に浸る……世間様からはみ出してはいるが有意義な時間だ。

誰にでもナギのような「求める気持ち」はあるし、俊也みたいに「翻弄される中に見いだす不可解な落ち着き」が備わる時間はやって来る。どちらかの体験をする者もいれば、両方の経験をする者もいる。私がマニと過ごした時間がそうだった。しかし、この瞬間は永遠には続かない。続いたら、生活って何だっけ？　仕事って何だっけ？となってしまうからだ。溺《おぼ》れるためにも金とある程度の社会性は必要で、皆がそれを無視してしまえば国も危機に陥《おちい》るだろう。そんなわけで世界は我々を性に没頭させないように出来ている……これは覆《くつがえ》せない。エアポケットのような「その瞬間」を除いて。

「ずっとこのままでいたいね」

そんなことを言う者を信用できない。愛に溺れたままでいたいという欲望の先には、きっと死しかないだろう。溺れ死ぬのは怖い。私は泳げないのだ。

「うーん。でもまだ死にたくない……」

　と答える私。困惑する相手。今でも独り身なのはこんなところが理由なのかもしれない。はみ出した時間にはここ数年陥っていない。次はいつだろうか。正気を保ちながら溺れる歪な時間が待ち遠しい。


（平成二十七年十二月、タレント）

この作品は平成二十五年八月新潮社より刊行された。

# 水《みず》を抱《だ》く

新潮文庫　い－81－7

平成二十八年二月一日発行

著者　石《いし》田《だ》衣《い》良《ら》

発行者　佐藤隆信

発行所　株式会社新潮社

郵便番号　一六二－八七一一
東京都新宿区矢来町七一
電話 編集部(〇三)三二六六－五四四〇
読者係(〇三)三二六六－五一一一
http://www.shinchosha.co.jp

価格はカバーに表示してあります。

乱丁・落丁本は、ご面倒ですが小社読者係宛ご送付ください。送料小社負担にてお取替えいたします。

印刷・大日本印刷株式会社　製本・憲専堂製本株式会社

ISBN978-4-10-125059-5 C0193